LE CLOÎTRE
DE LA RUE D'ULM

ROMAIN ROLLAND

LE CLOÎTRE
DE LA RUE D'ULM

Journal de ROMAIN ROLLAND
à l'Ecole Normale
1886-1889

*« Et cela doit nous apprendre qu'il est une Puissance
qui donne la forme à nos destinées, de quelque façon
que nous les ébauchions... »*
HAMLET SC. XX.

LE CERCLE DU LIVRE DE FRANCE

EDITIONS ALBIN MICHEL
22, rue Huyghens
PARIS

LE CLOÎTRE DE LA RUE D'ULM

JE suis reçu à l'Ecole Normale Supérieure. Juillet 1886.

Liste des reçus (31 juillet).

1. Colardeau (Louis-le-Grand).
2. Barthe (Louis-le-Grand).
3. Suarès (Louis-le-Grand).
4. De Ridder.
5. Mille (Louis-le-Grand).
6. J. Gay (Louis-le-Grand).
7. Mélinand (Henri IV).
8. Gauckler (Louis-le-Grand).
9. Gendarme de Bévotte (Stanislas).
10. Romain Rolland (Louis-le-Grand).
11. Joulin (Louis-le-Grand).
12. Cury (Louis-le-Grand).
13. Levrault (Louis-le-Grand).
14. Bouchard (Henri IV).
15. Lorin (Stanislas).
16. Wartel (Louis-le-Grand).
17. Dalmeyda (Louis-le-Grand).
18. Canon dit Pagès.
19. Georges Dumas (Louis-le-Grand).
20. Legras (Louis-le-Grand).
21. Renel (Louis-le-Grand).
22. Bancher.
23. Surer.
24. Gignoux.

Voici quelles furent mes compositions...

Philosophie :

.....

1886. (17 juin). — De la passion, considérée au point de vue psychologique et au point de vue moral.

Composition française :

.....

1886. (21 juin). — Lettre de M. de Zuglichem à Corneille. — Dans l'épître dédicatoire de Don Sanche (1650), Corneille se demande incidemment « ce qui défendrait à la tragédie de descendre plus bas... » Si elle doit faire naître dans nos âmes la pitié et la crainte, « ce dernier sentiment ne pourrait-il pas être excité plus fortement par la vue des malheurs arrivés à des personnes de notre condition, à qui nous ressemblons tout à fait » ? On met sur la scène des hommes illustres, « dont l'histoire a marqué les actions » ; mais nous n'avons pas de rapport avec eux « qu'en tant que nous sommes susceptibles des mêmes passions : ce qui n'arrive pas toujours ». Ne serait-il pas permis de « faire une tragédie entre des personnes médiocres », quand leurs infortunes les en rendent dignes ? — A ces remarques, Corneille ajoute un exemple : *Scéduse ou l'hospitalité violée* (Hardy, 1604). Dans cette pièce, un paysan de Lanetaes meurt de douleur, en apprenant que, pendant son absence, ses filles ont été outragées et tuées par deux jeunes Spartiates, qui se présentaient comme des hôtes. — M. de Zemplichem, conseiller du prince d'Orange, répond à cette épître qui lui était adressée. Après quelques mots très flatteurs, il loue la nouveauté féconde des vues du poète : cette tragédie moyenne, quel que soit le nom qu'on lui donne plus tard, deviendra sans doute une des formes principales du théâtre ; mais, quant à lui, il ne cache pas ses préférences pour la tragédie historique. Il en fera ressortir les avantages, en discutant les questions indiquées par Corneille, et il lui opposera ses propres œuvres comme le plus fort des arguments.

.....

Vers latins :

(La composition des vers latins fut supprimée du concours d'entrée à l'École Normale, à partir de 1886.)

A la même époque, mon camarade d'enfance, mon rival au collège de Clamecy, Boidot, est reçu à l'Ecole Polytechnique (121ᵉ sur 230.)

Septembre 1886.

Pendant les vacances, à la fin de septembre, je vais, avec ma famille, à Clamecy.[1]

Dans les rues de Clamecy, sur les murs, je vois de grandes affiches-réclames du Collège, où on se fait gloire de nos succès, à Boidot et à moi.

Mon oncle Edmond revient des grandes manœuvres du 18ᵉ corps, près de Bordeaux. Il faisait partie de l'état-major du ministre de la guerre (général Boulanger) ; il a entendu le fameux discours, dont une phrase, travestie par les journaux, a pris un sens plus belliqueux qu'elle n'en avait en réalité. C'est du moins ce que mon oncle assure. Il aime peu Boulanger ; il le croit ambitieux, aussi dépourvu de sens moral que de tact ; mais il déclare qu'il « représente » admirablement. Bel homme, à la figure expressive, il parle fort bien ; et son discours des manœuvres était aussi juste dans le fonds que net et ferme dans la forme. Quant à la phrase incriminée, elle se rapportait à la tactique, et non à la politique. Le général félicitait à bon droit le 18ᵉ corps d'avoir rompu avec la tactique défensive, adoptée depuis dix ans, et d'avoir repris l'offensive, qui convient mieux au caractère français.

Je revois Sélina, mon premier amour. Toujours aussi vive, aussi folle, toquée de tout ce qui est original, extraordinaire. Pour le moment, elle s'est enflammée pour le beau roi de Bavière, à la mort dramatique. Le paradoxe a toujours chance de la séduire. Avec son intelligence, son esprit, sa double pas-

---

1. (Je crois bien que je n'y suis plus jamais retourné depuis, jusqu'en 1913.)

sion de l'idéal et du paradoxe, elle eût vite frappé l'attention publique, si elle avait été homme ; mais peut-être qu'elle l'eût lassée, de même.

Madame Sochet, la cousine à héritage, et sa fille adoptive. La petite est en conférence avec son notaire ; elle a un gros rire carnassier, une gaucherie brusque de paysanne. On nous l'exhibe comme musicienne. Et les plus francs admirent !

D'Auxerre à Gien, par Fontanet et Bléneau. Des champs, de grandes haies en buissons, des ondulations molles.

17 octobre 86.

Inauguration de la statue de Berlioz, square Vintimille. — Ambroise Thomas, bien vieux, bien cassé, enfoncé dans son pardessus, ses grands cheveux, sa grande barbe, son large chapeau à haute forme. Garnier, l'architecte, teint de mulâtre, petite moustache. Gounod, très entouré, gai, l'œil vif, la parole rapide, un peu nasillarde, la marche allègre, vêtu d'un pardessus marron (plutôt prune). Saint-Saëns, rayonnant. — Delibes, Delaborde et Reyer prononcent des discours. Je n'entends la voix de Reyer que par bouffées. Il dit que, seul, Ritter pouvait faire oublier à son maître Berlioz la tristesse qui le rongeait, en lui jouant l'adagio de Roméo, le Sommeil de Faust, ou la Tristesse de Roméo. — Silvain lance, à pleine gorge, des stances de Grandmougin. — La garde républicaine et les chœurs, sous la direction de Colonne, jouent l'Apothéose de la Symphonie funèbre et triomphale, et la Marche troyenne.

Je lis Madame Bovary, et j'en suis enthousiaste : ce qui scandalise mon grand-père. Je trouve ce livre d'un réalisme merveilleux. C'est le seul roman français que je puisse opposer à Tolstoy, pour l'impression profonde de vie, de vie totale. Les cinq sens sont mis à contribution, pour faire vivre plus intensément de la vie des personnages. Au reste, on est beaucoup plus intéressé par l'esprit, par la curiosité, que par le cœur. On ne se passionne pas plus pour tel ou tel personnage que, dans la réalité, pour des gens étrangers, dont les affaires ne touchent pas notre égoïsme. Ils sont égoïtes, et nous aussi.

Je cours acheter *l'Abbesse de Jouarre,* au lendemain de sa publication. Elle me plaît moins que *le Prêtre de Nemi.* J'en fais un résumé, qui me confirme dans l'idée que Renan est le derniers des stoïciens :

Tout ce qui est, doit être. Ce qui est réel, est bon. Ce qui est plus réel est meilleur. Ce qui triomphe est plus réel, donc meilleur. Ne soyons donc pas inquiets de l'avenir. Tout ce qui est, sert à ce qui sera, au Devenir infini. Vous dites : le présent est mauvais, injuste ; mais le présent amène l'avenir ; et l'avenir est nécessairement bon, juste. Grands ou petits, nous travaillons à une œuvre immortelle.

L'amour est l'acte sacré, par excellence ; car c'est la seule condition de l'éternité des choses ; c'est lui qui assure que la nature en mouvement ne s'arrêtera point. Aussi, la nature y a-t-elle attaché la plus grande somme de plaisirs. — Le suicide est le plus grand crime : car il viole les règles communes, il menace le Devenir universel.

Faust de Gounod, à l'Opéra (avec Edouard de Reszké, dans Méphistophélès. J'ai vu naguère Gailhard dans le même rôle, et madame Krauss en Marguerite). Je constate la variation de mon goût. Il y a cinq ans, j'aimais *Faust* amoureusement. A présent, j'y vois « la rêverie romanesque d'une jeune fille de la paroisse de Sainte-Clotilde, le soir, avant de s'endormir, après une journée bien vide et bien remplie ». — Mais mon goût n'en est pas meilleur : car j'admire encore trois scènes : l'Eglise, la mort de Valentin, et la Prison. — Je trouve que les dernières œuvres religieuses de Gounod sont les meilleures.

30 octobre.

Hamlet de Shakespeare (trad. A. Dumas et Meurice) au Théâtre-Français. — Je profite, pour la première fois, de mes privilèges de Normalien, qui me donnent le droit de retenir à l'avance une place de parterre, sans payer de location. —

Mounet-Sully en Hamlet. Je compare son interprétation à celle
de Philippe Garnier. Celui-ci rendait surtout le côté ironique
du rôle, l'humour anglais, la bouffonnerie lugubre ; son pessimisme venait de l'esprit. Celui de Mounet-Sully vient du cœur ;
son Hamlet est malade moralement ; jamais de sang-froid,
toujours « agi ». Le pur Hamlet romantique. L'Hamlet de
Garnier, au contraire, ne perdait pas un instant la maîtrise de
soi et des choses, l'acuité de son regard, son sourire inquiétant.
Au lieu de cette misanthropie dédaigneuse, ce qu'on lit sur les
traits de Mounet-Sully, dès la seconde scène, c'est l'accablement
de la douleur. Grand, fort, les yeux égarés, le geste puissant,
avec des élans de brutalité et un grand air aristocratique. Supérieur surtout en trois scènes : l'apparition du spectre ; la tragédie ; et le duel. — Impossible de donner une idée des accents
douloureux de sa voix, dans le dialogue avec l'ombre. Il écoute
le long récit, à genoux sur les marches de la plateforme, avec
des sanglots, des sursauts de douleur ; quand le spectre disparaît, il se laisse tomber tout de son long sur l'escalier, avec un
cri d'épuisement ; puis, il se relève comme un fou, en tremblant
de tous ses membres ; et ce n'est pas avec le sourire sur les
lèvres, comme Garnier, mais avec la terreur dans la voix qu'il
parle de « la taupe qui chemine ». Quand la voix du spectre
s'élève d'au-dessous de l'endroit où il est, il est agité d'un frisson convulsif, et instinctivement s'écarte. — Dans la scène de
la tragédie, quand il a reconnu le trouble du roi, il ne jette pas
son éventail en l'air (geste connu), mais il l'agite, le secoue,
le déchire avec férocité, en poussant un cri de triomphe sauvage ; puis, il se promène comme un fou, chante à tue-tête,
d'une voix brutale, saccadée, tonitruante. — Dans la scène du
duel, il n'apporte pas l'ardeur juvénile de Garnier (si dramatique, par contraste) ; il ne prend pas ce sourire heureux et
confiant, qui, pour la première fois, remplace sur ses lèvres
l'éternelle ironie glacée. Mounet-Sully reste sérieux, confiant
en la loyauté de l'adversaire, indifférent aux préparatifs du
combat. A la troisième passe, quand le fleuret démoucheté
l'atteint au côté, il a un saisissement ; pas un cri, pas un mot ;

sa main se porte à l'endroit touché ; il la retire sanglante ; alors, ses yeux se dilatent, sa bouche s'ouvre ; — il reprend le duel, joué serré, fait sauter le fleuret de son adversaire, met le pied dessus, et remet à Laërte son propre fleuret ; puis, il ramasse l'autre, et tout en courbant la lame par un geste naturel à ceux qui font des armes, sa main glisse jusqu'à la pointe, découvre la trahison ; aussitôt l'indignation et le désir furieux de la vengeance succèdent sur ses traits au soupçon. Il recommence le duel, poursuit son adversaire avec acharnement, sans lui laisser le temps de respirer, et le perce par deux fois de l'épée empoisonnée.

Got est un parfait Polonius, un Machiavel jocrisse, d'une gravité pédantesque. Un fini du détail, une perfection de nuances, inimitable. — Mademoiselle Reichenberg, en Ophélie. — Agar fait la reine, avec la voix d'une crieuse de poissons. — Duflos en Laërte. — Maubant, dans le spectre.

Mardi soir 2 novembre 1886.

Nous faisons notre entrée à l'Ecole Normale Supérieure. Nous nous sommes donné rendez-vous, entre conscrits, au café Vachette, vers 10 h. du soir, afin de pénétrer de compagnie dans le sanctuaire. Nous faisons un monôme, qui va pousser des cris sous les fenêtres de Louis-le-Grand, de Sainte-Barbe et d'Henri IV. Mais nous manquons de gaieté. La peur du canulard. Au bas du grand escalier des dortoirs, nous sommes accueillis par des hurlements féroces qui partent d'en haut. Les carrés nous attendent sur le palier du second. Ils nous font agenouiller, prosterner. Une fois couchés, on nous retourne sous nos matelas, le nez contre le sommier. Le lendemain, monôme organisé par eux. Nos cornacs nous mènent, d'un bout de l'Ecole à l'autre, visiter les endroits malpropres, nous agenouiller devant le squelette de l'éléphant fossile (le méga), lui baiser respectueusement le bout de la queue, serpenter dans les cours, autour du jet d'eau, sur la margelle, passer, chacun, à quatre pattes, sous les jambes des vingt-trois autres. Les

cubes nous font couper leurs livres ou copier leurs cours. Les
carrés nous donnent une série de sujets de devoirs ignobles, et
nous font passer un examen « de moralité », qui est bien la
chose la plus dégoûtante qu'on puisse imaginer. J'ai la chance
d'être oublié, dans l'appel des « gnoufs », qui passent deux par
deux, devant l'aréopage, présidé par Lahillonne, flanqué de
Blerzy et de Hauser ; les récits que mes camarades me font
de l'interrogatoire me font apprécier ma veine. On ne pourrait
jamais croire que des jeunes gens intelligents soient capables
d'obscénités aussi dégoûtantes, dénuées de tout esprit. Après
le dîner, ils nous rassasient de chansons grossières. Magron et
Bérard entonnent les couplets, et le chœur entier répète le
refrain, au milieu des tourbillons de fumée que lancent les
chibouqs : car les carrés sont coiffés de fez et drapés dans leurs
couvertures de lit. Jusqu'à minuit, même comédie que la veille,
dans le dortoir. C'est surtout contre Suarès, Levrault, Lorin
et Colardeau qu'on s'acharne. Canon dit Pagès s'est blessé à
la tête, en sautant d'une fenêtre ; on l'a porté à l'infirmerie,
où l'on craint pour lui une méningite. — Le canulard est pourtant exceptionnellement doux, cette année. Les carrés viennent
s'entretenir amicalement avec nous, dans nos turnes : Hauser,
Bazailles et Raveneau surtout sont charmants. Blerzy me donne
la corvée de laver des tasses de thé ; mais c'est pour m'inviter
à en prendre une avec lui. Le lendemain, je vais également
prendre le café chez deux cubes : Daux et Bernès. Seulement,
réunis, ils rivalisent d'injures et de saletés. — A partir de jeudi,
il y a du moins un peu d'esprit dans leurs gravelures.

Le vendredi soir, distribution de prix aux gnoufs, pour les
ignobles devoirs qu'il a fallu remettre. D'abord, un joli discours en vers, de Magrou, lardé de plaisanteries aristopha-
nesques. Magrou est costumé en poète grec, et le discours qu'il
lit est écrit sur un long papyrus qui tombe jusqu'à terre ; il
débute par une apostrophe aux

« ...Michelangesques cubes,
qui cachez de grands fronts sous de modestes tubes. »

Puis, l'appel des lauréats :

Prix de candeur : De Ridder (il a 17 ans).
(Impossible de dire en quoi consistait le prix.)

Prix de suffisance et insuffisance : Suarès.
(Un numéro du *Temps*. Allusion à l'article d'Anatole
France sur lui, il y a 2 mois.)

Prix de rogue impuissante : Ex-aequo, Dumas et Dalmeyda.

Prix de propreté : « Barbapoux, dit Levrault » (Un pain de
savon).

Prix de p... théorique : Bouchard.

Prix de p... pratique : Ex-aequo, Legras et Mélinand.
(Il s'agit de mœurs athéniennes.)

Prix de légèreté, institué par mademoiselle Rosita Mauri :
Hors-concours, le carré Rouger. Ex-aequo Lorin et Barthe, qu'on a voulu faire danser, et qui se sont exécutés,
avec la grâce de jeunes éléphants.

Je ne me plains pas de n'avoir rien eu. — Après la distribution, discours en vers ignoble, de Toutain : c'est un pastiche
ordurier de *la Légende des Siècles :* « Puissance égale bonté. »
Le récit de la création du « gnouf ». — C'était si dégoûtant
que tout le monde en était écœuré. — (Et, je l'ai su plus tard,
Toutain lui-même. Le brave garçon avait fait de son mieux.)
— L'un des conscrits, un scientifique, Brunhes, crie une injure
à Toutain. Aussitôt, il est saisi par Hauser, Strowski et quelques
autres, qui très sérieusement cette fois le rossent et annoncent
leur intention d'aller le « retourner », la nuit, sur son lit. Le
cacique des carrés scientifiques s'interpose, et menace les littéraires d'une bataille : (car, à l'Ecole, chaque section est soli-
daire). Hauser n'en tient pas compte ; et toute l'armée des
littéraires : cubes, carrés et « gnoufs », se rend au dortoir des
scientifiques, à l'autre aile de l'Ecole, force les portes, canule
Brunhes, et houspille les autres. Après quoi, pour récompenser

les conscrits de leur belle conduite, on leur accorde de dormir
paisiblement jusqu'au lendemain. C'est ma première bonne nuit,
depuis l'arrivée.

Enfin, samedi soir, à 8 h. la grande cérémonie du canula-
rium. Une salle, au milieu de laquelle s'élève un poêle monu-
mental. C'est là-dessus que tour à tour, chacun doit monter,
pour essuyer sans broncher une pièce de vers qui se fiche de
vous sans ménagements, dévoilant vos défauts, vos travers
(révélés Dieu sait comment) et les exagérant crûment. Autour
du poêle, les principaux carrés, déguisés pour la circonstance,
font un cercle ; et chacun, tour à tour, injurie un des gnoufs.
Plus loin, les autres carrés et cubes, sur des gradins, et un certain nombre d'archicubes, professeurs, etc. (Dans le nombre
Jaurès.) — Les travestissements, assez jolis et spirituels, font
allusion à des événements d'actualité, principalement littéraire.
Il y a un Juarez (Hauser), une Abbesse de Jouarre et un chevalier d'Arcy (Chavannes), un Louis de Bavière et son médecin (costumé en médecin de Molière), un Fils de Jahel, un
Monsieur Scapin, un général Jeanningros (Molbert), un cui-
rassier pontifical, le drapeau blanc à la main (Blerzy, fougueux
catholique « tala »), une Marguerite (Lahillonne) et un Faust,
un comte Tolstoy et Katia (Strowski, dont la figure originale
et douce, mais point jolie, est charmante sous la fine perruque
blonde). Enfin, pour maintenir l'ordre, un gendarme (Toutain) ; et, pour présider la cérémonie, un Méphistophélès (Sirven). — J'oubliais un marquis Tseng. — Les plus maltraités
sont, comme toujours, Levrault et Suarès, l'un à cause de son
irritabilité, l'autre pour sa suffisance. On me fait monter sur le
poêle, avec Lorin, le plus maigre avec le plus gras, Don Qui-
chotte avec Sancho Pança : car toute la pièce de vers, que M.
Scapin nous a lancée à la tête pendant dix minutes, roule sur
ces deux définitions de nos personnes. On blague mon wagné-
risme, mon air sombre ; on prétend qu'il vient de ce que je
cherche l'idéal, et que je crois enfin l'avoir trouvé dans l'école
où trônent Boissier, Ferdinand (Brunetière), et Ollé. (Mais

je n'ai pas besoin de dire que ces choses sont dites en langage beaucoup plus ordurier, — quoique je n'aie pas à me plaindre : j'ai été traité toujours avec une sympathie marquée.) — On raille les cheveux de Suarès, les échasses de Mille, la barbe de Levrault, la voix de Mélinand, le nom de Gendarme de Bévotte, la candeur (dont je doute) de Ridder, et la chasteté de Gignoux, qui se trouve être à la fois... innocent, et « père » de la section (le plus âgé)...

> « O talas, voilà qui dégotte
> Votre Immaculée Conception ! »

Enfin, après une chanson d'archicube, dont un couplet dit : « Un savant prétend que l'homme descend du singe ; le même savant dit que les cubes ont jadis été conscrits », (protestations indignées), — on nous conduit au dortoir ; on nous fait mettre à cheval sur les cloisons qui séparent les chambres. Après une demi-heure d'attente, la procession des carrés et des cubes fait son entrée. Une première fois, grave, silencieuse, sépulcrale. Puis, elle disparaît. Une seconde fois, tumultueuse et hurlante. Puis, le silence se refait. Tout à coup, du fond du dortoir, retentissent les paroles sacramentelles, dites par le cacique Hauser : « Il n'y a jamais eu de gnoufs, il n'y a jamais eu de canulard. » — Aussitôt, on nous embrasse : « Ah ! cher conscrit !... Encore ! Encore !... Qu'ils sont beaux ! qu'ils sont bien, nos conscrits !... Allons, dormez bien, nous allons vous border, vous donner du thé, de l'eau sucrée, veiller sur votre sommeil... etc. » — Le canulard est fini.

10 novembre. — Mercredi.

Punch traditionnel, offert par les carrés aux conscrits, et où ils s'amusent à les griser. Barthe est soûl comme un Polonais ; il a l'ivresse pédante ; il veut scander Pindare, en le chantant, comme Riemann a commencé de nous l'enseigner ; il trouve qu'un vers de Virgile sent les foins coupés. Wartel a l'ivresse soldatesque : il cambronne tout le monde. Suarès prétend qu'il fait semblant d'être gris (il a bien son petit plumet) ; il gambade et fait mille extravagances. Joubin vomit, au dortoir. Pour moi, je me suis arrangé à ne boire, sans en avoir l'air, que le quart d'un verre. Mais les scènes de soûlerie m'ont tellement dégoûté, que je me refuse, le lendemain soir, à assister au dîner également traditionnel, qu'offrent chez La Pérouse les conscrits à leurs anciens. En principe, ce banquet a pour raison de resserrer l'amitié entre Normaliens. En fait, c'est le prétexte d'une énorme soûlerie. — Il faut dire que, cette fois, le dîner a été assez morne ; les conscrits prenaient garde à ne plus se laisser attraper par les mélanges insidieux de breuvages qu'on leur offrait ; et certains étaient trop malades encore de leur nuit passée, pour avoir envie de recommencer. Il n'y a que Barthe, qu'on a rapporté ivre-mort, en voiture, Bérard, qui faisait un vacarme effroyable, riait, criait, et voulait coucher avec de Ridder ; et Gautier qui, s'étant relevé dans la nuit, mit tranquillement son casque juif et ses brodequins de « fils de Jahel », persuadé que c'était son habillement ordinaire. Le dîner s'est terminé par un monôme, toujours traditionnel, dans les brasseries et mauvais lieux du quartier latin. Le plaisant, c'est que pour beaucoup d'anciens ces expéditions et ces agapes ne sont rien moins que divertissantes. Mais « c'est la tradition ». Le grand mot, qu'ils ont tous à la bouche. Bons garçons, qui se soûlent « par tradition » !

16 novembre.

Nous inaugurons M. Chuquet, professeur d'allemand. Georges Perrot, notre directeur, qui nous le présente, « fait un Perrot », comme toujours, c'est-à-dire une gaffe, en langage d'Ecole. Il en fait même plusieurs. Il compare Chuquet à Abélard (Chuquet lui-même se tord), et, pour faire son éloge, énumère ses échecs : « M. Chuquet a été refusé à l'agrégation des lettres... Tout autre que lui se serait découragé... etc. »

« Faire un Coulouche. » (La Coulouche, professeur de littérature française) = faire le phraseur.

« Faire un Chantavoine » = faire le précieux.

« Faire un Tunat » (Fortunat Strowski) = faire un mauvais calembour.

« Faire un Jeanningros » = dire une stupidité.

Le général Jeanningros, venant inspecter le bataillon de l'Ecole, commence ainsi son discours : « L'Ecole Normale ne peut que prospérer sous la haute direction du capitaine Bouvoust et de M. Perrot. » — Et plus loin : « Chacun doit faire son devoir et obéir à ses supérieurs. Vous, messieurs, c'est aux professeurs des lycées que vous devrez obéissance. »

Ce qui fait que, quelques jours plus tard, le caporal nous dit, à l'exercice : « Ça vous servira, quand vous serez instituteurs, à montrer l'exercice aux mioches. »

Ce qu'il y a de meilleur, à l'Ecole, avec la discipline d'esprit, la méthode enseignée par les professeurs : la variété d'esprits, d'opinions, de tempéraments, qui existent parmi les 24 camarades d'une même section. Suarès, amoureux de la forme, de la chair, de l'action, de la vie, adorant la Renaissance, où il aurait voulu vivre (il le disait lui-même). Georges Mille, regrettant de n'avoir pas été un petit bourgeois du XIIIe siècle, raisonneur, subtil à ses heures, dévot au cerveau étroit, d'ailleurs parfaitement satisfait de lui et de sa charge de juge. Moi, le mysticisme m'assiège, je sens que je vais y tomber. Grosjean voudrait être bourgeois du XVIIIe siècle. Renel, capitaine Fracasse... etc.

Nous formons un comité pour acheter des livres. Les cinq délégués sont : Lorin, Gauckler, Mille, de Ridder et moi. Les premiers livres achetés sont :

Dostoïewski : *Les Possédés,* 2 vol.
Tolstoy : *Deux générations.*
Halévy : *Princesse.*
Gyp : *Dans l'train.*

Grand-Carteret : *La France jugée par l'Allemagne.*
Inutile d'ajouter que je ne suis pour rien dans le choix des trois derniers.

On propose l'achat du livre de Drumont. Suarès et Dalmeyda s'y opposent violemment, et déclarent qu'ils se retirent, si on passe outre : Dalmeyda, parce qu'il est Juif, intolérant ; Suarès, parce que, dit-il, Drumont a attaqué des membres de sa famille. Je défends leur cause, auprès de mes collègues ; je réussis à leur faire biffer le livre ; mais ce n'est pas sans de vives protestations du catholique Lorin, de l'antisémite Gauckler, et surtout du bruyant et brouillon Levrault. Celui-ci déclare qu'il s'opposera, par représailles, à ce qu'on achète les *Portraits politiques* de Spuller, parce que Spuller flétrit le 2 décembre, et qu'il a dans sa famille des hommes qui ont participé au 2 décembre.

Mercredi 1er décembre.

Et voici justement qu'on fait la manifestation bruyante et traditionnelle, à l'occasion du 2 décembre. — A 6 h. 30 du soir, toutes les lumières s'éteignent, et les sections se rendent, silencieusement, à travers les ténèbres, à la salle de l'archicube Méga (l'éléphant fossile). *Ad augusta per angusta.* Là, nous sommes accueillis par le chant de la Marseillaise. Un drapeau tricolore est fiché à la grande table, devant le tableau noir. Sur cette table, un fauteuil, où monte à tour de rôle chacun de ceux qui veulent flétrir le 2 décembre et lire une pièce des *Châtiments.* Le sérieux se mêle au burlesque. On lit Hugo pour l'admirer, et aussi pour se ficher de lui. On entrelarde la lecture des *Châtiments* d'une complainte sur Barbès. Ont lu avec sincérité, et même avec enthousiasme : Mirman, Suarès (la fin de l'*Expiation, Floréal*), Toutain, et Gidel (*l'Enfant tué*).— Au réfectoire, cortège de bannières fantastiques, vouant le 2 décembre à l'exécration de la postérité. La nôtre, brossée par Wartel, représente, sur une face, la République plongeant jusqu'au ventre dans une mer de sang et tordant le cou à un aigle qui pleure d'immenses larmes rouges ; — sur l'autre, un crâne gigantesque et des tibias sur fond noir. Tout autour, des banderoles avec des inscriptions : « *L'oncle, vampire ; le neveu, chacal* » — « *Je jure d'obéir à la Constitution...* » — « *Traître !...* » etc. — Au milieu du dîner, on apporte sur une civière l'enfant blessé (un bonhomme de cire). — Les quatre bonapartistes de l'Ecole (dont Levrault et Padovani) se sont abstenus de paraître à la cérémonie. Levrault est venu au réfectoire avec un bouquet de violettes à son chapeau ; il ne s'est pas découvert, de la soirée ; je crois qu'il a couché avec son chapeau.

Je prête *Guerre et Paix* de Tolstoy à plusieurs camarades. Tous le trouvent merveilleux, mais chacun pour des raisons différentes, une œuvre de cette richesse parlant à chacun sa langue propre. Suarès préfère le premier volume ; il est navré de voir les héroïnes qu'il aime tomber bêtement dans les aventures les plus vulgaires. Mille est surtout pris par le troisième volume. Il est satisfait d'assister à l'embourgeoisement des personnages si romanesques et si passionnés d'abord. Il aime le songe du petit, qui termine l'ouvrage. Il trouve la pensée maîtresse de Tolstoy profondément saine : la vie n'est jamais interrompue ; elle continue ; point de catastrophe, si irréparable qu'elle semble, qui se soit réparée ; on voit des femmes succomber à des douleurs, à des passions qui semblent mortelles ; elles en guérissent ; et elles oublient. La mort même n'interrompt pas la vie. Le prince André revit en son enfant ; tout est bien.

5 décembre 86.

Concert Colonne. — C'est la première fois que je vais à un concert, depuis que je suis débarrassé de l'idée fixe, obsédante, de l'examen, — qui ne me quittait à aucune minute, depuis plus de deux ans. C'est donc la première fois que je suis entièrement livré à la musique. Aussi, je remarque en moi une exal-

tation de l'ouïe, qui fait qu'un bel accord me glace jusqu'aux
moelles, me remue d'un frisson. Je voudrais supprimer le public,
éteindre ma vue, être le morceau qu'on joue. Aux secondes où
le trouble de ma vue et le silence du public me permettent de
toucher à cet idéal, il me semble que la musique est en moi,
qu'elle est moi, que c'est mon âme dont je sens les élans harmonieux. — On joue du Schumann. A ce propos, je fais sur la
musique dite classique une réflexion, que j'ai souvent exprimée
depuis : à savoir que les classiques étaient les romantiques de
leur temps, et qu'on l'oublie trop. « C'est la teinte sombre des
siècles qui donne aux monuments leur apparence de grise sérénité. » — Diémer, que j'entends pour la première fois, joue
le 5e concerto de Bach. Et je note qu'il ne faut pas trop piquer
les notes fuguées. Piqué-lié.

Voici quelle est la distribution des « turnes » de notre
section :

Turne de l'Aire : (ou des Forbans)	Suarès. Rolland. Renel. Dalmeyda. Dumas. Levrault.
Turne des Cigales : (ou des Rats égoïstes)	Colardeau. Barthe. Gay. Gauckler. Cury. Joubin.
Turne des Chimères :	Legras. Wartel. De Bévotte. Pagès.
Turne La Veuve : (parce que l'un d'eux, ma-lade, était absent)	Mille. De Ridder. Lorin. Surer.
Turne des Esprits :	Bouchard. Mélinand. Gignoux. Baucher.

On appelait : « Un Coulouche », une phrase prétentieuse,
avec le balancement de deux substantifs, flanqués, chacun,
d'une ou deux épithètes (telle qu'en produisait abondamment

le professeur Delacoulouche). — Mille s'amuse à faire « les Coulouche de la section » :

SUARÈS : la sensualité artistique d'un XVIᵉ Siècle Marseillais.

ROLLAND : le Bouddhâ musical d'une mysticité révolutionnaire.

MILLE : l'agitation d'un égoïsme qui manque de grandeur, malgré son élévation (allusion à sa taille).

Ou encore : la condensation de toutes les subtilités dans des visées ambitieuses d'un dissecteur qui stérilise.

DUMAS : la goguenardise indifférente d'une sérénité guillerette.

COLARDEAU : la maturité forte d'un cacicat hellénique et jaune (allusion à son teint).

JOUBIN : la surabondance barbue d'un rire permanent.

GAUCKLER : le militantisme d'une contradiction exacerbée.

(De nouveau) DUMAS : le bagout fumiste et banal d'un commis-voyageur positiviste.

BARTHE : la digestion studieuse d'un La Pérouse qui s'épanche. (Voir plus haut.)

LORIN : la gaillardise d'une belle âme dans un corps rond.

SURER : la conviction philosophique que le Pot (le dîner) est bon.

LEGRAS : la délicatesse mondaine et grêle d'une âme futée.

WARTEL : le bon sens nivernais d'une gaieté douce et universitaire.

DE BÉVOTTE : la rectitude d'un dos inflexible, et l'imperfection d'une grécité qui fait pâlir les Juges (Tournier).

PAGÈS : la convalescence étonnée d'une âme pâle et blonde.

MÉLINAND : le Cherbuliez méditatif d'une mondanité qui fait rêver Gignoux.

GIGNOUX : la beauté bouclée et respectable d'une paternité qui couve Mélinand.

RENEL : la voracité charnelle d'une courtisane mise au couvent.

DALMEYDA : le talatisme mosaïque d'un antitala qui dogmatise.

Gay : le sacerdoce impubère d'une raison qui croit aux miracles.

Cury : l'incurie pleine de tunats (calembours) d'un latinisme couronné.

Baucher : la violette cachée qui garde pour les Esprits ses parfums intimes.

De Ridder : la jeunesse non encore nubile d'un esprit imberbe et fils de la section (le plus jeune).

Levrault : ah ! Levrault est le bâtard pudibond d'un bonapartiste infortuné.

21 décembre 1886.

J'ai envoyé à Renan une lettre, dans laquelle je lui exprimais l'idée que je me faisais de sa doctrine. Idée paradoxale, au dire de mes camarades : je voyais en lui un stoïcien. — Il me répond, ce matin :

Cher Monsieur,

Votre petit résumé est charmant. Venez me voir, quelque dimanche ; nous le lirons ensemble, et je vous indiquerai quelques nuances. Courage, je vous serre bien affectueusement la main.

E. Renan.

Voici la lettre que je lui avais envoyée :

Monsieur,

Vos derniers ouvrages m'ont passionné, Le prêtre de Nemi, *l'*Abbesse de Jouarre, *ont éveillé ma profonde sympathie pour des idées que j'ai le malheur de ne pas toujours partager, mais dont la hauteur me ravit. Car je vois peu de doctrines plus nobles, plus sereines que celle de vos deux derniers drames : j'entends, si l'on apporte à leur lecture une âme épurée. L'autre jour, nous discutions entre camarades sur le vrai sens de votre philosophie ; et bien que je sois persuadé qu'elle soit trop vivante pour tenir enfermée dans une étroite formule, il me sem-*

blait que si l'on pouvait la rattacher à un système, c'était au stoïcisme qu'il fallait penser. Ce jugement sembla paradoxal. Comme je crois qu'il a quelque vérité, je voudrais savoir de vous, Monsieur, ce qu'il en est, et si j'ai du moins entrevu une des faces de votre pensée. Voici ce qu'il m'a semblé lire, au fond de l'Abbesse de Jouarre, *comme du* Prêtre de Nemi :

Tout est fatal. L'avenir est écrit dans le présent. L'univers est le devenir incessant et infini, dont nous sommes un moment. Ne crains rien, ne regrette rien. Tu ne peux rien changer à l'ordre éternel. Supporte la douleur, accepte le plaisir. Accepte la réalité tout entière, telle qu'elle est. Ne dis pas : le présent est mauvais, injuste. Le présent est plein de l'avenir ; et l'avenir, c'est-à-dire la nature dans son éternité, est excellent. Tout ce qui est, devait être. Ce qui est réel est bon ; ce qui est plus réel est meilleur ; ce qui triomphe est plus réel, donc meilleur. Ainsi, ne soyons pas inquiets. Grands et petits, nous travaillons à une œuvre immortelle et parfaite. Que tu le veuilles ou non, tu participes à l'éternel ; mieux vaut donc le vouloir : incline-toi. « *Chacun est rivé à son devoir.* » — « *L'œuvre de l'humanité exige le sacrifice* », *sacrifions-nous.*

La société repose sur des lois passagères, conventionnelles, mais impératives pour tous, même pour le sage, qui voit leur injustice et leur mesquinerie, — parce que la nature a besoin d'elles pour arriver à ses fins : ce sont l'expression inconsciente de la volonté actuelle des choses. Le sage obéit aux lois de son pays, il fait le bien, il s'incline devant le devoir, parce que c'est le bien, parce que c'est le devoir, et non parce qu'une récompense éternelle doit payer l'accomplissement parfois douloureux de l'un et de l'autre. Sa vie est la plus belle de toutes ; mais il faut être bien fort pour la soutenir. Il faut pouvoir se fondre par la raison au sein de l'Etre universel, et oublier ses misères dans le spectacle de la perfection du tout. Le commun des hommes n'y saurait parvenir. Pour ceux-là, il faut une religion positive, dont la lettre les lie, et qui leur fasse oublier, par l'appât d'un bien futur et précis, ce qu'il y a, dans le devoir, de froid ou de pénible. Pour résoudre le pro-

blème capital de s'approprier Dieu, le sage a la raison et l'obéis-
sance au devoir, le sacrifice ; la femme, le faible, l'ignorant,
ont l'amour.

Ces pensées, que j'écris sans ordre, m'ont surtout frappé
dans vos derniers drames. Ai-je bien ou mal vu, Monsieur ?...

Dimanche, 26 décembre.

A 10 h. du matin, je vais au Collège de France. Renan demeure au fond de la cour, à gauche, au second, porte à gauche.
Une petite soubrette alerte, fort gentille, m'introduit. Je traverse une salle à manger et deux pièces remplies de livres.
J'attends dans un petit cabinet, non moins bondé de livres. Il
y en a partout : neuf rayons de bibliothèques, des tables chargées de bouquins, de revues, de publications pêle-mêle. Une
énorme *Biblia Sacra* en deux volumes voisine avec des volumes
d'art et de sciences, les *Souvenirs* de Tourguénieff. La pièce,
très simple, est ornée de dessins et gravures (signées au crayon)
d'Ary Scheffer (*Faust et Méphistophélès, Mignon et Lotha-*
rio) ; de naïves et charmantes gravures pieuses : des anges, etc.

Après trois ou quatre minutes d'attente, j'entends un pas
traînant qui s'approche : c'est Renan ; sa grosse tête aux longs
cheveux blancs ébouriffés paraît, et sa voix lente et grasse me
dit : « Bonjour, monsieur Rolland, entrez donc, je suis content
de vous voir. » Il me tend la main, et j'entre dans son cabinet
de travail. Là encore, des livres, des livres, des livres ; une
table pleine de papiers ; un buste sur la cheminée.

Je m'excuse de venir le troubler, au milieu de son travail.
Il me dit que ma lettre était charmante, qu'elle lui a fait le
plus grand plaisir, que j'ai un esprit vraiment philosophique,
etc. Et comme je lui demande si je puis me flatter d'avoir vu
un peu clair dans sa pensée, il me dit, avec son amabilité ordinaire : « Mais parfaitement, parfaitement. En vous lisant, je
me suis très bien retrouvé. Je suis très flatté de voir que vous
avez étudié ma philosophie, de près... Votre lettre était fort
jolie. Du reste, je la sais à peu près par cœur. »

Là-dessus, la conversation s'engage. Je n'ai guère fait que questionner, amener l'esprit de Renan sur les points qui m'intéressaient. Avec l'indiscrétion impudente et naïve de la jeunesse, je suis resté, une bonne heure, à le faire parler. Voici quelques fragments de sa conversation :

J'ai une grande confiance en l'avenir de l'Humanité ; mais je suis inquiet pour celui de la France. Les chefs naturels du peuple, les aristocrates, qui devraient le diriger et lui servir de norme, se sont complètement mis à part du mouvement. L'Eglise ne lui enseigne rien. Heureusement que notre peuple est d'une belle et bonne race. Le peuple est loin sans doute d'avoir l'intelligence que nous avons ; mais il a quelque chose que nous n'avons pas : c'est l'instinct de la race. Il est brave, il se fait tuer, courageusement, sans se plaindre, bien que depuis cinquante ans il y ait eu décadence de la valeur morale, de la bravoure. Pas tant cependant que vous pourriez le croire. Autrefois, le catholicisme imposait une étroite discipline au peuple ; aujourd'hui, il n'y en a plus : ce qui fait qu'il y a une apparence de désordre, moins sérieux qu'il ne semble. Comme moralité, comme courage, les Français d'aujourd'hui valent bien les Gaulois d'autrefois. — Et puis, d'ailleurs, si notre peuple devient lâche et faible, il faut souhaiter que les peuples braves et forts l'emportent : ce qui arrive toujours.

Je demande à Renan s'il croit sincèrement que le rêve d'Antistius et du Sage se réalisera ici-bas.

— Nous avons pour nous, répond-il, l'infinité du Temps. Quand on pense que notre planète existera encore, dans 10,000 ans d'ici... Qu'est-ce que je dis ? Un géologue nous prouverait qu'elle existera dans 100,000 ans... On ne peut pas se figurer cela. Surtout depuis un siècle, le progrès est immense. Le chariot du progrès... il va, il va... sur des rails maintenant, il file à toute vapeur. — Mais il y a tant à faire ! Il y a l'exploitation de la Terre. Il y a assez de terre pour tout le monde, il y a assez de bras pour toute la terre ; et cependant, des milliers d'hommes meurent de faim, et des milliers de lieues sont des déserts... Oui, la terre entière réunie. Cela arrivera, certainement. Mais

*je ne souhaiterais pas que ce fût maintenant : il y aurait, de
toute nécessité, un tyran ; et la liberté est l'essence du progrès.
— Et puis, sans aller si loin, il y a tant de peuples qui n'ont
pas encore paru, dans l'œuvre commune de l'Humanité : le
peuple slave par exemple, qui apportera tant d'éléments nouveaux : une puissance de dévouement, de sacrifice, une bravoure et avec cela des croyances stupides... Je connais très bien
le génie slave, par Tourguénieff, qui était mon ami, et qui le
représentait parfaitement. Très certainement, ce peuple apportera à l'humanité des idées nouvelles. Ce ne sera pas sans doute
sans apporter aussi un grand trouble dans l'état présent des
choses ; mais les Barbares ont aussi un peu troublé la société
du IVᵉ siècle ; et il est sûr que l'humanité leur doit beaucoup.*

Je demande s'il faut croire que, des agitations intellectuelles
et morales de la Russie, sortira une religion. Je parle des *Possédés* de Dostoïevski.

— *Oui*, dit-il, *les Russes sont encore très enfants, ils ont
la naïve fatuité de vouloir faire une religion.* («*Peuple déifère*».) *Mais ils se trompent singulièrement, il n'y a plus de
dogmatisme possible, plus de Jésus-Christ, plus de Mahomet...
Plus on ira, plus on séparera les croyances de la vie sociale.
Dans 100,000 ans, chacun croira sans doute ce qu'il voudra.
On apprendra naturellement les règles du Devoir ; c'est essentiel, ça va de soi ; c'est indispensable à l'existence de la société ;
et puis, d'ailleurs, c'est dans la conscience de chacun. On ensei-
gnera aussi les mathématiques, qui ne varient pas, et les autres
sciences certaines. Il y a encore tant à faire, là ! En astronomie,
comme la belle hypothèse de Laplace est déjà dépassée ! Le
Mouvement se transformant en chaleur... La Vie est à peine
étudiée, encore...*

*Vous trouvez que l'état actuel de transition est pénible, que
la demi-science présomptueuse de la moyenne des esprits est
plus dangereuse que l'ignorance complète ; mais elle vaut
mieux, puisqu'elle mène à la science complète. Il ne faut pas
se décourager parce que le moment est rude. Malgré tout, le
progrès est certain. Regardez ce que nous étions, il y a un siècle,*

il y a deux siècles, il y a trois siècles. Il en est de la marche de l'humanité, comme de ces chemins en lacets dans les montagnes ; il y a des coudes, des détours ; on semble, par instants, tourner le dos au but ; et cependant, on s'en approche toujours.

Et Renan m'indique, à grands traits, la marche du progrès de l'Humanité : le peuple juif, le premier, réclamant la justice pour les faibles ; — le christianisme, avec son influence morale excellente, son influence intellectuelle détestable. (Et je dois dire que c'est sur cette dernière que Renan insiste) :

Le christianisme a été une gêne terrible pour l'esprit humain. C'est lui — (les barbares y étaient bien pour quelque chose, vous me direz) — mais enfin, c'est lui qui a causé la nuit du moyen âge, où l'humanité a failli rester : ces massacres, cette ignorance, cette bêtise... Il n'y a rien de plus terrible que la superstition, pour l'avenir de l'humanité ; rien de plus funeste, quand on est persuadé, non seulement qu'on pense la vérité, mais qu'il faut empêcher les autres de penser autrement : c'est la mort de l'esprit humain. D'ailleurs, même la grande et bienfaisante influence morale du christianisme, elle n'a été telle que parce que nos races étaient bonnes et saines. Voyez le christianisme en Orient : ses effets n'y sont pas plus heureux que ceux des autres religions... Oh ! je sais bien qu'il y aura encore des réactions du catholicisme, quelques-unes encore, mais bien moins longues ; le dogmatisme est impossible... Et puis, les progrès de la science montrent de plus en plus l'absurdité des conceptions religieuses d'autrefois ; la nature et Dieu s'élargissent... Eh ! oui, ils aimeraient mieux un petit univers tout à eux, avec un petit bon Dieu, qui y mettrait son doigt, de temps en temps... (Rire goguenard)... Celui-là, ce Dieu-là, vous êtes bien sûr qu'il n'existe pas. L'autre, c'est autre chose, Dieu, tout ce qui est... Et si nous étions condamnés à voir toujours le monde comme aujourd'hui, avec ce brouillard grisâtre, impénétrable, et transparent, (il faisait une journée d'hiver, blanche et sombre, pas une trouée de bleu, pas un rayon de soleil), *c'est pour le coup que nous nous ferions un monde à nous ; c'est à peine si quelques savants auraient le*

*pressentiment d'un gros corps lumineux, d'un soleil ou d'une
lune...*

*...Ne vous découragez pas, me répète-t-il, à diverses re-
prises ; la vie est bonne ; c'est l'œuvre d'un démiurge bienfai-
sant. Quand on pense à tout ce qu'elle nous offre de jouissances
à tous, aux esprits distingués comme aux esprits vulgaires !
J'ai soixante-quatre ans ; si je vis encore quelques années, je
m'en irai bien satisfait. Voir pendant soixante-quatre ans tout
ce que j'ai vu, le superbe spectacle de cet univers, de ces travaux de l'esprit humain, c'est énorme et c'est merveilleux...
Maintenant, il faut bien se résigner à ne jamais tout savoir.
On demande trop à la vie, les esprits distingués du moins.
Mais croyez que les esprits distingués d'autrefois n'étaient pas
moins troublés que ceux d'aujourd'hui, ou pas davantage.*

Tandis que Renan parle, j'observe cette tête de vieux prêtre, de bonne humeur, lourdement enfoncée dans les épaules,
ces grands cheveux blancs, ces petites jambes, qui se traînent
difficilement. Il me semble que cet homme-là n'ira plus bien
loin. Il semble fatigué par sa vie de travail. Il a maigri, de
corps ; son gilet trop large lui fait sur le ventre une bosse de
Polichinelle ; il marche avec peine. Mais son esprit est bien
alerte.

Il me parle de choses et d'autres, me demande d'où je suis,
me dit qu'il a un ami de Clamecy, M. Tenaille-Saligny, « un
bien digne homme ». Il m'interroge sur l'Ecole Normale, où il
croyait que j'étais en troisième année. Il me demande si nous
travaillons beaucoup. Je lui réponds que surtout nous lisons et
discutons beaucoup.

— *C'est bien ce qu'il y a de mieux à faire, dit-il. Pour moi,
bien que j'aie infiniment de respect pour l'enseignement supérieur, je trouve la lecture bien préférable aux leçons des maîtres... Et avez-vous du goût pour les recherches, soit dans la
nature, soit dans l'histoire ?*

— *Un peu pour l'histoire. D'ailleurs, je ne suis encore décidé à rien ; je veux, pendant deux ans, laisser vivre mon esprit
à sa guise, sans l'enfermer dans des catégories.*

— Vous faites très bien ; il est bon que l'esprit contemple la nature entière, se fasse des idées générales. Mais plus tard spécialisez-vous, pour apporter, avec les idées générales que vous pourrez trouver, votre part sérieuse au progrès, à l'œuvre de l'humanité... Le grec et le latin seront toujours la base de l'instruction ; mais il n'y a plus grand'chose à découvrir. Au lieu qu'en histoire, il reste énormément ; il y a si peu de documents connus ! Si l'on comprenait les caractères assyriens, nous en avons quarante volumes, et, chaque jour, on en découvre de nouveaux... quelle lumière cela jetterait sur l'histoire de l'Orient !...

Je pars. Il me reconduit, en se confondant en remerciements de ma visite — (il n'y a certes pas de quoi !) — et il me dit, en me serrant amicalement la main : « Venez me voir de temps en temps, monsieur Rolland, venez me dire où vous en êtes, et surtout ne vous découragez pas. J'ai grand plaisir à causer avec un esprit aussi distingué... » (Croyez que je ne suis pas dupe !)

Je comprends, au sortir de cette visite, qu'il faut ajouter un grand « peut-être » à l'exposé que j'avais fait de la pensée de Renan. C'est un optimisme, qui ne serait pas sans mélancolie, s'il ne s'assaisonnait pas de beaucoup de scepticisme. — « La vie est excellente, mais ce n'est pas grand'chose », semble-t-il dire. — Ne m'a-t-il pas dit, d'ailleurs :

« Le vrai philosophe est brave ; il se fait mieux tuer que les autres. Il voit quelle est la vanité de tout. » [1]

---

1. Plus tard, quand je pense à Renan, ce qui surnage d'abord, c'est un moment de la conversation, que je n'ai pas noté, dans mon premier récit, je ne sais pourquoi — (peut-être pour ne pas insister sur une impression pénible.) — Renan me parle de la fin des conceptions religieuses, de la mort des Bons Dieux. Je hasarde timidement, avec une douleur intime :

— Mais ne croyez-vous pas, Monsieur, que bien des âmes faibles souffriront cruellement de se sentir isolées, sans un Dieu qui les aime et les protège ? Pourront-elles supporter la science ?

— Tant pis pour elles, tant pis pour elles, si elles sont faibles, si elles sont accablées par la science. Elles n'avaient qu'à ne pas chercher la vérité.

Et un petit rire sans bonté.

Ce rire m'a été au cœur. J'ai peine à l'oublier.   (Ajouté, vers 1912.)

23 décembre.

Concert Louis-le-Grand, où je vais avec Suarès. Saint-Saëns joue quatre morceaux de piano : la *pavane,* une transcription-scherzo des *Pêcheurs de perles,* et la *Rapsodie d'Auvergne.* J'admire la richesse de timbres qu'il fait sortir du piano : on croirait entendre un orchestre, net, limpide et précis.

Mardi 28 décembre 1886.

Compliments du jour de l'an.

A 7 h. 1/4, les conscrits se mettent en marche, vêtus de costumes fantaisistes, vestes à l'envers, bonnets de coton, caleçons, etc. Ils gravissent l'escalier des carrés. La grande porte est fermée. Le cacique frappe. On ouvre. Sur une estrade, le cacique des carrés, Hauser, drapé dans un manteau, un bâton de commandement à la main, trône, entouré de ses sujets en burnous. Colardeau lit son discours, terne, froid, avec des légèretés académiques et des phrases savamment symétriques. Pendant qu'il parle, Wartel, en highlander, tient un parapluie ouvert sur sa tête ; de l'autre côté, de Bévotte, correctement vêtu, d'un habit à queue, sur gilet marron, avec un pantalon de coutil, et un chapeau de papier, tient gravement une lampe. — Hauser répond, en bon fumiste.

Conscrits et carrés, nous montons ensemble, encore un étage, chez les cubes. Discours de Hauser à Jordan, où il se moque agréablement des cubes, accuse quelqu'un qu'il ne veut pas nommer (Jordan), de poser un peu trop, reproche au grave Daux sa gaieté exubérante et au chaste Michon son incontinence, etc. Second discours de Colardeau, toujours aussi froid, se terminant ainsi : « Et toi, cacique des cubes, toi qui vas demain regarder le soleil en face, toi qui vas présenter à notre directeur nos cahiers de doléances, prendre la défense de nos droits contre les exigences d'une autorité tyrannique et celle de nos estomacs contre les vexations d'une cuisine arbitraire... etc. » — Jordan répond : il improvise, avec assez d'esprit, méchant, dont les pointes sont dirigées contre les carrés en général et Hauser en particulier.

Mercredi 29 décembre.

A 1 heure, réunion de tous les normaliens devant le parloir. Nous montons chez le Directeur, mais cette fois en costumes plus décents : redingotes, habits noirs... Discours de Jordan. Quelques petits coups de patte, de temps en temps. Il loue le tact du directeur, (tact bien connu), la façon sûre dont il juge les élèves et sait lire, mieux qu'eux-mêmes, dans leurs sentiments. Il réclame trois choses : 1° la permission, pour les élèves, de découcher, du samedi au dimanche, quand il y a sortie de théâtre ; — 2° la permission, pour les carrés, de suivre en dehors de l'Ecole tous les cours qui les attireront ; — 3° que l'on exige plus de politesse des officiers qui nous commandent. (Car nous faisons l'exercice militaire à l'Ecole.) — Perrot répond longuement, dans un discours improvisé, qui dure trois quarts d'heure. — Il dit qu'il est bien sûr qu'en lui adressant des éloges aussi flatteurs, Jordan n'est que l'interprète de l'Ecole entière. — Ce qui m'intéresse le plus dans son discours, c'est l'assurance que la loi militaire (service obligatoire de deux ans) ne peut avoir d'effet rétroactif sur nous, et que d'ailleurs Berthelot prendra toujours notre défense, à ce sujet, au Parlement.

Les notes qui suivent remplissaient de petits cahiers grossièrement faits, sur la couverture desquels étaient marqués les principaux sujets dont je parlais. Au milieu, en plus gros caractères : *l'Ame.* — *Moi.* — (1913). —

SUARÈS.

Celui de mes camarades qui, depuis mon entrée à l'Ecole, (il y a trois mois), m'est le plus sympathique, de beaucoup ; et je sais que cette amitié est réciproque. Jusqu'alors, je ne le

connaissais que pour l'avoir vu, à Louis-le-Grand, aux classes
de philosophie de Charpentier ; je lui avais entendu lire quelques devoirs, et surtout, j'en avais entendu dire tout le mal
possible par Legras, Wartel, Médéric Dufour, Gauckler, —
surtout Legras. Pas d'occasion qu'ils ne cherchassent à rire de
lui méchamment et bruyamment. Peu de caractères excitent
tant d'animosité. Il y en a plus d'une raison. Il est jeune, Marseillais, artiste dans l'âme : il apporte à tout ce qu'il dit et fait
une fougue, une violence incroyable ; son style est très brillant,
ce qui blesse les jalousies des stylistes, catégorie nombreuse parmi les candidats à l'Ecole, à plus forte raison parmi les Normaliens ; l'emphase est très souvent son expression naturelle ;
aussi paraît-il déclamer, et on l'accuse de poser : ce qui se
comprend, et ce qui n'est pas vrai. Car s'il a horreur de la médiocrité, s'il se montre du dernier mépris pour ses ennemis,
il est charmant, très simple et très ouvert, avec ceux qu'il aime.

Ce qui nous a rapprochés, dès la première semaine, ç'a été
notre passion pour la musique, notre haine de l'Université,
notre amour de Shakespeare et de Spinoza. Pourtant, je ne crois
pas que dans toute la promotion on aurait pu trouver deux
caractères plus différents que les nôtres. Il était tout le Midi,
exubérant et sensuel, et j'étais tout le Nord, mystique et concentré (avec Mille, qui représentait plutôt le génie anglo-saxon,
froid, pratique, précis, peu moral et bouffonnant à froid).
Nous portions en musique ces façons diverses de sentir. Pour
lui, c'était une volupté. Pour moi, un anéantissement passionné.
Mais qu'importe, si nous avions également la passion des mêmes dieux, et surtout le même mépris pour tout ce qui était
banal et vulgaire ? — Nos différences musicales ne portaient
guère que sur ce qu'il y avait de moins bon dans notre goût :
pour le meilleur, nous étions d'accord. C'est ainsi que Suarès
aimait *la Juive* d'Halévy, chérissait Mendelssohn, et nommait
Meyerbeer le plus grand musicien d'opéras. Et moi, je défen-
dais contre lui Rossini, Gounod et Massenet, qu'il exécrait. —
De même en littérature, où il abominait tout le XVIIe siècle.
Il mettait dans le même sac Bossuet et Racine, et Lamartine,

par-dessus le marché. — Mais j'évitais de lui en parler. Je savais que cela lui faisait du mal d'entendre critiquer ceux qu'il aimait et louer ceux qu'il détestait.

Je recopie, par amusement, une liste des noms qu'il chérit et de ceux qu'il exècre. Il l'a faite devant moi, avec une passion d'enfant. Je riais ; mais lui, prenait au sérieux ses boutades et ses exaltations (en s'en amusant tout de même).

Horreur et Néant :

Bouvoust (le capitaine instruc-
    teur)
Badinguet
Bossuet
Goumy (le prof. de litt. latine)
Fénelon
Veuve Scarron
Massenet
Cicéron
Bouguereau
Xénophon
Meissonier
Gounod

Brunetière
Hyacinthe Rigaud
Déroulède
Saint-Thomas d'Aquin
Canova
Mme de Genlis
Cassagnac
L'Assistance Publique
César
Dacier
Mgr Freppel
Marie-Thérèse

Etoiles de 36e grandeur :

Caro
Gengis-Khan
Victor Cousin
De la Coulouche (le prof. de
    litt. française)
Racine
Pradon
Ninon de Lenclos
Perrault

Béranger
Janet
Chénier
Buffon
Chateaubriand
Guizot
Mme de Pompadour
Riemann (le prof. de gram-
    maire)

Secrétan   Pétrarque
Al. Dumas père   Rossini
Lesueur   Floquet
Rousseau

25e grandeur :

Ravaisson   Sophocle
Baia   Berlioz
Ribot   Virgile
Lamartine   Marion Delorme
Wundt   Guiraud (le prof. d'histoire
Mme du Barry   ancienne)
Lachelier   La Bruyère
Pétrone   Clemenceau

2e grandeur :

Stuart Mill   Herbert Spencer
Meyerbeer   Corneille

1re grandeur :

Auguste Comte   Saint-Saëns
Littré   Leibniz
Michelet   Descartes
Taine

Astres sérieux :

Gambetta   Tibère
Bismarck   Poppée
Caius Gracchus   César Borgia
Kant   Henry VIII
Parménide   La Convention

Catherine II
Aristote
Hændel
Richelieu
Sully Prudhomme
Caligula
Comynes
Machiavel
Rienzi

Homère
Salvator Rosa
Hobbes
Alexandre Borgia
Ancien et Nouveau Testament
Théodora
Leconte de Lisle

Astres sublimes :
(tous égaux, sauf la première constellation) :

Phidias
Spinoza
Shakespeare
Michel-Ange
Shelley
Lord Byron

Léonard de Vinci
Gœthe
Musset
Beethoven
Périclès

Platon
Raphaël
Frise du Parthénon
Mozart
Schopenhauer
Nirvanâ
Wagner
Titien
Giorgione
Tintoret
Corrège
Musset
Tolstoy
Démosthène
Zola

Mirabeau
Les Pouilleux de Murillo
Velasquez
Zurbaran
Empédocle
V. Hugo
Eschyle
Villon
Lucrèce
Delacroix
Inferno (Dante)
Renan
Voltaire
Mounet-Sully
Bach

Choral de Luther	Cléopâtre
Mélinite	Ste-Thérèse
Ribera	Imperia
Puget	Lucrèce Borgia
Rude	Sarah Bernhardt
La Rochefoucauld	Cantique des Cantiques
Montaigne	Rabelais
Molière	Aristophane
Phryné	

Voici quelles sont ses notes, au premier canulard (notes trimestrielles) :

DELACOULOUCHE (français) : Des traces de talent. Inégal. De la recherche, de la fantaisie. En somme, défauts de jeunesse.

GOUMY (latin) : Subtil. Le latin laisse à désirer.

TOURNIER (grec) : Premiers thèmes passables, le dernier assez bon.

OLLÉ-LAPRUNE (philosophie) : Intervient dans les discussions. Esprit distingué.

RIEMANN : Métrique assez bonne. Grammaire médiocre.

GUIRAUD (histoire) : Conférence trop rédigée à l'avance. De la confusion dans le plan et du parti pris ; mais de la vivacité, des qualités littéraires.

« Vous voyez, monsieur Suarès, dit le directeur Perrot, vous êtes déjà bien moins solide, moins armé de toutes pièces que ceux qui vous précèdent (Colardeau et Barthe), moins *teres atque rotondus.* Je vois chez vous une tendance déclamatoire aux broderies sans fond, aux images, aux comparaisons. Vous savez que comparaison n'est pas raison. Un de vos professeurs trouvait en vous un peu du journaliste... Ce qui m'a surpris, c'est que vous ayez lu votre conférence. On ne vous demande pas de savoir les textes que vous citez. Je sais bien que, de mon temps, j'ai vu M. Maspero arriver en conférence, sans une note, et écrire sur le tableau des caractères égyptiens ;... mais on ne peut pas demander ça à tout le monde... Mais comment se fait-il que vous, jeune, Marseillais, vous ne sa-

chiez pas parler ? Les Marseillais, ils naissent en parlant, ils
parlent en naissant. » — « Ça se corrige, Monsieur », dit Suarès.

Il nous fait une conférence sur Xénophon, qui n'est qu'une
longue et acharnée diatribe contre son auteur. Il avait d'abord
à discuter l'authenticité du *Gouvernement de Lacédémone,* et
il l'a fait en termes tels que Dalmeyda a pu résumer ainsi son
travail : « L'auteur du *Gouvernement de Lacédémone* étant un
imbécile, et Xénophon en étant un autre, il n'y a pas lieu de
les distinguer. » Il est d'une sévérité amusante et convaincue
pour le pauvre homme. — « Xénophon porte dans l'histoire
la myopie d'un homme qui a tout regardé et qui n'a rien vu...
Ses ouvrages fourmillent de phrases courtes, mais peu intelli-
gentes... Il a une impassibilité de scribe... Il voit dans l'homme
et la femme des machines à reproduction. Règlements de haras...
L'idéal de l'éducation, pour lui, c'est l'immobilité au port d'armes... Ce sont les doctrines de Socrate, mal interprétées par un
esprit peu ouvert et fort entêté. »

Ce que j'aime chez Suarès, c'est la vivacité de ses sentiments. Il a excellent cœur, malgré tous les sophismes para-
doxaux qui remplissent son cerveau. Il adore sa famille, sans
en avoir l'air. Tous les jours, il reçoit d'elle une lettre. Tous
les deux jours, il lui écrit. Le dimanche, il envoie une dépêche
pour dire qu'il se porte bien. Une fois qu'il est consigné, il me
charge de porter le télégramme suivant :

« Suarès, 76, St-Jacques, Marseille.
Reste Ecole travailler. Embrasse fortement.

FÉLIX. »

L'autre jour, j'ai été témoin d'une scène qui m'a fait voir
son étourderie et son bon cœur. A déjeuner, il dit, avec une
cruauté irréfléchie d'enfant, en tendant son assiette au garçon :
« Tenez, esclave, emportez-moi ça. » Le garçon dit à mi-voix,

en la prenant : « C'est méchant, ce que vous dites là. » Suarès
n'entend pas. — Le soir, à dîner, la conversation revient sur
la scène du matin. Suarès ne peut croire que le garçon ait dit
les paroles qu'on lui rapporte. Quand nous lui assurons que
c'est la vérité, il devient tout rouge, les larmes lui montent aux
yeux, il jette sa serviette, et quitte la table, sans finir son dîner... — J'en ai une joie profonde.

Nous sommes camarades de turne. (En première année,
les élèves travaillent, par groupes de quatre ou cinq, dans des
salles séparées.) Nous étions primitivement cinq : Dumas, Dalmeyda, Levrault, Renel, et moi. Suarès, tard venu, ne trouvait
de place nulle part. Aucun ne voulait de lui. Les autres turnes
ne lui cachaient point leur hostilité. Dalmeyda, Juif comme
lui, Dumas, libre-penseur, moi attiré secrètement par lui, nous
lui fîmes place ; il s'installa près de moi ; nos pupitres se tou-
chaient. En deux jours, nous fûmes amis ; et nous le sommes
restés, toujours, jusqu'à présent.

GEORGES MILLE.

Le plus intéressant peut-être de toute la section. La froideur raide d'un orateur à la Chambre des Lords. Une parole
gutturale, tranchante, mais toujours mesurée. Une logique inflexible, le sens du grotesque ; beaucoup d'esprit, d'humour
plutôt ; une critique étroite et pénétrante, aimant à se moquer
d'elle-même. Le regard impénétrable, caché par un lorgnon.
Un long corps qui n'en finit plus, et de hautes échasses bizarrement taillées, où le genou semble tomber à la place du
mollet.

La sensibilité semble lui faire totalement défaut. L'imagination est tout entière factice. Il passe la moitié de sa vie à
chercher à produire en lui des émotions qui ne veulent pas
venir, et l'autre moitié à les étudier chez les autres, — à les
dissiper en les décomposant. Mais du bon sens, du bon sens,

une pléthore de bon sens. Un seul but : arriver. (Il exagère.)
« Pour moi, dit-il, un type qui arrive est un type très fort. Duruy, par exemple, qui est de toutes les Académies, est un type
épatant. » Ce n'est pas être grand qu'il importe, c'est le paraître à notre temps. Ne pense qu'à arriver, et arrivera deux
fois plus vite que Colardeau et Suarès.[1] On sent en lui le
lecteur assidu de Stendhal, qui est, je crois, sa seule admiration.
Prend des notes sur tout et sur tous, sans parvenir à faire une
œuvre. A essayé un roman de jeune fille, a étudié la femme à
différents âges, est allé entendre la messe au couvent, pour
s'imprégner des émotions de jeunes pensionnaires... Est resté
froid. Aussi dit-il sans cesse : « L'amour n'existe pas, à notre
âge. Nous ne pouvons pas avoir encore de passion sérieuse. »
— Ce qui ne l'empêche pas d'être à la recherche de quelqu'un
qui ait une passion sérieuse, la naïveté de lui en faire part et
d'enrichir ses notes. Nul ne s'entend comme lui à lire dans les
gens, en flattant adroitement leur amour-propre, en conduisant
habilement les questions. Je ne me suis aperçu qu'à la fin de
décembre qu'il nous faisait « poser ». Aussi, c'est moi maintenant qui projette de le faire poser, en le lançant sur une fausse
piste, en feignant une grande passion que je n'ai pas, ou en
lui parlant d'un projet d'œuvre qui ne m'est jamais venu à
l'esprit. Car c'est encore un de ses rêves d'assister à la produc-
tion d'une œuvre, et d'être dans la confidence de l'auteur. —
S'entend aussi à merveille à flatter les gens qui peuvent être
utiles à son avancement. (Notamment Tournier, en se livrant
avec Renel à des études philologiques sur une phrase grecque,
qui fait le désespoir des commentateurs. Renel m'a bien l'air
de jouer le rôle de Raton, qui tire les marrons du feu. Et cependant Mille les croque...) — L'autre jour, s'est amusé à
prendre la défense de l'hypocrisie contre Suarès. Il dit qu'on
doit l'admirer, pour la puissance de volonté et d'attention sur
soi-même qu'elle suppose. — Il ne croit pas. Il cherche à croire.

---

1. En effet. Il est mort, en seconde année d'Ecole.

Il va à la messe pour s'abêtir, et aussi pour faire son chemin, autre part que vers les cieux. — Il eût souhaité, dit-il, devenir un Caro. Malheureusement, la grandeur de sa main le désespère. Impossible de songer à ces gestes onctueux, qui ouvrent des horizons bleus. — « J'ai longtemps rêvé, dit-il, de me promener au clair de lune, dans un grand parc, avec un torrent qui gronde, et, à mon bras, une femme qui pleurerait. » — (On pense à Bouvard et à son arbre abattu par la foudre. Et Mille sans doute y pense, le premier. — Etrange garçon qui s'évertue à paraître des ridicules et des vices qu'il n'a point, et dont il bouffonne.)

Son meilleur ami est Georges Dumas, la plus belle tête de la section : un Assyrien (ou plutôt un Sarrasin), barbe, cheveux, moustache, et yeux noirs ; « la logique de l'égoïsme », l'avons-nous surnommé en riant. Ce nom conviendrait mieux à Mille (ou à l'idéal que Mille feint de professer) ; l'égoïsme, chez Dumas, est bon garçon, brutal, naturel, sans façons. Il est raisonné, chez Mille. — Je les rencontre, l'autre jour, dans les galeries de l'Ecole, au bras l'un de l'autre.

— « De quoi conversez-vous si doctement ? »

Ils se mettent à rire.

— « Nous parlions des grandes passions qu'on a à dix-huit ans, dit Mille. Je disais que Dumas, avec la tête superbe qu'il a dû avoir alors, (elle commence un peu à s'abîmer), avait dû inspirer de grandes passions. »

— « Cela ne veut pas dire qu'il en ait éprouvé. »

Là-dessus, Mille pose la question : « Lequel vaut le mieux, aimer, ou être aimé ? » — Et naturellement, il répond : « Etre aimé » ; et il insiste avec son mélange habituel de paradoxe bouffon et de sincérité cynique :

— « Réfléchis un peu. Aimer... Si nous avions une grande passion, ce serait très gênant, nous ne pourrions plus travailler à notre avenir, au lieu que si j'avais fait cinq ou six conquêtes, je serais extrêmement flatté et parfaitement tranquille. »

Le malin sait bien que je vais protester. C'est là-dessus qu'il compte. Cela ne manque pas.

— « Voyons, Rolland, reprend-il, tu comprends bien que, dans notre situation, c'est l'intérêt pratique que nous devons considérer. Moi, mon rêve serait de me faire aimer de la femme d'un Universitaire haut placé, à ma sortie de l'Ecole, qui me ferait avancer vite. »

— « Ah ! Mille, Mille, s'écrie en riant Dumas, tais-toi, tu es absolument immoral, même pour nous. »

— « Mais non, c'est tout naturel. Quant aux passions violentes qui dévastent l'âme, il faut absolument les empêcher par d'autres passions. »

— « Comme c'est facile, n'est-ce pas ! On se dit : Ah ! j'aime follement ; il faut que ça finisse ; je vais me mettre à aimer autre chose, pour faire diversion. »

— « Mais non, tu ne me comprends pas, Rolland. Je veux dire que, dans la prévision d'une grande passion, il faut se prémunir d'une quantité de petites passions mondaines qui la contrarient... Vois-tu, les grandes passions, c'est si ridicule à présent ! Comme le Romantisme est loin de nous ! »

— « Il était bien trop jeune », dit Dumas.

— « Oui, mais comme nous sommes vieux ! » dis-je. (Silence.)

— « Ce qui me plaît à l'Ecole, reprend Mille, c'est que nous sommes tous extrêmement pratiques. »

— « Sauf Levrault », fait Dumas.

— « Oui, notre section serait très chic, sans lui ; ni les uns, ni les autres, nous n'avons d'illusions ; nous pensons tous à faire notre chemin ; nous sommes tous foncièrement égoïstes. »

Cela les a fait rire. (Je crois bien que le rusé Mille voulait me lancer dans une tirade sur le détachement de tout, mais je n'ai pas marché.) Il croit peut-être, à demi, plaisanter. Il ne dit que trop vrai. Dans notre section, il y a bien du talent ; mais il y a un égoïsme féroce, et de toutes les formes : brutal, naïf, poli, logique, philosophique, sensuel, bon enfant, religieux, athée, etc. (Levrault lui-même en a une dose qui n'est pas minime.) Parfois, cela m'écœure. D'autres fois, cela m'amu-

se, j'observe et j'analyse. — Ah ! qu'il serait bon de se dégager
de son moi, de se fondre dans l'Inconscient ! Ne plus penser.
Aimer...

Mille peint par lui-même.

« Esprit qui n'a pour lui ni la vivacité, ni la finesse ; il
comprend lentement, le cercle des idées est restreint ; l'originalité, si elle existe, est bien plus dans le caractère que dans
l'esprit. Faculté d'assimilation bien cultivée. Cet individu s'ap-
proprie la pensée, l'esprit, et jusqu'aux sentiments des autres.
Assez de goût pour bien choisir les mots de son répertoire et
pour en user discrètement. A fini par comprendre la vraie valeur de la vie, a limité ses efforts et ses tendances, et réussira
problablement — à devenir inspecteur général de l'Université. »

Ses notes au 1er canulard :
DELACOULOUCHE : Du travail, de la facilité, pas de rhétorique ; de l'esprit ; un peu superficiel et maigre.
GOUMY : Latin médiocre.
TOURNIER : Grec assez bon. Exposition intéressante. Bonne
méthode.
OLLÉ-LAPRUNE : Fréquentes interventions. Véritable expérience. Remarquable netteté. De l'aisance et de la vigueur.
RIEMANN : Assez bien.
GUIRAUD : Parole simple, maîtresse d'elle-même ; pas assez
de rigueur ; de la subtilité ; quelque inexpérience ; mais des
efforts pour creuser les textes ; jusqu'ici, la meilleure exposition de l'année.

Mille nous fait, chez Delacoulouche, une exposition d'une
netteté et d'une justesse singulières sur St-Evremond, un des
hommes qu'il comprend le mieux, avec lequel il a de secrètes
affinités. Je note les passages suivants, qui peuvent aussi bien
s'appliquer à lui qu'à son auteur :

« La critique est le fond de sa vie intellectuelle... La première partie de sa vie est remplie par la raillerie... Il observe
l'homme dans les tendances les plus secrètes et les nuances
les plus délicates de son âme. Il aime le raffinement de l'analyse... Sa critique est celle d'un épicurien, homme du monde,
qui a beaucoup vu, beaucoup senti, beaucoup joui, est arrivé
à une très grande lucidité sur certains points, mais n'a pu se
dégager de certains préjugés de jeunesse. »

Et ce jugement, de St-Evremond :

« Aimer, en France, c'est parler d'amour et mêler aux vanités de l'ambition les plaisirs de l'amour. »

Ne semble-t-il pas de Mille ?

Curieux : ce garçon, que j'ai reconnu plus tard de cœur
loyal et droit, qui s'évertue, non seulement à paraître cynique
dans ses moyens d'arriver, mais à l'être. On dirait qu'il s'est
donné pour modèle Julien Sorel. — Il flatte ostensiblement tous
ceux qui peuvent lui servir ; il joue de l'orgueil, des petites
vanités, ou des manies intellectuelles de nos professeurs. — Je
regrette de n'avoir pas pris par écrit l'analyse qu'il avait faite
de son amitié pour Dumas, en présence de Dumas lui-même.
Il en résultait clairement qu'ils n'étaient pas dupes, ni l'un ni
l'autre, qu'ils s'oublieraient, une fois sortis de l'Ecole, que
l'agrément du moment était le seul objet de leur liaison, et
qu'en somme ils ne se donnaient que ce qu'ils avaient de trop.
— Telle est du moins la conclusion que j'en ai tirée impi-
toyablement, et qui a embarrassé Mille et blessé Dumas.

Ce malheureux Mille me disait que la vraie vie est celle
où l'on ne pense qu'aux petites affaires de la vie, où l'on ne
cherche qu'à passer d'un traitement de 5,000 fr. à un traitement de 6,000, à avancer d'un lycée à une faculté, d'une faculté à l'Académie, à faire son chemin sans s'inquiéter des
petits ennuis qui n'auront qu'un temps.

— « Et la mort ? lui dis-je. Tu n'y penses donc jamais ? »

— « Bah ! je deviendrai tala (dévot), quand j'aurai un
certain âge, — en sorte que je serai toujours parfaitement heu-

reux. D'ailleurs, je compte bien, au moins, sur quinze ans de vie encore. »

Pauvre diable ! Il verra, au dernier moment. Comme s'il suffisait à un caractère comme le sien de vouloir pour croire ! Et comme si, d'ailleurs, il ne pouvait pas mourir demain ! — Je n'ai pu m'empêcher de lui dire :

— « Lis *la Mort d'Ivan Illitch.* Pense que tu ne tarderas pas à être comme lui. » [1]

6 janvier 1887.

Distribution solennelle des prix décernés par la section Olivier (je ne me souviens plus pourquoi ce nom) aux archicubes professeurs de 1re année à l'Ecole Normale Supérieure.

1er prix	Guiraud Paul
2e prix	Tournier Edouard
1er accessit	Ollé Léon
2e accessit	Riemann Otto
3e accessit	(n'est pas décerné)
4e accessit	Delacoulouche Adolphe

« Vu la faiblesse du sujet, les élèves n'ont cru devoir accorder qu'une mention au professeur
        Goumy. »

C'est grâce à notre propagande active, et malgré l'opposition de Legras, Wartel, Bévotte, Pagès, que nous avons réussi à mettre Goumy à ce rang. Nous n'avons pas été aussi heureux pour Delacoulouche, que Suarès, Renel et moi, voulions faire monter au troisième rang, pour protester contre le mépris injuste dont ce brave homme est victime. D'ordinaire, il arrivait toujours bon dernier, sur la liste. — Pour Guiraud, nous étions tous à peu près unanimes. — Mais nous ne nous consolons pas du demi-succès d'Ollé, ce mondain charmant, mais que nous

---

1. Mille est mort en 1888.

jugeons sans valeur. Nous lui préférions Riemann, un peu pédant, mais d'une admirable saveur et d'une méthode sûre.

13 janvier.

Je fais, chez Ollé-Laprune, un exposé sur *Cicéron, d'après ses ouvrages philosophiques.* Il en est très content, des idées comme de la forme, qui donne aux traits de Cicéron quelque chose de fuyant, qui les laisse à dessein dans la pénombre : Cicéron probabiliste, parce qu'il est politique, ayant des pensées de derrière la tête, des croyances qui sont peut-être tout le contraire de ce qu'il exprime, et dont il se doute à peine. Cicéron, en somme, représenté comme une sorte de Renan de l'antiquité. (Je vois bien que j'étais encore imprégné de mon étude récente de Renan.) — D'habitude, après chaque exposition, des objections sont soulevées par quelques camarades (en général, Mille et Dumas). Aujourd'hui, il s'est formé au contraire une coalition d'amis qui, sans s'être donné le mot, ont préparé des contre-objections, pour accabler ceux qui m'attaqueront : entre autres Mille, Suarès, Dumas, Dalmeyda, Renel, Levrault, ont réuni toutes sortes de textes à l'appui de ma thèse. Objections, peu sérieuses, de Gay et Gauckler.

Notre turne est assez à part des autres. Surtout très différente de la voisine (les Cigales), qu'habitent de bons bûcheurs, ne comprenant absolument rien aux auteurs et artistes sur lesquels l'Université n'a pas mis son estampille (Shakespeare, Wagner, Delacroix, Hugo même). Cury disait, l'autre jour : « Gauckler est un bon garçon, il travaille beaucoup... (avec consternation) : mais il cause... »

Il y a comme un contrat passé entre Dumas et Mille qu'aux conférences de philosophie, ils représentent toujours l'opposition ; ils font des objections en commun à celui qui vient de parler. Colardeau fait une leçon sur la *Psychologie physiologique,* leçon claire, nette, méthodique, superficielle, sans une idée personnelle ; il soutient naturellement qu'il n'y a de vérité que dans la psychologie de la conscience et de la raison. Dumas l'attaque. Comme il est positiviste convaincu, ses paroles prennent aussitôt un caractère de sincérité, qu'elles n'ont pas toujours. Ollé-Laprune, pour la première fois depuis le commencement de l'année, intervient dans la discussion, (tout en se défendant d'intervenir) ; il relève mielleusement les assertions de Dumas ; il le pousse :

— Ah ! vous croyez que l'on pourra mesurer les sensations ?

— Oui, Monsieur.

— Et les idées ?

— Mais, sans doute.

— Vous croyez qu'elles se ramènent aux sensations ? (Tel est le danger, à cette époque, d'exprimer en philosophie des opinions matérialistes que Dumas n'ose pas dire sa pensée.)

— Non, Monsieur.

— Ah !... C'est bien heureux ! — (D'un ton amer et sucré, un peu sifflant.)

Enfin, Dumas, excité par le professeur et par son troupeau d'oies (Joubin, Cury, Barthe, Gauckler), va jusqu'aux dernières conséquences de sa doctrine, — au franc matérialisme. Mille, cependant, qui craint de se compromettre, reste silencieux (bien que les idées de Dumas soient les siennes). Les autres, derrière lui, (Dumas furieux, Suarès, Dalmeyda, Renel), l'injurient, pour qu'il parle. Il ne bronche pas. Suarès, Dalmeyda, sont incapables de venir en aide à Dumas : ils ne comprennent rien à la philosophie. Les autres sont indifférents. Bien que je n'aie aucunement les idées de Dumas, je me jette à l'eau, j'essaie de détourner un peu sur moi les cris :

— Je crois, disait Dumas, que la psychologie sera une science ; autrement, elle ne serait rien.

Et il n'insistait que sur la première partie de la phrase, bien plus difficile à démontrer.

— Moi, je crois, ai-je crié dans une accalmie, que la psychologie fondée sur la conscience, et la métaphysique qui en découle, ont une valeur purement esthétique : c'est un art, rien de plus ; quelque chose de subjectif. Chacun a sa psychologie. Les idées de personnalité, de liberté, dont on nous parle, sont de pures croyances individuelles. Ainsi, votre Liberté, moi, je n'y crois pas. Je ne la sens pas en moi...

Là-dessus, grand vacarme. Ollé lève les bras au ciel. Joubin prétend que je ne sais pas m'analyser. Suarès et Legras reprennent mes arguments. La classe finit par une tempête. Ollé, voyant que Dumas n'est pas seul, ne dit plus rien ; et la séance est levée.

29 janvier 87.

J'ai 21 ans. Je tire au sort. Mon père m' « amène » le n° 318 sur 566. (Hôtel de Ville, place Lobau.)

Moi.

L'être qui m'intrigue le plus : car, à l'opposé de Mille, pour qui l'observation extérieure a des charmes presque exclusifs, l'observation du dedans m'absorbe et me dissout ; à force d'analyses, je finis par trouver mon être si complexe, si profond, si démesuré qu'il cesse d'être *mon* être : je me perds en *lui ;* il n'y a plus de raisons de l'appeler *Moi ;* tout l'univers est en lui, est lui ; c'est lui que je crois retrouver chez les autres ; ou plutôt, les autres n'existent pas plus que lui ; il n'y a qu'un Cosmos de sensations, se dissolvant en d'autres toujours plus fines, jusqu'à ce qu'il n'y ait plus aucun rapport apparent entre le total et les atomes qui le composent. — Rien, mieux que la musique ne me fait voir ce que je suis et ce que nous serons, l'avenir et la mort de notre humanité. Nous marchons vers le quart de ton. Un temps viendra où Beethoven paraîtra fade et monotone à ceux qui auront creusé plus avant dans le champ de la sensation auditive. D'une façon générale, nos sensations tendent à se décomposer, à devenir plus complexes. En se fondant, elles donnent naissance à une quantité d'autres, qui étaient latentes en elles, et dont l'agglomération les formait. Le pro-

grès de l'Esprit va de l'Un au Multiple. L'homme à l'origine,
bête brute, enfermée dans son Moi farouche, n'imaginant rien
au delà, n'aimant rien que les plaisirs qui fussent absolument
individuels (nutrition, reproduction), les seuls qui intéressas-
sent directement le moi hermétiquement fermé ; — l'homme,
à la fin des temps, dégagé de son moi, ne pouvant plus le
saisir, dans l'océan de ses sensations, où il sera dissous, — ces
sensations, qui ne sont pas plus à lui qu'à son voisin, qui sont
les sensations, c'est-à-dire quelque chose d'inexprimable, d'incompréhensible, en dehors de l'Espace, du Temps, de la Substance, de la Cause, de toute nécessité de la Raison. Déjà, la
musique nous inonde d'une telle foule de sensations comme
inconscientes que nous tendons à y rester plongés, oubliant
notre moi où l'on est à l'étroit, où l'on se heurte à tout instant
à d'autres moi. Plus la sensation se raffine, se divise, se résout
en ses éléments, plus s'élargit la part du non-moi, du néant ;
et c'est là que, poussée par son progrès fatal, l'Humanité rou-
lera, d'ici à quelques siècles, écrasée par la masse énorme de
ses sensations de toute espèce : dans la Couleur et le Son se
dissoudra le Moi. Alors, la joie infinie de nos descendants sera
dans ce Néant, qui déjà m'attire et me suce, que je sens autour
de moi. — Et tout s'éteindra.

Analyses de la pensée, du mot, et du son.

De toutes les analyses que j'ai faites, il résulte qu'une pensée, quelle qu'elle soit, est la résultante de myriades de sensations. Je ne prends pas des idées métaphysiques, comme Infini,
Substance, Principes mathématiques. Ce sont là des questions
peu claires, et que d'ailleurs j'ai étudiées dans des travaux
philosophiques. Mais je prends un nom commun : arbre, par
exemple. J'ai vu un nombre assez considérable d'objets ayant
des rapports entre eux, et qu'il me serait commode de catalo-
guer ensemble ; j'impose un nom. Ce nom, pour convenir à
tant d'objets différents, doit avoir éliminé tout ce qu'ils ont de
particulier, et conservé seulement le général. Prenons même un
nom propre, — ne s'appliquât-il qu'à un seul individu : il ne

sera jamais qu'un résumé commode. Il y a bien, sous ce nom,
toutes les particularités physiques et morales que nous avons
remarquées dans l'individu ; mais quand nous le prononçons,
il n'évoque plus rien que de vague : c'est un abstrait. Il y a
bien la prétention de faire surgir à tous nos sens une multitude
de sensations. Mais, par cela même, il est impuissant à les
produire : il veut représenter trop d'objets différents, il finit
par n'en plus représenter aucun ; tout est vague, indistinct ; le
mot (et la pensée qui y est attachée) sont une pure abstraction,
qui ne peut que désigner, — d'assez loin, — des impressions
nettes.

Tout autre est le son. Le son n'est pas une pensée ; il est
un de ces éléments si fins de la pensée, de ces atomes qu'elle
s'efforce d'embrasser tous dans le mot qui la représente, en la
simplifiant jusqu'à la dessécher. Quelque son que l'on entende,
aucun mot n'est susceptible de l'évoquer ; le général est impuissant à évoquer le particulier. La langue poétique a beau
s'affiner, se « dégénéraliser », de Boileau à Mallarmé : tant
qu'il existera un langage articulé, jamais l'homme ne le fera
chanter à notre âme, comme la langue musicale. Rien ne rend
la sensation, d'une façon parfaite, sinon la sensation. Et, d'autre part, rien ne rend aussi bien l'abstrait que la pensée. Aussi,
je crois de plus en plus à l'avenir de l'idéal wagnérien : là,
tout l'être à la fois se fond dans l'être tout entier ; la sensation
(le son), l'action (le geste), la pensée (le mot), la forme (le
décor, la beauté plastique).

Je pourrais refaire le même travail pour la mélodie et le
raisonnement que pour le son et la pensée. Une seule pensée,
une seule sensation, c'est l'inconscience et la mort ; indéfini-
ment prolongées, elles absorberaient l'être dans un sommeil
mortel. Les phrases, au contraire, c'est la vie, c'est l'action,
c'est la pensée ou la sensation en mouvement. Le raisonnement
est un organisme vivant de pensées, la mélodie un organisme
vivant de sensations auditives. — Que représente l'idée, quand
elle surgit dans l'esprit ? L'état présent de l'esprit, en tant que
pensée. Et la mélodie ? L'état présent de l'esprit, en tant que

sensibilité : toutes les émotions actuelles, tristesses, joies, ma-
laise, trouble, tout ce monde du cœur, qui paraît vague, parce
que la parole articulée ne peut l'exprimer, ni la pensée abs-
traite l'expliquer, mais qui doit être singulièrement précis,
puisqu'une phrase de Schumann ou de Chopin nous jette dans
leur trouble nerveux, excessivement particulier. C'est là le
charme unique de la musique, qu'elle nous met en communion
intime et troublante avec les autres cœurs, — et cela, directement sans intermédiaire.

Février 1887.

Notre sympathie l'un pour l'autre s'est beaucoup accrue.
Dans des notes de Suarès, je lis : « Je suis accablé d'ennui.
Pourquoi ? Ma vie n'a pas changé ; elle n'est pas devenue
plus triste. J'ai toujours le mépris de Goumy. Rolland est toujours mon cher ami... » — Je puis dire qu'il n'a jamais cessé
d'être le mien. Insensiblement, les différences de goût qui nous
séparaient s'atténuent, et s'effacent presque. Chose curieuse,
mon influence sur lui est meilleure, au point de vue artistique,
je crois, qu'au point de vue intellectuel. En musique, je lui ai
fait admirer Schumann et critiquer Meyerbeer. Je l'ai amené
à préférer le Beethoven de la fin au Beethoven de la Symphonie
en ut mineur et de la sonate pathétique. Mais en philosophie,
mon influence a été bien plus considérable, et je crains, un peu
dangereuse. Mille avait été frappé de mes idées ; il avait annoncé, dès le second mois, que j'étais destiné à avoir une grande
influence sur la section : je crois qu'il s'est trompé, — surtout
parce que je n'ai pas cherché à en avoir, sinon sur ceux que
j'aime. Mais il est certain qu'en quatre mois, Suarès a complètement perdu son panthéisme païen de la Renaissance, pour
venir à mon mysticisme bouddhique. D'autre part, il s'applique
à ne rien dire qui puisse me choquer (quoique rien ne me choque au fond, et que surtout je laisse les autres libres de penser
et de dire ce qu'ils veulent). Il est devenu bien plus chaste
en paroles qu'au commencement de l'année. Il ne prend plus

plaisir au récit des nuits de Renel et de Dalmeyda. Il manifeste même pour eux un dégoût non voilé.

Vendredi 18 février.

(Scène antérieure, par conséquent, à la conspiration contre Suarès.)

Nous avons eu, ce soir, chez Ollé-Laprune, une grande discussion philosophique, qui m'a bouleversé. Au sortir de là, je tremblais, j'étais pâle ; ma mère m'a demandé si j'étais malade. Je m'étais pourtant promis de ne jamais prendre part aux disputes de mots qui ont lieu régulièrement après chacune des conférences que nous faisons, à tour de rôle. Mais mon cher Suarès s'était jeté violemment dans la discussion et ayant été violemment attaqué par tous, je n'ai pas pu rester muet. Lui aussi, avait pris l'engagement de ne rien dire. Mais Wartel venait de faire sur *l'Origine de l'Art* une conférence si nulle, si creuse, d'un air si satisfait, avec des grâces si affectées ; et, pour achever, Ollé l'avait couronné de telles louanges que Suarès n'avait pu y tenir. Il voulait défendre l'Art, maltraité par les sots compliments du cacique de danse et d'exercice militaire. Il l'avait fait sur un ton ironique et assez amer, à l'adresse du tempérament artistique de Wartel. Wartel avait répondu sur le même ton. Aussitôt, tous ceux qui avaient fait jusque-là de pâles objections à Wartel s'étaient réunis pour tomber, à bras raccourcis, sur Suarès. Mille ne parlait pas plus que Dumas. Qu'auraient-ils pu dire sur ce qu'ils ne sentent pas ? — Je suis donc intervenu, et je l'ai fait avec une violence, qui n'a fait que croître jusqu'à la fin.

Suarès venait de se moquer de la définition de l'Artiste par Wartel : « celui qui ramène la multiplicité à l'unité. » (Ce qui ne signifie rien, car cela pourrait se dire de tout phénomène psychologique.)

— « Je trouve, ai-je dit, que Suarès a raison d'attaquer cette conception de l'artiste. Wartel dit : « L'homme sent la supé-

riorité de la nature, et se relève pour la terrasser. » Gay dit :
« L'homme sent l'infériorité de la nature. » Des deux côtés,
l'Artiste ainsi entendu n'est qu'un raisonneur... »

(Tempête dans la salle. Ollé s'agite et lève les bras, en
disant qu'il ne peut consentir à ce qu'on traite de raisonneurs
ceux qui ont le sentiment de la personnalité.)

Je reprends :

— « Je trouve qu'il faut être un raisonneur, pour s'occuper
— pour s'apercevoir même — de cet antagonisme de l'unité et
de la multiplicité, et pour vouloir ramener la multiplicité à
l'unité. C'est une idée qui ne peut venir au cerveau que d'un
homme dépourvu de sentiment artistique... L'artiste ne sent
ni la supériorité, ni l'infériorité de la nature : il sent la nature.
L'artiste, pour moi, est avant tout une sensibilité. Il a une vie
surabondante, à laquelle ne suffit pas sa personnalité ; il s'efforce donc de la briser, de tout sentir, ou avec tout son être,
ou avec tel ou tel sens particulier. Loin de ramener la multiplicité à l'unité, il ramène au contraire son unité à la multiplicité. »

Suarès m'appuie. Ollé, qui le sent plus vulnérable que moi,
ou qui a moins de sympathie pour lui que pour moi — (car il
en a pour moi, qui ne l'aime guère) — Ollé somme Suarès de
définir exactement l'Artiste-Sensibilité et l'Artiste-Raison. Ce
n'est pas chose facile d'improviser une bonne définition. Suarès
demande quelques minutes pour réfléchir, puis déclare qu'il ne
peut répondre immédiatement. Ollé, avec une mauvaise grâce
souriante, qui s'explique par le plaisir qu'il aurait à faire patau-
ger Suarès, n'accorde rien, déclare que Suarès doit avoir dans
l'esprit les choses dont il parle. Je m'offre pour répondre. Ollé
ne veut pas me voir. Suarès finit par s'en tirer assez heureusement. Mais Ollé ne l'en tient pas quitte. Il exige de lui (ce
qu'il n'a pas fait pour Wartel) qu'il lui nomme sur-le-champ
des artistes répondant aux deux catégories qu'il vient de définir.
Pour la poésie, Suarès, après avoir hésité, nomme d'une part
Racine, de l'autre Tolstoy.

(Explosion de cris, chez les « Rats Egoïstes ». Je les aurais mangés tous vifs. Je tonne, pour réclamer plus de respect envers le plus grand artiste du siècle.)

Suarès n'est pas au bout de ses peines. Ollé veut des noms d'artistes, dans les autres arts. Suarès, fatigué, voit trouble, ne peut plus trouver. Je viens à son secours, avec les noms de Schumann, opposé à l'un des maîtres de la fugue, quelques fils Bach (non pas Jean-Sébastien « chez qui la sensibilité domine parfois la raison »). — Ollé n'exigeant plus d'autres noms, la discussion s'engage sur le fond ; je l'ai soutenue presque toute, passionnément, jusqu'à l'absurde. Comme je déclarais que « celui qui voudrait mettre la marque de sa personnalité sur son œuvre serait un artiste de second ordre », tout le monde (sauf Suarès) s'est élevé contre moi.

— « Mais dans la réalité, c'est impossible de ne pas laisser de trace de sa personnalité dans son œuvre. »

— « Oui, par suite de notre infériorité, qui tient notre esprit prisonnier de la matière. Je parle de l'Artiste idéal. »

— « Mais je ne vois même pas ce que pourrait être, ce que pourrait faire cet Artiste idéal. »

— « Son œuvre, ce serait la Nature même, dont il serait le puissant miroir. »

— « Mais il n'y aurait plus d'œuvre d'art. »

— « Aussi n'est-ce pas de l'œuvre d'art idéale, mais de l'artiste idéal que je parle. »

— « Je ne me figure pas du tout un artiste semblable. Qu'est-ce qu'il produirait ? »

— « Il ne produirait rien. Il *serait*. »

(Joubin et Cury poussent des exclamations ironiques.)

— « Mais qu'est-ce qu'il serait ? » demande Legras.

— « Tout. »

— « Rien. »

— « Rien, si tu veux. C'est la même chose. »

L'heure sonne ; il était temps ; le drapeau noir de l'anarchisme panthéiste (terreur et exécration du spiritualisme universitaire) flottait, en pleine classe d'Ollé. Celui-ci lève la séance, en parlant avec une certaine ironie de « la grande métaphysique », à laquelle on était arrivé, et qu'il pressentait depuis quelque temps déjà sous mes paroles. Obligé de reconnaître que la discussion n'était pas close, il déclare que si un de nous voulait refaire sur le même sujet une autre leçon avant Pâques, il y serait disposé. Il ne comptait pas beaucoup sur une réponse affirmative ; aussi a-t-il été surpris, quand Levrault est venu lui dire qu'il acceptait. Bien plus, qu'il avait l'intention de faire sa conférence, « dans les idées de Suarès et de Rolland ». Nous avons décidé en effet, tous trois, — (les trois seuls de la section, chez qui la sensibilité domine), — que nous ferions en commun une leçon, qui serait un développement (nourri d'exemples) des idées d'aujourd'hui.

J'ai bien fait rire Cury et Joubin, probablement aussi Colardeau. Mais tous s'accordent à reconnaître, avec Gay, que « bien que je n'aie pas les mêmes idées qu'eux, j'ai bien parlé ». — C'est la première fois que, dans une conférence à l'Ecole, je me suis emporté. J'ai été assez violent, à l'égard de certains camarades, comme Cury, cet âne prétentieux, ce fort en thème qui, parce qu'il fait grincer un violon, se croit permis de trancher souverainement des choses de l'art. J'ai commencé à le remettre à sa place, aujourd'hui. A chaque conférence, je continuerai plus rudement. Que les ânes soient des ânes, mais qu'ils s'abstiennent de braire, quand nous discutons entre hommes !

Et voici qu'après trois ou quatre mois passés à s'observer, crûment et à s'analyser, jusqu'au fond des tripes, les antipathies ont pris pleine conscience d'elles-mêmes ; et l'on commence à se dévorer.

Des petites conspirations se forment. D'abord, contre « le monstre ». Ce pauvre Mille, victime de son ostentation d'arrivisme cynique. On voit pendant plusieurs jours, de petits Talleyrand (Levrault, Gauckler), qui pécorent au milieu de groupes nombreux : des coalitions se forment. — Et brusquement, un jour, vers la fin de février, on prétend avoir la preuve de médisances de Mille contre les principaux élèves de la section, auprès de tel ou tel professeur. (Je crois qu'il a eu seulement le tort de dire, un peu moqueusement, ce qu'il pensait.) On décide, pour le punir, de le destituer de ses fonctions au bureau de bienfaisance. Simple prétexte pour manifester. Colardeau fait venir Mille, devant les élèves assemblés, et lui expose qu'on va voir si l'on doit conserver sa confiance aux deux membres qui représentent la section au bureau de bienfaisance. Mille ne comprend pas tout de suite qu'il s'agit de voter contre lui ; d'ailleurs, il n'en est pas, un seul instant, troublé. Dalmeyda réunit l'unanimité des suffrages. Mille n'a que six voix : Dumas, Dalmeyda, Mélinand, Gignoux, Suarès et moi, — moi, parce que je suis plein de mépris pour cette coalition des petits inquiets, contre celui qui leur fait peur à tous, parce qu'il les dépassera, en leur passant sur le corps. Je n'ai pas beaucoup d'estime et d'affection pour Mille [1] mais son intelligence étroite et sûre, sa volonté amorale et irrévocable, m'intéressent prodigieusement.

3 mars.

Suarès et Dalmeyda me souhaitent gentiment ma fête, la St-Romain, qu'ils n'ont connue que trop tard (elle est le 28 février) ; et hier, ils ne pouvaient se procurer de bouquet, les scientifiques ne sortant qu'aujourd'hui. Ils m'offrent, chacun, un petit bouquet de violettes : cela m'a été au cœur ; ces délicates attentions ne sont guère usitées entre camarades.

10 mars.

L'amitié de Suarès semble tous les jours augmenter. Je viens de trouver chez le concierge de l'Ecole une lettre de lui

---

1. Note écrite plus tard, en 1888 : — J'ai appris à mieux connaître Mille, — trop tard, hélas ! Je l'ai aimé alors d'une amitié profonde et virile, dont je suis fier. Mille était un fort caractère, qui avait le mépris des majorités humaines, et s'était juré d'en triompher. Il se servait contre elle de leurs propres armes. D'où cette apparence immorale, sous laquelle il cachait, pour ceux qu'il estimait et aimait, un grand cœur véridique et dévoué.

pour moi, pleine d'ardente affection. Et cela, pour une petite prévenance sans importance, que je lui avais rendue. — J'aime bien Suarès. De tous les amis que j'ai eus jusqu'ici (ils ne sont pas nombreux), c'est celui que j'aime le mieux ; je sais qu'il est sincère dans son amitié. Et pourtant (je me fais des reproches souvent), je ne suis pas sans inquiétudes, à l'égard de cette amitié. Je crains qu'il ne se fasse illusion à lui-même, qu'il ne soit dupe de son imagination méridionale, qu'il n'exagère naturellement ses sentiments d'affection et d'antipathie. Je vois en lui trop d'imagination vive et brillante, pour ne pas redouter que ses sentiments ne manquent de profondeur et de durée. J'ai tort de douter de mon bon, de mon cher ami ; mais il y a des jours où je doute de tout, de tout ce que j'aime, et même de ce que je sens.

20 mars.

Je vais au concert Lamoureux, avec Suarès, comme il y a un mois (27 février). — *Symphonie* de Vincent d'Indy, *sur un air montagnard* (1ère audition). Le thème un peu froid, l'orchestration assez belle. — 1er acte de *Tristan*. Nous suivons sur la partition. Il me faudrait le jeu des acteurs. On en a plus besoin que pour une audition de la *Walküre*, dont les violentes images frappent les yeux, sans qu'on ait besoin de les voir réellement, devant soi : on les voit, comme on voit le siège de Troie, en lisant Homère. J'ai remarqué dans le 1er acte de *Tristan* beaucoup de symétrie classique, soit dans le dialogue, soit dans les monologues, dont les phrases ressemblent parfois à des hémistiches antithétiques qui se répondent et s'opposent. *Tristan* me va moins au cœur que *Parsifal*. Ce que je préfère, c'est la fin de l'acte, depuis l'instant où Tristan porte la coupe à ses lèvres : la passion est merveilleusement décrite, avec son mélange d'extases dissolvantes et de frénésie animale. — On joue aussi un air (air de Pan) du *Défi de Phœbus et de Pan* de J.-S. Bach. Les Wagnériens ne se croient pas permis d'applaudir un air aussi léger et aussi simple. Les antiwagnériens

croient affirmer leur mépris pour Wagner, en acclamant l'air
de Bach. Suarès et moi, acclamons Bach et Wagner. — Au
programme est joint un petit bulletin, annonçant dix représentations de *Lohengrin,* à l'Eden, pour la seconde quinzaine
d'avril.

« Ecrit il y a 40 ans, dit Lamoureux, *Lohengrin* s'est établi
au répertoire de toutes les grandes scènes du monde, sauf à
Paris. J'ai pensé que cette situation nous créait une sorte d'infériorité artistique et que nous ne pouvions, sans un peu de ridicule, continuer à fermer les oreilles à cette partition magis-
trale... Pour les habitués de mes concerts, il est superflu peut-
être de spécifier que je poursuis un but purement artistique ;
mais il est nécessaire que le public entier soit persuadé que
toute idée de spéculation est étrangère à mon entreprise. Si le
prix des places, qui sera très prochainement publié, est relativement élevé, c'est que les frais sont considérables ; et toute
mon ambition financière se borne à faire rentrer les fonds
avancés. »

31 mars.

Réception de Leconte de Lisle, à l'Académie Française, par
Alexandre Dumas fils.

Il y a un mois (le 17 février), Levrault et moi, qui brû-
lions d'assister à cette séance et ne savions comment trouver
un moyen d'entrer, nous avons eu l'idée d'aller tout simplement demander des places au secrétaire perpétuel, Camille
Doucet. Au moment d'entrer, Levrault flanche, et me charge
de parler pour tous deux. — Un grand feu. Un vieux petit
homme sec, rasé, des cheveux blancs ébouriffés autour d'une
petite tête ovale et ovine. On m'avait parlé de son sourire « perpétuel. » Je ne l'ai pas vu, un seul instant, sur ses lèvres, ce
jour-là. — Il nous fait asseoir. J'attaque immédiatement mon
sujet ; je formule notre demande. Aussitôt, sa mine s'assom-
brit : — « Mais l'on vous envoie des billets, à l'Ecole. » —
« Oui, mais nos anciens prennent tout. » — « Je comprends,

oui, je comprends que ce soit fort intéressant pour vous d'assister à cette séance ; mais elle devait avoir lieu ce mois-ci ; et puis M. Alexandre Dumas s'est trouvé malade, et elle a été rejetée au mois prochain ; eh bien, j'avais déjà promis toutes les places libres, pour février ; depuis, j'en ai promis beaucoup d'autres ; en sorte que nous avons bien moins de places que de promesses d'en donner... Et puis, tenez, M. Perrot, il est peut-être un excellent directeur ; mais il n'est pas possible d'être plus désagréable avec ses collègues ; nous avons eu avec lui toutes sortes d'ennuis... Tenez, je vais vous raconter ; mais vous ne me trahirez pas. » — Et le voilà parti dans un récit furibond, où il accable notre directeur. Il s'agit des exigences de Perrot, qui veut pour sa femme un billet de centre, alors que le nombre de ces places est extrêmement limité. On lui refuse. Fâcherie. Camille Doucet envoie le billet. Aucun remerciement. Il réitère, en y joignant sa carte, avec quelques mots d'hommages. Pas de réponse. Il est exaspéré, il jure bien qu'il n'enverra plus rien. Puis, quand il a tout dit, il s'aperçoit qu'il a eu la langue un peu longue. « J'ai peut-être eu tort de vous dire tout cela. » — En effet, c'est assez imprudent, vis-à-vis de garçons qu'il ne connaît pas, et qui auraient pu être parents ou amis de Perrot, dont il nous a dit pis que pendre. Il s'apaise, — un peu tard. « Je ne veux plus rien faire pour être agréable à M. Perrot. Pour vous, ce n'est pas la même chose. Vous me faites plaisir d'être venus... » Il nous promet de faire tout le possible, pour nous satisfaire. « Mais il ne faut pas le dire à votre directeur... Il ne faut pas le dire non plus à vos camarades... » — Il nous dit de revenir le voir, le jeudi qui précédera la séance. — Je dis à Levrault, en nous en allant : « Nous aurons des billets. Il a fait une gaffe : il voudra la réparer. »

En effet, le 24 mars, lorsque nous retournons, nous trouvons un tout autre homme, gracieux, charmant. Il nous donne les billets. Il nous montre les lettres qu'il envoie aux ambassadeurs de toutes les cours étrangères. — « Vous, vous êtes les ambassadeurs de l'avenir : cela vaut mieux », ajoute-t-il, en riant.

Le 31 mars, je ne prends pas le temps de déjeuner, je pars avec deux sandwiches, et je suis à la porte de l'Institut, vers 11 h. (On ouvre à 1 h.) On fait queue depuis 8 ou 9 h. — Bousculade. Je me précipite. Je suis placé dans la tribune de l'ouest, au dernier rang, mais assis, au fond à gauche ; je vois bien le récipiendaire, juste en face de moi, et le président à droite. — Alexandre Dumas, au fauteuil présidentiel, est flanqué de Camille Doucet et de Camille Rousset. Leconte de Lisle est entre ses deux parrains, dont l'un est de Lesseps ; je ne connais pas l'autre. Derrière lui, est le vieux père Chevreul, avec sa tignasse blanche ébouriffée ; il essaie d'écouter le discours de Leconte de Lisle, en se faisant un cornet de ses mains ; il renonce à entendre celui de Dumas. Derrière Chevreul, un peu à droite, Taine, tout yeux et tout oreilles, légèrement railleur parfois, — barbiche et moustache à la Napoléon III. A la même hauteur, plus près du bureau, au-dessous de la statue de Bossuet, le petit duc de Broglie, narquois le plus souvent et jetant des coups d'œil malins sur Leconte de Lisle, pendant que parle Dumas. Gounod, resté debout à la porte. Lockroy et Georges Hugo. Sarcey, qui s'est hissé avec beaucoup de peine à sa place réservée, ne dit pas un mot, regarde à peine la salle, et lit les discours imprimés, pendant que les orateurs parlent.

Leconte de Lisle a un crâne parfaitement rond, de grands cheveux gris, qui retombent sur les épaules, une figure impassible, des yeux profonds et pensifs, l'air hautain. Il porte un monocle. Il lit mal. Sa voix, peu volumineuse, nullement souple, est monotone. Il a une façon peu agréable de rouler les *r*, et d'appuyer sur les *a* et sur les *ai*. Je ne sais comment il n'a pas mieux parlé de Hugo : « Cette langue vigoureuse, nette, précise... etc. » (Il me semblait entendre mes chers professeurs.) — Ensuite, quand j'ai relu le discours, j'ai vu que le débit lui avait fait du tort. Il y a de fort belles choses, d'une rigueur de pensée inflexible et froide. — Il ne s'est animé que dans sa tirade sur Torquemada, qui est assez violente. Je crois que le seul geste qu'il ait fait, — (je ne parle pas de l'index levé au ciel, geste dont il use fréquemment) — ç'a été pour accentuer la fin de son invective contre « l'imbécillité d'une foi monstrueuse ». — Très peu d'applaudissements, surtout dans la première partie. On a applaudi, d'une manière significative, la phrase où, après avoir parlé des idées politiques de Hugo, il a déclaré qu'avant tout Hugo est un poète, et que c'est le poète qu'il doit étudier. Le frivole auditoire a été peu charmé de ses dissertations philosophiques et nihilistes. — « La pensée d'Alfred de Vigny : *La vie est un accident sombre entre deux sommeils infinis,* quelque vraie qu'elle soit... », a-t-il dit en terminant. — Ce n'est pas gai à entendre. D'où la froideur du public.

Alexandre Dumas l'a réveillé. Une voix forte, au timbre un peu nasillard, mais vibrant, mordant, détaillant avec une extrême habileté les petites malices dont son discours est plein. Dès la première phrase, par un coup de patte lancé à la fatuité de Hugo, il se fait applaudir d'un auditoire fatigué par les éloges d'un homme qu'il ne comprend déjà plus. « Victor Hugo vous estimait à l'égal de lui-même, ce qui n'est pas peu dire. » — D'ailleurs, une grande courtoisie, d'autant plus appréciable que l'on sait l'inimitié des deux hommes. (Dumas, disant : « Leconte de Lisle, je ne connais pas d'auteur de ce nom dans la littérature française. » Et Leconte de Lisle : « Alexandre Dumas, il y a beau temps qu'il est mort ! ») Dans un seul passage, il persifle Leconte de Lisle, à propos de sa philosophie désespérée. « Je ne crois pas, dit-il, à la sincérité de cet amour pour la mort, surtout quand il s'exprime en d'aussi beaux vers. De tout ce que l'homme désire : richesses, gloire, etc., la mort est, après tout, la seule chose qu'il puisse se procurer tout de suite, et il ne se la procure presque jamais... Voyez-vous, vous aurez beau faire, il aimera toujours mieux la vie, pour commencer. » — Leconte de Lisle écoute, les sourcils contractés, les yeux glacés, tristes, regardant la coupole, évidemment souf-

frant des petits rires excités par les plaisanteries de son rival.
Et cependant, les deux statues de Descartes et de Bossuet
semblaient, celle-ci, regarder Dumas, avec un sourire dédaigneux pour le poète ; celle-là, regarder Leconte de Lisle, et
exprimer par sa moue méprisante l'impression que lui causait
le discours de Dumas. — À la droite de Dumas, Camille Rousset demeure impassible, avec sa mine grincheuse de dogue
grognon, qu'il ne ferait pas bon toucher. Camille Doucet, à
gauche, une petite toque noire sur la tête, sourit, sourit, sourit.
— Petite manifestation politique. On applaudit bruyamment
ce vers de Hugo, cité par Dumas : (allusion aux princes exilés).

« Ah ! n'exilons personne ! Ah l'exil est impie ! »

Dumas lit d'ailleurs fort mal les vers. Il fait sentir bour-
geoisement la césure et la rime. Il massacre *Midi* de Leconte
de Lisle. On voit bien qu'il n'est rien moins que poète. Il
n'avait pas besoin, pour le mieux faire savoir, d'exposer ses
théories politiques. Il critique les réformes des écoles nouvelles,
leurs tendances musicales. — « Moi, j'aime les vers qui vont
par deux, comme les bœufs..., ou comme les amoureux. » —
Il cite de belles pensées de Pascal, Bossuet, l'Evangile, et demande ce que la poésie aurait bien pu y ajouter. Il était le
dernier homme qui aurait dû être chargé de parler de Hugo.
Il ne s'en est pourtant pas trop mal tiré, grâce à son esprit.
Son analyse psychologique était fine et intéressante, quoiqu'elle
manquât d'indulgence. — Il est tout blanc de moustaches et
de cheveux, le sommet du crâne chauve ; d'ailleurs, robuste,
plein de santé, de vie et de malice.

J'ai oublié de noter que la tirade la plus applaudie de Leconte de Lisle, celle où il a mis le plus d'énergie (avec celle
sur Torquemada), a été le passage où il s'est passionnément
élevé contre les écoles contemporaines qui veulent supprimer
ou nier l'idéal. « Les maladies passent ; le génie reste. » C'est
le seul endroit du discours, où il s'est trouvé en harmonie avec
l'auditoire. Aussi l'a-t-on saisi au vol, pour l'applaudir.

1er avril. — Deuxième coalition, bien plus lâche que la pre-

mière. Cette fois, contre Suarès. Il y a dix jours, le capitaine
Bouvoust recevait une lettre anonyme, lui dénonçant deux
carrés littéraires et quatre carrés scientifiques, comme n'assis-
tant pas à l'exercice. Le capitaine remit la lettre au surveillant
général, qui la montra aux carrés. Une enquête fut commencée
par eux, mais ne put aboutir. Levrault, qui a des instincts de
policier, la reprit, pour son compte. Nous nous aperçûmes vite,
à ses manières louches, qu'il soupçonnait l'un de nous, — naturellement Suarès ou Mille, qu'il détestait. De petits concilia-
bules se formaient, à tout instant, dans la turne de Legras qui
ne hait pas moins Suarès. Nous attendions, croyant toujours
néanmoins que ce serait sur Mille que l'orage éclaterait, de
nouveau. Hier, après le cours de Tournier, avec beaucoup de
mystères, Colardeau vient chercher Suarès, et, sans nous dire
pourquoi, l'emmène seul dans une des salles de conférences
du haut. Levrault a eu l'habileté, après avoir mis en train les
choses, de s'en retirer, au dernier moment ; mais nous le forçons
à nous avouer qu'en cet instant, Suarès comparaît devant le
Comité de l'enquête. Je n'en demande pas plus. Je propose à
Dumas de venir prendre part à cette discussion, à laquelle on
ne nous a pas convoqués. Dumas n'hésite point. En passant, il
avertit Mille, qui, mis au courant, est suffoqué d'indignation,
et, tout ému, gravit quatre à quatre les escaliers. C'est un vrai
tourbillon. Nous entraînons après nous « les Esprits » ; et
comme Levrault est inquiet de cette levée en masse des amis
de Suarès, il nous suit en courant, avec de Ridder et ses amis.
Nous faisons irruption dans la salle de conférences. Là, nous
trouvons Legras, Wartel, Pagès, Gay, Lorin, Joubin et Colardeau, qui sont fort désagréablement surpris de notre entrée.
Suarès me saisit par le bras, et me crie :

— Ah ! Rolland, je suis content que tu sois venu... Dis-moi,
est-ce que je puis, est-ce que je dois leur répondre ? Ils veulent que je leur prouve que je ne suis pas coupable !

J'entends la voix de Legras, celle de Wartel, celle de Lorin :

— Messieurs, messieurs, je vous en prie... Sortez, je vous en prie... C'est une affaire que nous voulons régler entre nous...

La section est tout entière réunie. Nous apostrophons injurieusement les membres du Comité. C'est la scène la plus violente que j'aie encore vue à l'Ecole. Bouchard, tout cramoisi, gesticule et tonne :

— C'est une indignité ! On n'a le droit de faire subir un interrogatoire qu'à un coupable...

Je ne sais ce qu'il dit à Wartel, mais je vois Wartel bondir, et l'empoigner à la gorge. (D'ailleurs, Wartel reprend son sang-froid aussitôt.)

Dumas injurie Legras, va au tableau noir, décrit avec fureur deux circonférences à la craie, et revient injurier Gay. Mille discute vivement avec Lorin, avec Pagès, avec Wartel. Je dis à Legras les choses les plus blessantes. (Avec son habileté ordinaire, Legras conserve toujours sa douceur avec moi.) Il a une scène terrible avec Suarès. J'en entends les derniers mots :

— Tu vois bien, dit Legras ; puisque tu te fâches, c'est que tu es coupable.

Cela me fait bondir.

— Ah ! çà, est-ce que tu crois qu'on peut se laisser parler ainsi, de sang-froid ? Je te jure bien que si quelqu'un venait me dire que j'ai fait cette saleté, la première chose que je ferais, serait de le souffleter.

— Mais, Rolland, dit Legras, tu ne nous comprends pas ; nous n'accusons pas Suarès..., etc.

Suarès, avec une logique d'enfant passionné, reprenant mes dernières paroles :

— C'est vrai, Rolland, tu as raison ; je n'ai rien à répondre à ce monsieur ; je vais lui demander s'il me soupçonne ; et s'il me répond que oui, je le soufflette.

J'ai toutes les peines du monde à lui persuader qu'il est maintenant trop tard, ou trop tôt, et qu'il lui faut attendre à

présent d'être disculpé, pour souffleter Legras, s'il n'en a des
excuses. Cela n'empêche pas Legras et Suarès de continuer à
s'invectiver. Suarès traite de très haut Legras.

— Ainsi, tu te considères comme supérieur à moi ? demande
Legras.

— Considérablement, répond Suarès, en se dressant de toute
sa grandeur.

Enfin, après un orage d'une demi-heure, on réussit à s'entendre, — ou du moins, à s'écouter. « On n'accuse pas Suarès ;
encore moins le juge-t-on ; on a des soupçons ; on le prie de
les dissiper, en répondant à quelques questions. » Mais nous
tenons à ce que la section entière soit présente à l'interrogatoire : car il est inadmissible que six d'entre nous s'arrogent
le droit de veiller à l'honneur de l'Ecole et de juger Suarès, —
surtout quand ces six sont des ennemis de Suarès, ou, pour le
moins, des gens dénués de bienveillance à son égard.

L'interrogatoire commence, présidé par Gay. Gay expose
les faits. Gros indice : Suarès, dans la journée du jeudi, a demandé avec insistance de grosses plumes à Joubin : évidemment, ce doit être pour écrire avec une écriture différente, plus
grosse, comme celle de la lettre anonyme. — Bouchard et moi
éclatons de rire. Bouchard expose crûment que si Suarès demandait des plumes, c'était pour berner Levrault (Levrault,
qui était là, et qui jouissait de l'humiliation de son ennemi) ;
on devait lui adresser une fausse lettre, au nom d'un Comité
impérialiste, pour le faire courir à l'autre bout de Paris. La
section accueille ces révélations par de formidables rires. Levrault, blême de colère, monte sur un banc :

— La lettre a-t-elle été mise à la poste ?

— Non, elle n'a même pas été écrite, en entier.

— Alors...

Il redescend. Cela allait devenir « l'affaire Levrault » ! —
Cependant, les accusateurs, dont c'était le gros morceau de
résistance, tournent casaque.

— Très bien, Suarès, c'est tout ce que nous te demandions. Pourquoi n'as-tu pas voulu répondre ?...

Les autres chefs d'inculpation étaient plus sots encore. On avait, par des déductions à la Gaboriau, conclu que la lettre avait dû être écrite par un conscrit littéraire, et par un Méridional (car on y disait : « Nous fûmes..., nous fûmes... »). On faisait à Suarès l'honneur de lui attribuer ce mauvais français, en plus de la vilenie. — Suarès prouve, par des raisons matérielles précises, qu'il n'a pu mettre cette lettre à la poste, au jour marqué sur l'enveloppe. — Bref, les accusateurs accablés font contre fortune bon cœur. Colardeau propose, au nom de la section, de serrer la main à Suarès. Legras et Wartel s'empressent. Colardeau et Joubin l'assurent qu'ils ont toujours voulu s'opposer à l'enquête. Legras veut me faire croire que, dès le premier instant, il a voulu disculper Suarès. Levrault lui tend la main :

— Je te déclare que j'avais des soupçons contre toi, qu'à présent ils sont pleinement dissipés. Maintenant, cela n'empêche pas la haine qu'il y a entre nous de persister, comme avant.

Dumas fait jurer à la section de donner sur le visage au premier qui désormais élèverait un soupçon contre Suarès, au sujet de cette affaire.

Le soir, nous exécutons Levrault. Bien que je n'eusse, personnellement, rien à lui reprocher, je me suis convaincu qu'on ne pouvait plus le tolérer dans notre turne. Renel est allé le chercher ; et, en qualité du plus âgé, j'ai pris la parole, au nom des « miens ». Je lui ai rappelé la promesse que nous lui avions faite, il y a huit jours, de ne pas tolérer qu'il élevât un soupçon contre un d'entre nous, — la certitude que nous avions acquise de ses menées contre Suarès ; et j'ai terminé, en lui disant que nous le priions, et qu'au besoin nous exigions de lui qu'il quittât notre turne sur-le-champ. — Levrault, tout en se défendant d'avoir dirigé l'enquête, (ils s'en défendent tous, à présent), reconnaît qu'il lui serait impossible de rester. Après quelques paroles amères de Dumas, il s'en va élire domicile chez de Ridder. — Nous ne restons donc plus que

cinq dans notre turne. (Mille prit, dès lors, l'habitude d'y
venir plus souvent.) Et j'ai brisé avec deux amis d'hier, Levrault et Legras.

*Spectacles et concerts, où je vais, pendant le premier se-
mestre d'Ecole Normale.* (De novembre 86 à Pâques 87) :

A la Comédie Française : *Monsieur Scapin* de Richepin. —
Les Précieuses Ridicules. — *Les Honnêtes femmes* de Becque
(novembre). Ce sont les dernières représentations de Coquelin
aîné, au Français. Le public crie : « Restez ! restez! » — Il
joue avec son frère, dans les deux pièces. (Scapin et Tristan ;
— Mascarille et Jodelet.) Sa voix de clairon, chaude, pleine
et rieuse.

16 et 23 janvier 87.

Joachim au concert du Châtelet. (Beethoven, Spohr,
Brahms, et la fantaisie 131 de Schumann, qui lui a été dédiée.)
Rythme puissant et qui enlève. Simplicité de Joachim : il reste
grave, froid ; bonne grosse tête couverte d'une crinière grise
qui commence à se déplumer ; figure large et calme, encadrée
dans une barbe et des favoris gris ; rien d'un artiste. Une
grande sobriété de gestes, un peu de raideur dans la façon de
saluer. Tel il est, tel est son jeu. Sobriété, vérité. Nulle exagération. Le plus grand naturel dans ses traits de violon et ses
tours de force. Ce n'est pas un artiste de notre temps. Bonne
fortune d'entendre, à la fin du siècle, Schumann interprété par
un ami de Schumann.

Je remarque, au concert, avec une véritable inquiétude, la
torpeur qui s'empare de tout mon être à certains moments
assez fréquents. Je l'ai déjà senti, à l'Ecole : j'ai une tendance
à l'extase hypnotique, soit par l'ouïe, soit par la vue. Ma personnalité s'engouffre. — D'autre part, quand j'ai appliqué mon
attention à un travail, tout ce qui a lieu dans l'intervalle que
je laisse entre les heures de ce travail, reste gravé en moi :

comme si mon attention, une fois mise en mouvement, (c'est parfois difficile), restait tendue et saisissait les moindres détails, les plus indifférents. C'est ainsi que la nuit qui a précédé mon exposition sur Cicéron, j'ai été torturé par *les mots* d'une conversation très animée et très gaie que j'ai eue avec mes camarades sur des sujets tout autres et très peu importants. C'est un cauchemar de mots fixes, qui reviennent comme une obsession : j'ai peur de devenir fou. Je trouve que Taine a raison : la folie est le genre, le sens commun l'accident.

Autre remarque : — il me semble que si je vis et si j'écris, mon originalité ne consistera pas tant dans la doctrine que j'exprimerai et dont je serai convaincu, que dans cette contradiction qu'au même instant où je serai sûr de la vérité de ma croyance, je saurai parfaitement que cette croyance n'est telle que parce que j'ai eu telle éducation, telles habitudes (musique, république, Allemagne, Spinoza), et que tout autre homme formé différemment doit avoir une autre foi. J'en ferai donc à la fois l'exposition sincère, et la critique ; j'assisterai à sa genèse, je la décomposerai et la combattrai, tout en la défendant.

30 janvier 87.

César Franck aux concerts Pasdeloup.

Je vais voir encore une fois ce pauvre vieux Pasdeloup, qui n'a pu vivre sans ses concerts, et qui les a repris, cette année, après trois ans d'interruption. Il n'a pas trop changé : le visage grognon, rougeaud, plissé, les petits yeux vifs et méchants, la barbe et les cheveux blancs et rudes. — Ce qui m'attirait chez lui, c'était César Franck, aux œuvres duquel le concert tout entier était consacré. Papa est ami de son beau-frère, Desmousseaux, qui lui a offert de me présenter à lui ; et l'un de ces jours, je dois aller le voir ; jusqu'ici je ne connaissais rien de sa musique. A cette heure, je me demande comment j'ai pu arriver à 21 ans, sans m'être douté de ce qu'était César Franck.

Voici le programme du concert, qui m'a souvent transporté :

1. *Le Chasseur maudit*, poème symphonique.

2. *Variations symphoniques* pour piano et orchestre.

3. *Ruth*, éloge biblique : 2e partie, (Diémer) et Chant du crépuscule.

4. *Hulda*, opéra inédit. Airs de ballet, et chœurs.

5. *Les Béatitudes :* Prologue. 3e Béatitude. 8e Béatitude.

Cette dernière œuvre est admirable. J'ai surtout remarqué la fin du Prologue ; — le chœur terrestre à la Douleur, d'une plénitude et d'une grandeur triste, que Gounod n'a jamais connue ; la chœur fugué des penseurs, et le chœur céleste, dans la 3e Béatitude, — le chant du Christ et les chœurs de la fin de la 8e. — *Le Chasseur maudit* ne m'a pas autant touché ; mais il y a des harmonies originales, un coloris fantastique, et un orchestre plein de vie. — Dans *Ruth*, des airs charmants, avec des concessions au goût du temps. — J'aime moins les airs de *Hulda ;* ils sont pleins et forts, mais peu originaux. — César Franck dirigeait la seconde partie du concert (*Hulda* et *les Béatitudes*).

C'est un grand vieillard, maigre, sec, non pas timide, mais gauche, de figure peu distinguée, encadrée de favoris blancs ; un vilain sourire, forcé ou gêné, lui ouvre la bouche et laisse voir les dents, quand il veut faire l'aimable. Rien d'un musicien mondain ; il s'en faut de beaucoup. Il dirige l'orchestre d'une façon raide, automatique, en vrai métronome, avec des mouvements réguliers et secs, des gestes tranchants. C'est à peine s'il regarde ses chanteurs (Auguez, etc.) ; c'est à eux de le regarder, de le suivre. — Il est extrêmement applaudi, par presque tout le public (ce qui m'étonne un peu) ; il a des fanatiques, qui l'acclament, à plusieurs reprises. — Aux fauteuils d'orchestre, beaucoup de musiciens : Ambroise Thomas, Saint-Saëns, Diémer, etc. — Il y a bien longtemps que je n'avais éprouvé un aussi grand plaisir musical.

13 février. Concert Colonne.

J'entends, pour la première fois, *la symphonie en si* de

Beethoven. (On la joue si rarement !) — La grande scène religieuse de *Parsifal* a été une de mes plus profondes émotions
musicales. Lorsqu'il y a deux ans je l'avais entendue pour la
première fois, (c'était la première audition à Paris), je n'en
avais guère compris et aimé que le chant des enfants dans la
coupole. Cette fois, — (sans que j'aie, depuis, réentendu
l'œuvre, ni ouvert la partition), — tout m'est devenu clair, et
j'ai vécu pendant une demi-heure dans le monde d'extase de
Wagner. — (Suit un résumé de l'œuvre.) — C'est la musique
la plus divine que je connaisse, au sens le plus vrai du mot ;
elle déborde d'un mysticisme qui convaincrait les incrédules,
qui m'arrache à la réalité.

27 février.

Concert Lamoureux. — *Siegfried.* « Les Murmures de la
Forêt. »
— Je passe la semaine à lire et jouer *Parsifal,* qui me pas-
sionne, de jour en jour, davantage.

6 mars.

Je vais avec ma mère entendre le père Monsabré, à Notre-
Dame. (Entrée : 1 franc.) Beaucoup d'hommes dans l'auditoire.
Le Dominicain a une figure peu distinguée, mais énergique et
expressive. La voix n'est pas très agréable ; elle ne remplit pas
la nef, et elle n'a pas non plus de ces accents émus qui vont
au cœur ; ce n'est pas une musique ; elle est hachée, saccadée ;
mais elle est nette et vigoureuse ; les notes élevées sont mauvaises, un peu enrouées. Le geste est beau, assez sobre et vivant. Il a eu surtout une façon de se draper, avec une hauteur
dédaigneuse, en parlant de Luther, « ce moine libertin ». Beaucoup d'animation... « Aimons-nous toujours, toujours... » (les
deux bras grands ouverts, le corps penché hors de la chaire,
avec une émotion communicative). — Suite : *Le mariage in-
dissoluble. La loi de Dieu et la nature sont également opposées*

au divorce. — 1ère partie : dogmatique. 2e : la nature. De larges
périodes, de l'éloquence, quelque réelle grandeur, par instants.
Dans son passage sur l'amour (« Je ne rougis pas d'en parler... »), une hardiesse d'expression, qui ne craint pas de toucher aux sujets périlleux, qui s'en dégage avec dextérité. Dans
le passage sur l'enfant (deux âmes *in carne una*), de la tendresse. — Il dit : « Messieurs. » A la fin, parlant pour une
œuvre à laquelle il s'intéresse, il dit qu'en donnant pour elle,
ses auditeurs paieront la dette d'amitié qu'ils ont contractée
envers lui. — Après chaque point du discours, il se repose un
quart de minute, puis reprend. On retrouve dans son langage
quelque chose de la langue du XVIIe siècle et de sa large logique. Ce qui me plaît en lui, c'est sa hardiesse franche et
saine : pas de fausse pudeur. — Sur la place Notre-Dame, on
vend son portrait et celui de M. de Mun.

10 mars.

Messe de Requiem de Verdi, à Saint-Eustache.
Elle ne me plaît guère. On y trouve le chœur tyrolien de
Guillaume Tell, des tourbillons d'esprits, un vacarme de musique militaire. Il n'a ni l'imagination démoniaque de Berlioz,
ni le mysticisme de Schumann, ni la tendresse de Gounod, ni
la sensualité de Rossini. Il semble viser perpétuellement à
l'effet. Et puis, il aime trop le bruit pour le bruit ; il assourdit
avec délices ; aussi, pour faire un effet de contraste, il termine
pianissimo : ce n'est pas une grande découverte.

13 mars.

Au concert Colonne, *Manfred* de Schumann, avec Mounet-
Sully, dans le rôle de Manfred. (Silvain et mademoiselle du
Minil, lisant les autres rôles.) — Je suis alors fasciné par Mounet ; et je subis bien plus encore l'émotion de sa personne et de
son rôle que de la musique. Sa voix a des accents d'un pathétique qui remue l'âme et qui donne le frisson, ou des cris de ré-

volte superbe qui l'exaltent. Et toujours si musicale, se fondant
harmonieusement avec l'orchestre. Il lisait ; mais en jouant, lorsque sa passion avait besoin de se traduire par le geste ; et il
en avait d'admirables. Avec quelle conviction amère et pénétrante il a dit :

« Laissez-moi savourer le bonheur de mourir. »

Il m'a fait comprendre le personnage de Manfred, qui me
paraît maintenant bien plus près encore de mes pensées
qu'Hamlet. Hamlet est le doute absolu, Manfred le nihilisme
parfait. Chez Hamlet, la volonté est morte ; chez Manfred,
c'est le désir même. Il aspire à la mort, pour échapper au néant
qui l'étouffe et aux tourments de sa conscience, la seule puissance qu'il reconnaisse. Il meurt, savourant l'ivresse de se sentir
disparaître, tandis que chantent l'orgue et le requiem. L'idéal
religieux s'harmonise avec le néant. Tout est Rien, il n'y a pas
tant de différence.

3 avril.

Au concert Colonne, première audition de la scène des Filles
Fleurs de *Parsifal*. La scène est bissée. Je suis frappé de la régularité de forme, correcte, antithétique. Mais sous la pureté
de forme, une émotion intense. — A propos de la symphonie
romaine de Mendelssohn, toujours la théorie que Beethoven
et Mozart n'étaient pas des classiques, qu'ils le sont devenus.
Au contraire, Mendelssohn. Aussi, je n'éprouve aucune sympathie pour ces pages bien calligraphiées, sans une faute d'orthographe ou de syntaxe. Pour cacher le vide de ses pensées,
il a jeté sur elles un voile perpétuel ; ses pages les plus colorées
ont l'air de dessins à la mine de plomb ; ni joie, ni tristesse.
Il ne réussit que des êtres insexués, des elfes, des sylphes. —
Un concerto pour piano de Gabriel Pierné. C'est la première
fois que le nom de Pierné paraît sur les programmes du Châtelet. Il a eu le prix de Rome, en 1882. (A cette époque, je
suivais des cours de solfège et harmonie, à un cours de mu-

sique, que dirigeait son père. C'était dans une rue étroite, qui
donnait sur la rue du Bac. Je me rappelle le vieux Pierné racontant, pour la 100e fois sans doute, le triomphe de son fils,
et comment Gounod, après la proclamation du concours, lui
avait ouvert les bras, en disant : « Viens embrasser papa. »)
— Ce concerto me paraît bien faible. C'est encore un classique,
de l'école de Mendelssohn : correction, orthographe, sagesse.
Poète, à la façon de Casimir Delavigne.

5 avril 1887.

Les Préraphaélites.

Pour la première fois, la peinture me fait ressentir des
jouissances comparables à celles de la musique. Pour la première fois, un tableau me prend tout entier, comme une page
de Beethoven, de Schumann ou de Wagner. Je le dois aux
préraphaélites du Louvre, à fra Angelico, à Botticelli. D'ailleurs, j'avais aujourd'hui la sensibilité très aiguisée : car les
peintures me donnaient des sensations auditives ou tactiles.
Devant un Ruysdaël, représentant le bord d'un lac ombragé,
j'ai ressenti un frisson de froid qui me tombait sur les épaules.

Je transcris quelques notes prises au crayon :

CIMABUE : — Tons verdâtres des chairs (quelques colorations rosées). Les traits des six anges sont les mêmes, deux
par deux. Les huit personnages ont les mêmes yeux froids, la
même bouche obstinément fermée, un peu tordue à gauche.
Cette Madone colossale, qui ne vous regarde pas, produit sur
vous une sorte d'hypnotisme par sa terrible indifférence. Si je
l'avais vue dans son église, un rayon de soleil tombant par le
vitrail sur le fond or, et si j'avais été seul dans l'église avec
elle, j'aurais eu peur. — Depuis le XIVe siècle nous sommes
accoutumés aux Dieux-hommes. Au temps de Cimabue, la
peinture qui avait charge d'âmes, faisait les dieux comme des
géants.

Fra Angelico : Mon adoré Angelico. Comme son Couronnement de la Vierge m'a profondément et doucement ému ! Combien de figures, d'expressions diverses ! Et toutes ne sont que des nuances du même mysticisme pénétrant. Toutes, les unes charmantes (ce petit angelot, à demi caché par le trône), les autres moins belles, et quelquefois vulgaires, sont transfigurées par cet Amour intérieur, grave, mélancolique et doux. C'est comme une harmonie d'âmes en extase. Les yeux s'emplissent de larmes. J'entends le prélude de Parsifal, et je chante tout bas le large motif de la Cène. Peinture et musique se complètent l'une l'autre. Je resterais des heures devant ce tableau. — Ah ! que j'aurais voulu être Angelico, m'enfermer à vingt ans dans son couvent de Fiesole, y vivre ma vie entière, dans mes visions et dans ma foi, oublier la réalité brutale dans la réalité mystique de ce monde des âmes, me perdre dans l'Amour divin, qui seul pourrait remplir le gouffre, creusé en moi !... Et je sais que le monde ne revient point sur ses pas, et que le passé est passé...

Filippo Lippi : Ce n'est plus la religion d'exaltés et de saints, mais de simples fidèles. Paysage pauvre. Figures familières. Tous les anges ont la bouche fermée, avec ce pli de la lèvre inférieure, tranquille, satisfait, de l'enfant qui ne demande plus rien : ni désir, ni souci. Le nez un peu froncé. Cf. gens de la campagne.

Botticelli : Douceur et poésie de ce type florentin : le front proéminent, le nez petit, un peu camard, le menton accentué, les yeux larges, la prunelle mobile : (Botticelli aimerait mieux faire loucher ses personnages que leur donner le regard clair et vide de Raphaël). L'ange semble écouter la Vierge, les yeux tournés d'un autre côté. L'enfant saisit, de sa petite main, le cou de sa maman. Adorable fond, ciel bleu-vert pâle, feuillage sombre, fleurs : paysage idéal. Un tableau, dont la suave mélancolie vous fait passer des frissons dans le corps et venir les larmes aux yeux.

Mantegna : La mort du Christ. Saint Jean hurlant de douleur ; la Vierge, décrépite, blafarde, verdâtre, s'évanouit dans les bras des femmes qui vocifèrent ; les crânes grimacent aux pieds de saint Jean. Groupe extraordinaire, spectacle de douleur physique, tel que le naturalisme moderne n'a pu en donner d'équivalent. Le Christ maigre, laid, raidi sur la croix, agonise, les yeux presque sortis de la tête, regardant le ciel, dans une supplication horrible et indéfinissable, triste et douce. Les deux larrons se tordent convulsivement. — La Vierge de la Victoire. Comme m'attire la figure du marquis de Mantoue ! Ses lèvres sensuelles, rouges, épaisses, qui découvrent des dents blanches, dans un sourire qui n'aurait pas de peine à devenir féroce ; les cheveux épais, crépus ; les yeux vifs ; les mains aristocratiques.

Ghirlandajo : Le vieillard, dont le nez trognonne. Il fait rire les passants. Et pourtant, il est si vrai, et il a une telle expression de bonté !

Bianchi (le maître de Corrège) : Têtes émaciées. La vierge, le jeune guerrier, le vieillard, ont les mêmes yeux bleus, effarouchés, timides, chastes et doux. Les sourcils ne sont qu'un trait. Les lèvres sont minces. Les yeux n'ont pas de cils. Et les têtes sont rondes.

Gentile da Fabriano : La Vierge trône sur le monde. Derrière, se déroulent montagnes, pics, castels, villes, — l'univers, — un ciel bleu noir, très sombre.

Mercredi 6 avril.

Je retourne à mes préraphaélites. Je ne retrouve pas les émotions musicales d'hier. Rien que le plaisir analytique du romancier. D'ailleurs, je laisse aujourd'hui mes chéris, Angelico, Botticelli, Mantegna. Je continue de voir les autres Italiens, qui me touchent beaucoup moins. Le jour est mauvais.

En repassant devant la Vierge aux rochers, dont l'harmonie vieil or, blond, orange, bleu, vert, m'avait enivré hier, j'ai été stupéfait de la trouver presque éteinte.

Le terrible ANTONELLO : cou de taureau, yeux perçants, comme acier, implacablement durs. Bouche obstinément fermée ; le creux des joues montre que les mâchoires sont violemment serrées ; ce qu'il mord, il le tient. Pas de front (ou fort peu). La figure émerge du noir, avec une violence effrayante.

PÉRUGIN : Un fruit exquis à savourer. Pas grande intelligence ; mais une telle grâce, et un brin de malignité. L'ovale charmant des figures, aux sourcils minces et levés, formant un arc harmonieux ; les narines légèrement gonflées ; les lèvres rouges et charnues, qui seraient douces à manger ; le teint brun, avec des colorations rouge-brique propres aux bruns ; les yeux très doux, brun-gris, regardant de côté.

SANO DI PIETRO : Les Mille et une Nuits du catholicisme, illustrées par un vieil enfant.

GIOV. BELLINI : La mère paraît dans la Vierge : elle sait ; la vie n'a plus de secrets pour elle ; elle a plutôt le calme de la chair et la tranquille chasteté que l'innocence pudique des vierges qui précèdent. Ses yeux se reposent dans un vague précis, délimité.

FRANCIA : Une âme simple, paisible, fermement assurée de son devoir, et très douce.

BORGOGNONE : Chairs argentées. Calme, simple, ému, quelquefois assez grand.

LORENZO DI CREDI : Religiosité, non de mystique (Angelico), non de fidèle (Philippo Lippi), mais de prêtre, placide, confiante et douce.

Vendredi Saint, 8 avril.

Stabat Mater de Rossini, à Saint-Eustache. — Je suis debout,
au milieu de la foule, derrière le maître-autel. Devant moi, le
crucifix couché sur une table. Un vieux sacristain est assis,
devant : piété grave, un peu triste, joues creuses, yeux fatigués,
figure tirée, face mal rasée. A côté, un petit enfant de chœur :
pelisse noire sur robe blanche ; petite mine pointue, petits sourcils froncés, yeux curieux, un peu sauvages, veut se donner l'air
grave, triste même ; contemple de temps en temps, à la dérobée,
le vieux sacristain. De loin en loin, rarement, une personne
s'agenouille ou se courbe devant le crucifix, le baise, une fois,
souvent deux, quelquefois quatre, cinq, donne un sou, plus
souvent ne donne rien. Le petit se dresse, grave, un peu rougissant, et essuie la trace des baisers humides, à chaque fois.
Les bancs adossés au maître-autel ont été accaparés, malgré le
vieux qui voudrait réserver un espace libre à la croix. Il est
ainsi enclavé entre le petit et un demi-monsieur, un calicot, qui
veut se donner l'air d'un homme d'esprit et d'un esprit fort,
en se fichant de lui. J'éprouve une vraie douleur de ces poses
irrévérencieuses, sottement moqueuses, à l'égard du pauvre
bonhomme, de la part de ces imbéciles. Ces plaisanteries idiotes
pour des choses qui les passent, et qu'ils veulent faire semblant
de comprendre.

Samedi 9 avril.

Il me restait à sentir la sculpture. Deux œuvres m'ont aujourd'hui fait éprouver une émotion, non de la même nature,
mais du même ordre que le tableau d'Angelico et la Madone
de Cimabue. Deux seulement ; mais devant elles, j'ai été pris
soudain de cette extase intérieure, de ce serrement de cœur, de
ce désir obscur et doux, qui m'avertit de la présence du divin.
— Ces œuvres sont la *Vénus de Milo* et l'*Esclave* de Michel-
Ange.

Naguère, je souriais, lorsque j'entendais quelqu'un s'extasier sur la Vénus de Milo ; je le soupçonnais de snobisme moutonnier. Je croyais que les innombrables reproductions de la statue me suffisaient pour la juger. Ah ! il y a autant de distance entre une photographie de la Vénus et la Vénus elle-même, qu'entre l'exécution d'une symphonie de Beethoven et cette symphonie, au piano, décolorée. Comment analyser mon émotion ? Elle est toute différente de l'émotion musicale. La musique fait penser. Le propre de la Vénus est de faire évanouir la pensée. Sans pensée elle-même, — bien plus, sans l'ombre d'un sentiment précis, elle regarde le vide, sans le voir ; sa lèvre inférieure est légèrement plissée au coin, comme par quelque mépris. Cette harmonie muette, pleine et calme, vous prend tout entier, sans qu'on puisse dire pourquoi. On se sent comme grisé par ce beau corps vigoureux et souple, que l'on goûte avec tout son corps.

Pour l'Esclave de Michel-Ange, je ne l'avais jamais vu, même en reproduction. Du plus loin que je l'aperçois, je suis pris. Je m'assieds, je reste un quart d'heure à m'en repaître. Que c'est beau ! J'en frissonne. Mais d'où vient une telle joie troublante ? Est-ce de cette chair souple et vivante, ferme, tendre, nacrée ? Est-ce de ce corps harmonieux, qui se tend ? Est-ce de cette pensée douloureuse et lassée, de cette tête charmante, renversée en arrière, les yeux fermés, la bouche à demi-close ? Je ne sais. Ce que je sais, c'est que j'éprouve un grand amour, en même temps qu'une adoration qui me serre le cœur. Ici, s'est ajoutée à la pure Beauté de l'art grec, la vie et ses douleurs.

Je rougis de penser que je n'étais jamais entré encore dans ces salles de sculpture de la Renaissance. Certaines œuvres de Goujon me donnent presque cette sensation esthétique supérieure que je poursuis. Presque toutes, au moins, satisfont ma curiosité critique, analyste, à la façon d'un beau roman réaliste (ces bustes étonnants de Pilon, etc.).

Vénus de Milo :

Cf. Apollon dans l'Iliade (XXI) :

« Poseidôn, tu me nommerais insensé, si je combattais contre toi pour les hommes misérables qui verdissent un jour, semblables aux feuilles, et qui mangent les fruits de la terre, et qui se flétrissent et meurent bientôt. »

Crise intellectuelle, de Pâques 1887.

Pendant les vacances de Pâques, Suarès retourne à Marseille. Séparés l'un de l'autre, nous en sentons davantage notre intimité. Nous nous écrivons. Suarès est découragé. La disproportion de son idéal à la réalité l'accable. Il ne sait que faire, il ne voit plus de but. Je lui écris de longues lettres, pour lui rendre courage. En même temps, je mûris certaines idées, que je note confusément.

Suarès et moi, nous ne croyons plus à rien, pour le moment ; nous sommes découragés. Il nous faudrait créer un idéal adéquat à nos besoins. Actuellement, nous ne le pouvons pas ; nous ne sommes pas complets. Mais laissons-nous vivre, développons-nous librement : un moment viendra où nous toucherons au faîte de notre vie ; ensuite, nous ne pourrons plus que nous y maintenir. Tout notre travail doit donc être maintenant de monter le plus haut possible. Sentons, pensons, observons. A un certain jour, notre être sera mûr, et l'œuvre se détachera, d'elle-même, de notre esprit. Cette œuvre sera d'autant plus riche que nous aurons vécu plus richement, jusque-là. Jusque-là, nous travaillons pour elle ; nous faisons le métier de thésauriseurs. Rien n'est perdu. Aucune sensation. Elles serviront toutes, le moment venu. Car la grande œuvre est celle qui répond à tous les besoins de la vie : c'est *Manfred,* c'est *Faust,* c'est *Hamlet,* c'est *la Guerre et la Paix.* Ce ne sont pas ces faibles ouvrages fragmentaires, qui n'intéressent (comme Sapho) qu'une partie de la vie. — Mais sommes-nous sûrs d'atteindre, un jour, à cet idéal de création et de foi ? Oui, un jour, à un certain âge de notre vie, nous croirons. A quoi ? Dieu, Jésus-

Christ, rien, ou « que sais-je » ? Peu importe. Nous croirons à ce dont nous aurons besoin. Si le doute nous est insupportable, nous aurons trouvé une réponse catégorique au doute. Sinon, nous ferons comme Renan, qui est parfaitement heureux de son scepticisme dilettante, adapté à ses besoins. Si je finis par croire au Néant, c'est que je puis m'en accommoder. — Il n'est de malheureux, à leurs derniers jours, que ceux qui ont toujours reculé devant l'énigme de leur pensée, qui n'ont pas cherché à se développer tout entiers, ou qui meurent trop jeunes. Développons-nous donc. Si nous mourons en route, nous faisons assez peu de cas de la vie, pour dire : « tant pis, et bonsoir ! » s'il est impossible de vivre. Si c'est possible, usons de la vie, soyons, et croissons. Absorbons tout ce qui peut être absorbé, tout ce qui peut élargir notre être. Nous augmentons notre immortalité, d'autant. — Et que les autres se moquent de nous, s'ils veulent ! Cela ne vaut pas la peine de nous fâcher. Observons-les, étudions-les : ils serviront à notre œuvre et à notre esprit. Pour qui travaillons-nous ? — Pour la gloire ? Nous nous en moquons, nous qui doutons de l'immortalité (au sens humain). Pour les autres ? Nous les dédaignons. — Non. Pour nous. Pour notre idéal, qui est là, devant nous, dans la brume. — Donc, donnons-nous la main ; et, sans nous soucier d'autre chose que de vivre, penser, sentir, agir et observer, allons droit notre chemin.

(Brouillon de lettre à Suarès) :

Lundi de Pâques 87, midi.

Mon cher ami, je suis triste de n'avoir pas mieux réussi, avec ma dernière lettre. Tu n'en restes pas moins découragé, et tu souffres toujours, dis-tu. C'est ma faute. Depuis huit jours que je suis seul, que ma pensée a tout loisir de se replier sur elle-même, un monde d'idées, accumulées depuis six mois, se presse dans mon cerveau ; je ne les vois encore que comme des ombres confuses qui se pressent pêle-mêle ; à peine puis-je les observer, encore moins les décrire ; et je te les offre, tout enve-

loppées encore de nuages, incohérentes et vagues ! J'ai tort. —
Mais que veux-tu ? Je me suis interrogé. Je vois que je change.
Je trouve que nous avons tort d'être tristes. Je trouve que l'existence est bonne, *même pour nous ; et je sais bien, par expé-*
rience, quelle torture c'est de ne tenir à rien que j'essaie de
faire passer dans ton cœur un peu de la paix qui est entrée
dans le mien.

   Je t'en prie donc, de toute mon affection : laisse-moi t'ex-
primer encore une fois mes pensées. Ne m'en veux pas ; ce
n'est pas parce qu'elles sont miennes que je les développe com-
plaisamment ; c'est parce qu'elles me sont douces et que je
voudrais qu'elles te le soient aussi...

   Mon bien cher, décidément mon panthéisme de dilettante
et d'artiste me sauve. Il faut qu'il te sauve aussi. Tu me dis que
tu as un œil ébloui de l'idéal et l'autre affligé des bassesses de
la terre. « Tu ne peux vivre dans l'idéal, tu ne peux te détacher
de la terre, et tu meurs de cette dissonance qui rend infernales
les plus divines harmonies. » — *Eh bien, je suis convaincu que,*
pour vivre dans l'idéal, nous n'avons pas besoin de nous déta-
cher de la terre. L'idéal ? Mais il est ici, à côté de nous, autour
de nous ; il est tout ce qui Est... Etre tout ce qui est, voilà mon
rêve. Je crains qu'il ne soit pas le tien...

   Je n'imagine plus la Substance seulement comme une idée
de la Raison. Je sens l'Etre en soi et par soi, en qui tout est, par
qui tout est. Diverses sensations m'ont amené à cette révéla-
tion : l'extase devant la Vénus, le prélude de Parsifal, Tristan...
C'est une sensation d'éclatement de l'être... Je définis l'Etre :
ce qui est tout, — la sensation totale, — la sensation d'être tout,
d'être complet, d'être libre. La note et ses harmoniques. Etre
tout, c'est le bonheur suprême, que promet peut-être la mort.
Chaque être individuel a pour idéal la sensation d'être tout son
être individuel. C'est la goutte d'eau, en laquelle se reflète
l'univers. — *Toi, tu veux être seulement la meilleure partie de*
toi-même, la plus pure, la plus vivante. Par cette volonté, tu
te mutiles et tu te troubles. Chacune de tes sensations est bonne,
parce qu'elle est. La meilleure est celle qui est le plus, — l'im-

*personnelle. Mais toutes subsisteront ; Dieu s'appauvrirait, s'il se privait d'une seule (car il n'en est pas deux semblables)... Ta douleur vient de ce que tu ne veux être qu'une partie de toi. — Nous augmenterons notre immortalité, en augmentant le nombre et la valeur de nos sensations. Il faut donc vivre le plus possible. Qui parle de gloire, de gloriole, comme tu dis ? Il ne s'agit pas d'égaler Wagner, il s'agit d'*être. *L'œuvre viendra ensuite. « Je n'ai pas de génie ? » Jésus-Christ avait-il du génie ? Tolstoy avait-il du génie ? Non ; ils *ont *été, puissamment. Tous produisent des œuvres, de chair, d'action, ou de pensée. Tout homme de pensée produit, s'il veut, une œuvre qui le vaut ; et c'est là l'essentiel... Tu as des manques ? Comble-les. Tu ne peux t'exprimer ? Tu le pourras plus tard, quand tu sentiras fortement. — D'ailleurs, l'œuvre n'a d'importance qu'en ce qu'elle est le couronnement de notre Sensation, elle en est la floraison la plus personnelle, donc la plus durable.*

Ainsi donc, vis, et jouis de la douleur ; elle n'est mauvaise que parce que nous sommes incomplets. Nous ne le serons pas toujours... Pour croître, il faut vivre. Pour vivre, il faut se résigner à des choses déplaisantes. Jouis de tout, en dilettante ; analyse au moins ce que tu ne peux aimer ; grossis-toi de tous les flots de vie. Les hommes qui nous entourent nous forcent à vivre d'une vie inférieure ; vengeons-nous, en les comprenant. Donnons-nous la main, nous qui sentons puissamment. Ils se moquent de nous ? Moquons-nous d'eux. Tu parles de sonner la retraite. Non. A la conquête du monde !

Les lettres de Suarès, les réponses que je lui fais, les recherches psychologiques auxquelles elles m'obligent, viennent de m'amener, en ce jour, (11 avril),[1] à une croyance qui me satisfait pleinement et que rien ne me semble contredire. *Pour la première fois depuis bien longtemps, je me sens frais au cœur ; la paix est rentrée dans mon âme.*

---

1. Cette date du 11 avril a joué un grand rôle dans ma vie. Voir année 1892.

Je rêve d'une sorte de Spinozisme de la Sensation, et non plus de l'Idée, ou tout au moins de l'une et de l'autre.

Je pars de ce principe, de cette notion claire, universelle, la plus simple de toutes celles qu'on ait encore posée en philosophie :

Je sens, donc... Il est.

(Je ne dis pas : « donc je suis ». Ce sentiment du moi mêlerait à mon intuition immédiate quelque chose d'acquis, l'expérience de sensations antérieures, d'après lesquelles j'aurais fini par reconnaître qu'il y a des sensations qui ont la qualité d'être miennes, et d'autres qui ne l'ont pas.)

Ainsi, — Je sens, donc Il est. — Qui, *Il ?* L'Impersonnel. L'Etre. Il se définit par lui-même. Si je sens, c'est qu'il existe quelque chose. Cette chose existe par une autre, ou par elle-même. Mais je ne distingue que ces deux éléments : la sensation, l'Etre, enfermés l'un dans l'autre. Le moi est une sensation acquise, déformée, donc secondaire. Encore faut-il l'expliquer. Rien de plus simple.

Toute sensation a conscience d'elle-même. Dans la sensation d'être tout, (qui est l'Etre total), sont enfermées toutes les sensations d'être imaginables (ou non imaginables). Moi, je suis le groupement en marche d'un certain nombre de ces sensations. — Rien de plus ? — N'est-ce pas beaucoup déjà ? Chaque sensation est excellente, en soi, parce qu'elle *est ;* et elle *est,* dans l'infini ; elle *est,* pour l'éternité. Dieu s'appauvrirait, l'Etre ne serait plus l'Etre, s'il lui manquait une seule sensation : car aucune n'est adéquate à une autre.

Notre malheur, c'est de sentir, en nous, et non en *Lui :* car moi, qui suis nécessairement incomplet, qui suis une partie infime de *Lui,* je souffre de me sentir emprisonné dans cette personnalité étroite. Que n'en sortons-nous donc pas ! Il nous est si facile de remonter jusqu'à l'Etre total, dont je suis une partie, — l'Etre pleinement heureux comme je l'écris à Suarès :

Tu es un homme qui voit jouer un drame et s'éprend d'un des personnages ; il s'assimile à lui, et, si c'est une victime,

partage ses souffrances. Ta personnalité n'est qu'un des in-
nombrables personnages, que l'Etre (qui est toi, qui est moi, qui
est l'essence de toute personnalité), que toi-même, tu crées,
dans ton évolution infinie. Et tu te laisses duper par ta créa-
tion ! Tu es Mounet-Sully, jouant Manfred. Le pauvre homme !
Il croit être devenu son héros. Il ne voit pas que c'est une infé-
riorité d'être enfermé dans un personnage, quel qu'il soit, de
n'en pas être distinct, de ne pouvoir en puissant dilettante se
repaître de sa vie. Comprends-tu tout mon malheur d'hier,
tout mon bonheur d'aujourd'hui ? Hier je pensais que mes sen-
sations constituaient mon moi, et j'étais misérable. Aujourd'hui,
je suis mes sensations ; mais je suis bien au delà ! Et quand la
mort viendra, elle me ramènera à mon être véritable, l'Etre
qui est tout ce qui est. Elle achèvera de rompre une illusion,
le plus souvent douloureuse, pour me plonger dans le Bonheur
absolu...

>   In dem wogenden Schwall
>   In dem tönenden Schall
>   In das Welt Athems wehendem All,
>   Strinken,
>   Versinken,
>   Unbewusst,
>   Hochste Lust !

comme dit Ysolde mourante. Je regrette seulement le mot :
« Unbewusst » (« sans conscience »). Je comprends que la
mort soit la mort, pour ceux qui ne croient être rien de plus
que le personnage qu'ils jouent. Pour eux, l'illusion se brise,
et, bien que leurs sensations soient impérissables, leur être se
fond avec leur rôle. Mais la conscience du moi qui est Lui, qui
est l'Etre total, doit toujours subsister, et subsiste en effet. J'ai
défini tout à l'heure Lui : « La Sensation consciente d'être
tout. » (Et il n'est pas possible de le définir autrement.) Or, si
dès cette vie, je me suis convaincu que moi, c'est Lui, jouant
un personnage individuel, la mort ne saurait avoir d'atteinte

sur moi : elle ne peut qu'accroître mon être, en arrachant les
voiles qui m'empêchent d'en embrasser l'étendue.

L'objet de la vie, maintenant ? — Nous n'avons qu'à jouer
notre rôle, le plus passionnément et le plus parfaitement possible. Il nous faut vivre le plus possible... Cela ne veut pas dire
que je doive faire la débauche, la guerre, etc... D'abord, mon
personnage n'est pas fait pour cela ; je jouerais mal celui des
autres, et par suite le mien. — Mais il faut que je fasse de mon
personnage la plus belle œuvre de vie que je pourrai, — sans
jamais en être dupe. Dès lors, tout devient joie. Toute sensation
est bonne, par cela seul qu'elle est un élément du spectacle,
pour l'artiste suprême. La douleur fait souffrir, si vous êtes
la douleur ; mais si vous êtes l'Etre suprême, qui contemple
la douleur, elle est tout intérêt. Il m'est arrivé, souffrant physi-
quement ou moralement, d'une façon très pénible, de me dire :
« Non, je ne souffre pas, je regarde, j'observe ; » et aussitôt,
je me surprenais à sourire. Je sais bien qu'une douleur subite,
des élancements inattendus, font crier ; on n'y est pas préparé ;
on subit l'illusion. Mais on voit quel est le remède, la baguette
magique qui change tout en or. Il suffit d'ouvrir les yeux et
d'être Lui. Lors même que nous nous livrons le plus à notre
moi. Jouons donc notre rôle, du mieux que nous pourrons ;
mais gardons-nous de croire que nous sommes ces pauvres bonshommes, d'ailleurs amusants, ou pitoyables. Tu es, mon cher
Suarès, et je suis Moi, ce Moi supérieur qui est Lui, qui est tout
l'Etre. Vis de toute la vie que peut comporter ton rôle ; mais à
la condition de ne jamais oublier que c'est un rôle. Ainsi, la
conscience devient bienfaisante et artistique.

Maintenant, si je réclame de toi « l'œuvre », c'est simplement parce que, dans l'œuvre, nous autres, hommes de pensée,
nous réalisons le plus complètement notre personnage, et aussi
que nous nous assimilons le plus à l'Etre éternel. Tu prétends
que tu n'as pas de génie. Tout homme de génie qui s'analyse
en a pu dire autant ; par exemple, Tolstoy. D'ailleurs, qu'est-ce
que cela veut dire, du génie ? Il suffit d'être puissamment ce
qu'on est, et de le dire, comme on le sent. Quand on est aussi

vivant que toi, et qu'on a tes moyens d'expression, on peut douter de soi ; mais les autres, non pas. — Et enfin, que signifie ce découragement, cette « gloriole » que tu dis avoir réprimée, cette tristesse de ne pouvoir produire l'œuvre ? Qu'est-ce que l'œuvre même ? Quelque chose de secondaire, quand on méprise la gloire, telle que la cherche le vulgaire. Vois-tu, mon ami, tu es encore trop Suarès, et pas assez Moi. *Parce que Wagner a été, tu ne veux pas être ! Quelle singulière idée !... Qu'importe ce que produira, ou non, ton personnage ! Vis-le, sans t'occuper d'œuvre, de gloire, etc. Vis ton bonhomme Suarès, et sois* Moi. *Les petites gens nous gênent, nous obligent à une vie ratatinée ? Vengeons-nous, en leur prenant tout ce qu'ils ont de bon, tout ce qui peut enrichir notre vie individuelle. Ils se moquent de nous ? Moquons-nous d'eux. Nous sommes au-dessus, au delà de leur portée. Au lieu de sonner la retraite du vieux monde, comme tu dis, marchons à sa conquête, la main dans la main, en frères qui se comprennent, et qui confondent entre elles leurs âmes. Servons-nous du monde. Prenons de lui tout ce que nous pouvons prendre, et ne soyons jamais pris par lui.*

Voilà quelle est la lumière qui m'a soudain éclairé. Il y a encore bien des taches dans ce soleil que j'ai allumé en moi. Je les ferai disparaître, si je puis, en mûrissant ces idées. — Mais tu ne peux t'imaginer quelles heures exquises j'ai passées, aujourd'hui, Lundi de Pâques (Promenade à Versailles), après tant de journées d'angoisses déchirantes et de lassitude, dans la recherche de la vérité. La paix est dans mon cœur, et je suis bienheureux de la certitude que j'ai, — *pour le moment, (car je suis franc, je n'engage jamais l'avenir).* Je sens une telle plénitude d'Etre ! — *Quant à la réalité, elle me paraît un spectacle admirable.* Un sourire intérieur ne cesse d'illuminer toutes mes sensations ; je sens tout l'Etre en moi ; ce n'est plus moi qui suis moi ; c'est tout l'Etre. Cela est doux et puissant et riant.

Ce qui me plaît aussi dans ma foi, (où prennent place toutes les pensées qui me sont le plus chères : Renan, Spinoza, Wagner, Tolstoy, l'Art tout entier), c'est qu'elle n'entrave pas l'Action, comme le fait plus ou moins le Spinozisme. Elle ne contrarie pas la morale (rapports nécessairement ordonnés et réglés, entre les personnages multiples que le Moi supérieur a créés) ; elle en reconnaît tous les caractères de nécessité, d'obligation, d'absolu, tout enfin, — si ce n'est une valeur quelconque en dehors de ce monde d'apparences. Elle défend et exalte toutes les Religions, tous les Arts, qui assoupissent ou brisent l'illusion de notre rôle inférieur, et qui nous ouvrent, pour un moment, les portes de l'Etre en lequel on est tout. Elle nous donne ce calme hautain, de dilettantisme héroïque, qui sait être à la fois ironique et ému, qui se livre généreusement à la vie, mais qui n'en est pas dupe. Je ne vois pas de lueur qu'elle obscurcisse, pas d'ombres qu'elle n'éclaire.

Lectures faites pendant ce premier semestre à l'Ecole Normale (nov. 86-mai 87).

Le livre qui m'a fait le plus d'impression : *La mort d'Ivan Iliitch*, de Tolstoy. (Mais je ne retrouve aucune note sur lui.)

Découverte de Stendhal. Il m'intéresse, bien plus qu'il ne me prend. — Notes assez longues sur *Rouge et Noir*. Le héros appartient à la catégorie des héros de Balzac, chez qui l'esprit est maître du cœur. Histoire d'un déclassé, après 1815. L'homme intelligent, qui s'est élevé à force de talent et d'intrigue, se voit haï du peuple, froissé par le dédain des grands, outragé par celle qui l'aime, irrévocablement éloigné de celle qu'il aime, isolé au sein d'une société pourrie, dont Stendhal analyse minutieusement l'égoïsme, — égoïsme brutal et rapace du paysan, égoïsme niais et cafard du clergé, égoïsme hautain et ennuyé du grand seigneur, égoïsme inquiet et désespéré du héros. — Pas d'action. Une suite d'intrigues, où se développent des caractères complexes. Cela ne commence ni ne finit. Une ironie perpétuelle et glacée de blasé qu'aucun plaisir ne trompe. Il ne se passionne pour aucun de ses héros. — Notes sur *la Chartreuse de Parme,* qui me charme beaucoup plus. Nulle thèse. Stendhal conte pour conter. Aucune unité d'action ; ni com-

mencement ni fin ; une série d'épisodes que le plus souvent il
ne prend pas la peine de relier. Le plaisir qu'il éprouve à manœuvrer dans un monde d'intrigues embrouillées. Mais spiri-
tuelle finesse d'observation ; peinture vivante et piquante d'une
petite cour italienne. J'aime bien les épisodes de la campagne
de 1815. Longtemps avant Tolstoy, Stendhal décompose les
sentiments de ces foules qu'on nomme des armées, et en montre
la bassesse égoïste, au milieu de ces chocs confus qu'on appelle
des batailles rangées. Une multitude d'observations charmantes. — Mais l'action manque un peu trop d'unité ; et, dans
l'analyse des caractères, il y a place parfois à l'inexplicable.
Ce même arbitraire m'avait déjà frappé, dans *Rouge et Noir*.
On a toujours le droit de demander le pourquoi des pensées et
des actions des personnages, dans un roman réaliste. Chez
Tolstoy, l'unité est produite, au milieu de l'action diffuse et
des caractères en transformation perpétuelle, par le sentiment
de l'impossibilité presque complète que cela ne se fût point
passé, ainsi. Le détail me paraît beaucoup plus vrai chez Stendhal, que l'ensemble.

Lectures de Loti : *Aziyadé.* — J'extrais une suite de pensées
découragées, déçues, blasées (non que je les partage, mais pour
mieux me fixer l'image de l'auteur).

« Les amis sont comme les chiens : cela finit mal toujours,
le mieux est de n'en pas avoir. » ... « Il n'y a pas de Dieu, il n'y
a pas de morale, rien n'existe de tout ce qu'on nous a enseigné
à respecter ; il y a une vie qui passe, à laquelle il est logique de
demander le plus de jouissances possibles, en attendant l'épou-
vante finale qu'est la mort... » — Et je note cette phrase de
Loti, à propos du lendemain incertain : « *Je pourrais bien croire
à tout, moi qui pensais ne plus croire à rien.* » — Après avoir
terminé le livre, j'écris : c'est un joli carnet de notes ; cela ne
tient pas, comme roman. Un seul caractère se détache vaguement : celui de l'auteur, pessimiste avec quelque dandysme,
avec quelque sincérité, sans qu'il puisse répondre de son pessimisme : il verra, plus tard ; en attendant, il jouit de la vie,
comme il peut, de façon à « tromper l'ennui de vivre ». Les

sens sont forts chez lui ; mais la sensibilité morale est délicate,
et les contrebalance. C'est un homme qui ne veut pas croire à
l'amitié, à l'amour, etc., mais qui les sent. — Je préfère *le Mariage de Loti,* bien que ce soit encore des notes décousues. Ce
qui m'est vraiment doux et charmant, c'est la nature. Loti mêle
à elle toutes ses sensations propres, ses rêves, ses pensées. Ce
sont des parfums, des couleurs et des sons qui vous grisent.

Dominique de Fromentin (lu dans la *Revue des Deux
Mondes,* de 1862). — Longue analyse. — Extraits de pensées
qui se rapportent à mes préoccupations d'alors. — « Le don
cruel d'assister à la vie, comme à un spectacle donné par un
autre. » — « Si le spectacle d'une âme émue est ce qui vous
satisfait le plus dans l'émotion..., prenez garde, cela est très
grave. Quand il vous arrivera de vous apercevoir agissant,
souffrant, aimant, vivant, si séduisant que soit le fantôme de
vous-même, détournez-vous. » — « *La vie est le grand remède
à toutes les souffrances... Le jour où vous mettrez le pied dans
la vie, dans la vie réelle, le jour où vous la connaîtrez, avec ses
lois, ses nécessités, ses rigueurs, ses devoirs et ses chaînes, ses
difficultés et ses peines, ses vraies douleurs et ses enchante-
ments, vous verrez comme elle est saine et belle et forte et
féconde, en vertu même de ses exactitudes ; ce jour-là, vous
trouverez que le reste est factice, qu'il n'y a pas de fictions plus
grandes, que l'enthousiasme ne s'élève pas plus haut, que l'imagination ne va pas au delà, qu'elle comble les cœurs les plus
avides... »*

Je comprends l'admiration de Mille pour Fromentin. J'ai
retrouvé dans ce roman la source de bien des professions de
foi que je lui ai entendu faire. Ce Dominique a le sentiment
très net de ce qui, pour moi, n'est que la moitié de la vérité :
le rôle à jouer. Je souligne ce passage : — « Je me détachai
assez de moi-même pour envisager, comme un spectateur au
théâtre, ce tableau singulier, composé de quatre personnages
groupés intimement à la fin d'un bal... etc. Je sentis le drame
obscur qui se jouait entre nous. Chacun y tenait un rôle, dans
quelle mesure ? Je l'ignorais ; mais j'avais assez de sang-froid

désormais pour affronter les dangers de mon propre rôle, le plus périlleux de tous... » — Je crois aussi que notre vie doit être de jouer notre rôle, du mieux que nous pouvons. Mais je ne m'arrête pas là. Le masque suppose le visage, et le rôle suppose l'acteur. Chacune de nos personnalités est un rôle. Mais de qui ? Je réponds : Du Moi suprême. De Dieu. — En conclusion, je trouve les analyses psychologiques intéressantes, mais le roman froid : je connais bien les sentiments des personnages ; mais je ne vois pas leur personne. Un grand dilettantisme de peintre, pour lequel les sensations esthétiques ont, par elles-mêmes, une valeur absolue. Ce que je trouve de plus remarquable, ce sont les pensées philosophiques ou morales, et le talent de paysagiste. L'auteur n'est pas assez musicien, (pour mon goût).

A rebours de Huysmans. — Nul comme roman ; mais un remarquable répertoire de sensations habilement cataloguées : étoffes, pierres précieuses, tableaux, fleurs, odeurs et paysages d'odeurs, saveurs et mélodies de saveurs, littérature décadente, débauche, etc. Il n'y manque que la gamme infinie des impressions musicales. Huysmans ne semble rien y comprendre. — « L'artifice lui paraît la marque distinctive du génie de l'homme. » Dernière période où il en arrive à « l'imitation de l'art par la nature. » — Je note l'aveu d'impuissance mystique de la fin : « Seigneur, prenez pitié du chrétien qui doute, de l'incrédule qui voudrait croire, du forçat de la vie qui s'embarque seul, dans la nuit, sous un firmament que n'éclairent plus les consolants fanaux du vieil espoir. »

Découverte des grands romans de Dostoïewski.

Les Possédés. — La théorie de Taine en action : « Un Etat est un hospice de malades, d'aliénés et d'infirmes. » — Tous les personnages sont fous, plus ou moins. On ne sait où l'on va. Il fait nuit, d'un bout à l'autre. L'auteur n'explique rien. Un mystère perpétuel, une horreur qui retient, — horreur réelle, — et, plus encore, l'horreur cachée, attendue, et qui n'arrive point. Surtout remarquable, comme analyse des sensations et

des images délirantes d'un peuple. Dostoïewski semble croire
que de cet amas de ruines, de folies et de crimes, surgira une
loi nouvelle, une religion nouvelle, un Dieu nouveau. Le Dieu
ancien n'est plus fait à l'image de la société contemporaine ;
il changera, et la Russie sera le peuple Déifère. — Je copie ce
passage :

« De tout temps, la science et la raison n'ont joué qu'un
rôle secondaire dans la vie des peuples... Les nations se forment
et se meuvent, en vertu d'une force maîtresse dont l'origine
est inconnue et inexplicable. Cette force est le désir insatiable
d'arriver au terme, et en même temps elle nie le terme. C'est
chez un peuple l'affirmation constante, infatigable, de son existence et la négation de la mort. L'esprit de vie, chez chaque
peuple, le but de tout le mouvement national est seulement la
recherche de Dieu, d'un Dieu à lui, à qui il croit comme au
seul véritable. *Dieu est la personnalité synthétique de tout un
peuple, considéré depuis ses origines jusqu'à sa fin...* Quand les
dieux perdent leur caractère indigène, ils meurent, et avec eux
les peuples... *Le peuple, c'est le corps de Dieu.* »

L'Idiot. — Je suis très pris par la première moitié du premier volume. Le second me déroute et m'irrite. Mais la fin est
bien belle. La passion des deux femmes, la soirée chez les
Epantchine, la noce, la veillée du cadavre, sont d'admirables
scènes. Des analyses merveilleuses, surtout de l'état maladif du
prince. Ne pas oublier que l'œuvre est en partie humoristique.
Le réalisme perce, à tout instant, sous l'humour. Mais l'humour,
d'abord (cf. Dickens ! Seulement, Dickens est heureux. Dostoïewski souffre. — Haute portée de son œuvre. Compassion
infinie). — Je note les passages d'orgueil national et religieux
russe.

« Pour résister à l'Occident, il faut que nous appelions à
notre aide la lumière du Christ, que nous avons conservée, et
qu'ils n'ont même pas connue. Nous devons leur porter notre
civilisation russe... Dans l'avenir, la rénovation de toute l'humanité, sa résurrection peut-être, par la seule pensée russe, par
le Dieu et le Christ russe... »

Mont-Oriol, de Maupassant. — Je copie le passage : « Elle comprit que tous les hommes marchent côte à côte, à travers les événements, sans que jamais rien unisse vraiment deux êtres ensemble... Elle vit que nul jamais n'a pu ou ne pourra briser cette invisible barrière qui met les êtres dans la vie aussi loin l'un de l'autre que les étoiles du ciel. Elle devina l'effort impuissant, incessant depuis les premiers jours du monde, l'effort infatigable des hommes pour déchirer la gaine où se débat leur âme à tout jamais emprisonnée, à tout jamais solitaire, effort des bras, des lèvres, des yeux, des bouches, de la chair frémissante et nue, effort de l'amour qui s'épuise en baisers, pour arriver seulement à donner la vie à quelque autre abandonné. »

Et j'écris, sur la page, en face :

« On voit bien que tu n'aimes pas, mon pauvre Maupassant ; — surtout, que tu n'as jamais senti Dieu. »

Portraits de quelques camarades.

MÉLINAND.

Pendant les vacances de Pâques, il reste seul à l'Ecole, et il en souffre. Je vais le voir. C'est un garçon très intelligent, très gracieux, très courtois. Il m'intéresse, mais ne m'est pas sympathique, il produit une impression désagréable, par son moi envahissant, qu'il érige en système philosophique.

A été religieux, puis antireligieux, a cru pouvoir tout remplacer par la vie de société, l'amour continu dont parle Pascal. Souffre beaucoup de la solitude. En pleure. Ne peut comprendre mon état d'esprit, ma préoccupation de la mort, l'amour idéal qui m'absorbe et ma curiosité insatiable de toute vie individuelle.

Professe un subjectivisme idéaliste, qui me fait mieux sentir mon propre idéalisme, — par leurs ressemblances apparentes, et l'abîme réel qui les sépare.

Mélinand pense : « J'existe. C'est la seule réalité que je

puisse affirmer, avec certitude. Tout le reste n'existe que par
rapport à moi. Je vois les autres agir, mourir : cela ne me regarde pas. Je ne puis croire que je mourrai. Je ne mourrai pas.
Je garderai ma personnalité consciente, qui se développera
sans cesse. Qu'est-ce donc que les autres ? — Des créations de
moi-même. Comment se fait-il qu'elles agissent malgré moi ?
— Elles n'agissent pas malgré moi ; elles agissent par des volontés inconscientes qui sont en moi. D'ailleurs, quand je veux
très violemment une chose, elle s'accomplit toujours. »

(J'ai essayé de me moquer de cette foi bizarre. Mélinand
est très sérieux, et me répète sa certitude, à diverses reprises,
très catégoriquement.)

Mélinand continue : « Toutes les fois que j'ai un grand
désir, et que j'applique toute ma volonté, il est toujours satisfait : soit que je veuille être aimé d'une personne, soit que
je veuille lui inspirer une pensée, soit même que je veuille
qu'un événement se produise. Ce que je veux s'accomplit toujours. Même les chagrins qui me sont arrivés (un grand et
beaucoup de petits), j'ai reconnu, depuis, qu'ils avaient été un
bien pour moi. Je suis sûr que ce sera toujours ainsi. J'ai même l'espoir qu'avec l'âge et la science, j'arriverai à faire ce que
je voudrai de tout ce qui m'entoure.

« Mais voici le mal : j'existe, j'existe seul, j'existerai toujours seul ; et mon isolement m'effraie et m'oppresse. Déjà
maintenant, je souffre de savoir que les autres n'existent pas,
qu'ils sont mes créations. Aussi, ce que je cherche, c'est à être
dupe de ma création, à croire à son existence propre, indépen-
dante de moi ; et comme je n'y parviens que par la passion,
par l'amour, c'est donc l'amour qui me semble devoir être
l'essence de notre vie. Vivre dans un amour continuel, s'attacher tantôt à une créature, tantôt à une autre, et oublier ainsi
Moi, qui seul existe : voilà ce que je cherche. C'est pourquoi
la vie de société me semble la seule bonne. »

— Ainsi, tous deux, nous croyons à la seule existence du
Moi. Seulement, celui de Mélinand se réduit à la personne individuelle. Le mien est panthéiste, et ma personne individuelle

n'en est qu'une faible partie. Si tous deux, nous considérons les autres comme des créations du Moi, je ne fais pas un sort plus favorable à mon personnage individuel ; au lieu que pour Mélinand, le moi actuel est le Moi absolu. De là vient que tandis que Mélinand, seul à seul en face de son Moi absolu, se trouve terrifié de sa solitude, — je ne vis jamais autant et jamais je ne suis moins seul que lorsque je me plonge dans l'océan de ce Moi. — Ma croyance ne trouble rien de la vie pratique et de ses lois : ni la morale, ni l'action, etc. 1° La morale n'existe pas sans doute, au sein du Moi absolu ; mais du moment qu'il se réalise en des sociétés de petits moi, elle s'impose avec eux. — 2° Que ma vie ne soit qu'un rôle ne peut m'empêcher d'agir. Au contraire. Je veux que mon rôle soit beau. Il n'est pas amusant de jouer le rôle de traître ou de victime. — 3° Comment ne ferais-je pas le bien ? Comment n'aimerais-je pas mon prochain ? N'est-il pas une partie de moi-même ? Au reste, je ne serai pas injuste, même pour ceux qui le sont. Ce sont des rôles, après tout. Pourquoi s'irriter ? — 4° Paix aux autres et à moi. Qui pourrait m'attrister ? La douleur, c'est moi qui la crée. — Tous mes penseurs chéris ont inconsciemment collaboré à ma doctrine : — 1° *Spinoza :* (avec cette différence que la liberté trouve place dans mon système, et que la sensation y trône. Le sage n'est pas celui qui s'absorbe en Dieu, mais qui, sachant être Dieu, joue son rôle, avec une paix passionnée) ; — 2° *Wagner :* (« Seule vit notre âme ; elle crée nos visions, se projette sans cesse en multiples images, rêves que volontairement nous rêvons ; mais, sous le poids d'une lassitude, nous avons perdu la science de notre pouvoir ; nous avons cru réel ce que nous réalisions, nous avons accepté l'égalité humiliante du non-moi..., etc. Il nous faut rendre au monde notre corps qui en est une partie, le fondre dans l'unité idéale de l'univers, pour rendre l'infinie liberté à notre âme, — chasser les désirs personnels, créer au-dessus des apparences mauvaises d'autres apparences, l'univers radieux de la divine fantaisie ; et c'est l'œuvre de Beethoven. » — Mais moi, je ne dis pas : « les apparences actuelles sont mauvaises ; il

faut rendre au monde notre corps... » Je dis : « Il faut vivre
de notre rôle, qui est beau et plaisant, si nous savons que ce
n'est qu'un rôle. » — 3° *Tolstoy* (« Tout ce qui vit, est Dieu...
Globe animé, frémissant, sans contours nettement indiqués,
dont la surface se compose de gouttes d'eau serrées en masse
compacte, qui glissent en tous sens... c'est l'image de la vie...
Dieu est au milieu. Chacune de ces gouttes essaie de s'étendre
pour mieux le refléter. Elle grandit, se resserre, disparaît, pour
revenir de nouveau à la surface. » (Guerre et Paix. III). —
4° *Renan* (« Faites une part au sourire et à l'hypothèse que ce
monde ne serait pas quelque chose de bien sérieux... » — « La
vieille gaieté gauloise est la plus profonde des philosophies... »)

J'en reviens au mot de Mélinand :
— « Toutes les fois que je désire une chose violemment,
elle s'accomplit. »
— « C'est donc que tu crois à la suggestion ? »
— « Non. Je n'imagine pas ce que peut être la suggestion
d'un esprit sur un autre, puisque moi seul existe. »
— « Tu devrais essayer sur moi, de m'imposer une pensée. »
— « Qu'en sais-tu, que je ne le cherche pas ? »
— « Tu devrais alors me prévenir, afin que moi, ta créature,
je sois convaincu de ta puissance. »
— « Qu'est-ce que cela me fait que ma créature pense ou
non ce que je pense, ce qui est la réalité ? »
Il me dit cela, avec ses yeux brillants et froids, qui cherchent
à me pénétrer. Et j'ai l'impression de ces insectes, qui savent
piquer leur proie juste au seul ganglion, où la piqûre les para-
lyse. — Mais il a raté son coup, cette fois. — (Je n'en pense
pas moins à son étrange ascendant sur son ami Gignoux.)
— Pensées de Mélinand :
« Du moment qu'un sentiment s'exprime, c'est qu'il n'existe
plus. Du moment qu'il a besoin d'une étiquette : amour, amitié, c'est que le mot seul vit encore : le sentiment est vide. Le
sentiment a sa pudeur. Quand on dit : « J'aime », à l'amour
a succédé le désir. »

Aime beaucoup Racine et Shakespeare. Point Bourget. Peu les romantiques. Ne comprend rien à la musique, qu'il prétend aimer.

Tandis qu'il parle, je lis sur une feuille blanche, devant lui, cette pensée qu'il vient de noter :

« Faites toujours tout le contraire de ce qu'on attend de vous. » (Stendhal.)

DE RIDDER.

Une déception. Après avoir été attiré par ce jeune sphinx de 17 ans, aux traits réguliers, à la voix grave, j'ai constaté en lui une âme de vieillard. Je ne pouvais m'imaginer d'abord qu'un enfant, entré en quatrième à l'Ecole, n'eût pas une intelligence supérieure. Puis, j'avais été piqué par son indifférence et la froideur avec laquelle il accueillait mes avances. Je lui rendis la pareille, j'affectai de ne plus le voir, entamant devant lui des conversations avec d'autres. Il arriva ce que j'avais prévu. Ce jeune garçon boudeur fut vexé à son tour de l'indifférence que je lui témoignais ; il essaya de lier conversation avec moi, — ce qu'il n'a fait avec aucun autre. Bref, un soir, j'eus un long entretien avec lui. Et je vis la sécheresse de son cœur et de sa pensée. Une vue nette et froide de son avenir de professeur, une croyance glacée au catholicisme. Une voix posée, scandant les syllabes, d'une façon automatique ; une façon vieillotte de marcher, de se frotter les mains...

Extraits d'un travail de lui, sur le rire et les larmes au théâtre. (Il me dit y avoir été très sincère) : « Le rire peut, à la rigueur, être permis, dans une certaine mesure... Mais on évite de pleurer au théâtre, par intérêt, de peur de souffrir. Si je pleure, je m'accuserai de maladresse, non de faiblesse d'esprit... Dans la vie réelle, si l'homme voit une grande douleur, son premier sentiment n'est pas la pitié, mais la méfiance... Dans la vie réelle, il ne pleure qu'en connaissance de cause. On comprend donc qu'il ait honte de pleurer, au théâtre ; car il serait vraiment dupe. » — Deux mots qui reviennent souvent

chez lui : « Etre dupe. » Et : « En connaissance de cause. » —
« Un homme ne pleure qu'en connaissance de cause. » — Le
plus profond mépris pour la sensibilité. — « Etre sensible, c'est
être comme un animal ou un enfant. » ... « Celui qui pleure a
honte de lui et se croit volontiers atteint dans son honneur.
Après la pièce, s'il a pu supporter cette émotion sans faiblir,
il est fier de lui et grandit à ses propres yeux. »

— Suarès dit, de sa conférence monotone : « Ce marbre est
un pavot. »

— Règle générale : je n'attends plus rien de bon d'un enfant de 17 ans qui a ses deux bachots, une éducation classique
complète, et un des premiers rangs à l'Ecole Normale : toute
originalité a nécessairement disparu ; l'éducation a tué la nature. — Suarès n'a pas plus de 18 ans ; mais il est incomplet,
il ne comprend rien aux sciences ; il a failli être refusé à cause
d'elles, à sa seconde partie de bacc. ès lettres ; il est réfrac-
taire au latin et au grec ; il n'a pas été absorbé par l'éducation ;
la personnalité était trop forte, elle n'a fait que s'exaspérer
et réagir si bien que son esprit est devenu paradoxal, anticlas-
sique, outré ; ce sont des défauts ; mais je l'aime, pour ces défauts qui sont une preuve de vie. — Le bon sens de De Ridder
ne lui appartient même pas. Il lui a été inculqué par dix ans
de classicisme. C'est par habitude qu'il pense correctement ; et
sa raison est un pédantisme.

Notes burlesques, prises aux cours de l'Ecole, pendant les
premiers mois.

Le petit cahier qui les contenait, portait ces titres :

Olla Podrida (Ollé-Laprune).

Goumyâna (Goumy).

Flores Coulouchiaci (De la Coulouche).

Judicis (mot illisible) Sententiolæ (Tournier, dit « le Juge »).

Othon le Roux, maître des mètres (Riemann).

Comme ces petites caricatures ne peuvent avoir d'intérêt
que pour ceux qui ont connu les originaux, je me borne à

quelques spécimens :

Ollé-Laprune (et sa manière onctueuse).

« Je ne pense pas... sans penser que, si je pense, d'une certaine manière qui m'apparaît... comme régulière... comme normale... comme bonne... comme vraie... tous doivent penser
comme moi... Je ne pense pas... sans penser... qu'il y a une
certaine manière de penser... qui est conforme... à l'essence...
de la pensée... une pensée où je ne trouve pas seulement... ma
pensée... et la pensée d'autrui... mais la Pensée... ma pensée...
m'apparaît... comme valable en soi... quoi qu'on en puisse
penser. »

88510

— « Oh ! comme je désirerais que ce ne fût pas !... Si
c'était possible que ce ne fût pas !... En vérité, je veux que ce
ne soit pas ; et comme ce n'est pas possible que ce ne soit pas,
je veux faire comme si ce n'était pas, je veux faire tout ce qui
en moi est possible pour que ce ne soit pas... Encore un pas... »

— « Quand vous me dites, d'une certaine manière : Je vous
aime, — oh ! voui !... je vous crois... C'est ma personne qui
répond à votre personne. »

RIEMANN (gauche Alsacien).

Datif ethicus, d'expression, n'ajoute rien au sens :

« Par exemple, « on *vous* le suspendit ». Ça veut dire : on
vous le suspendit, pour vous faire plaisir ; — ou bien : si vous
aviez été là, ça vous aurait amusé de voir ça. »

GOUMY.

Sur Shakespeare (à Gignoux) : « Eh bien, avez-vous été
content de votre soirée ?... Oui ?... C'est une pièce bien mal
faite, bien mal faite... *(Hamlet)*... Oui, le dénouement, et la
révolte, et tout... C'est une pièce bien mal faite... (Une pause.)

Vous savez, c'est un affreux tour que nous a joué Ben
Jonson, d'inventer Shakespeare, d'en faire un homme de génie...
Et puis, sont venus les romantiques, innocents comme l'enfant
qui vient de naître... Ils se sont imaginé tout bonnement... Enfin, nous ne sommes pas encore tout à fait mûrs.

On a repris récemment, avec une mise en scène luxueuse,
une pièce qui n'avait ni queue ni tête *(Le Songe d'une nuit
d'été)*... un monument d'absurdités, une montagne de coqs à
l'âne, d'inepties, de stupidités... C'est qu'avec cela, on n'ose
pas ouvrir la bouche. On se dit : « Si je dis ce que pense, je
vais être traité de crétin. » Et comme on ne craint rien tant en
France que de l'être... on dit : « Oui, c'est beau... Ah ! c'est
beau !... » On n'en pense pas un traître mot... Mais il est difficile de faire accepter à un public français une pièce aussi dé-
pourvue d'intérêt et d'esprit... On a infligé à un acteur incomparable (Saint-Germain) qui ne devrait jouer que dans des
chefs-d'œuvre, la torture de jouer un rôle inqualifiable, un
personnage dont le nom veut dire en anglais : Derrière !...

Je prends celle des pièces de Shakespeare qui est le mieux
faite : *Macbeth.* Ce n'est qu'un tissu de gros effets pour frapper le populo. A chaque instant, des bonshommes sortent des
trappes, avec des balafres plein la figure... Un vrai guignol !

Et *Othello ?* Oui, c'est pas mal fait, le caractère de Iago
est beau. Mais Desdémone... C'est une godiche... une nigaude...
Qu'est-ce que c'est qu'une honnête femme qui se laisse tuer
bêtement par un maugrebin... Ils sont tous fous là-dedans...

Non, voyez-vous, je comprends qu'on aille à Shakespeare
par curiosité ; mais je voudrais bien voir ceux qui prétendent
l'aimer, soumis à ce régime quotidien... Suarès ? Vraiment ?...
(Sourire de pitié railleuse.)

Shakespeare est un pître... Shakespeare braille. Virgile ne
braille pas.

Sur Hugo. Le chantre de toutes les badauderies dont souffre notre génération. Une fontaine non intermittente d'alexan-
drins qui coulent, qui coulent... A la fin de sa vie, il n'écrit

plus que pour écrire, pour exploiter sa gloire, et pour mettre ses libraires dedans. Il en a ruiné un, un Belge, un Jocrisse d'ailleurs... oh ! mon Dieu, oui, un pur imbécile... Il lui a vendu les plus beaux rossignols que jamais auteur ait vendus : *L'Homme qui rit, Les Travailleurs de la mer, William Shakespeare,* une absurdité colossale...

...Ce serait un beau sujet de thèse, de chercher quelle est de toutes les pièces de Hugo celle qui est le plus colossalement assommante... *Les Burgraves ?...* Oh ! non... Non... Pas les *Burgraves...* C'est la plus cocasse, au contraire. Ces trois générations de vieux Ramollots des bords du Rhin... Y a de quoi rire !... Et ces tirades... Ça ne se dit pas sérieusement.

Angelo, tyran de Padoue... Je lui pardonne. Il est insupportable, dans la traduction de Duvert : *Cornaro, tyran pas doux...*

Et *le Roi s'amuse !...* Le Roi s'amuse !... C'est pas le public qui s'amuse, en tout cas... Mâtin !... On a eu la naïveté d'y aller. Pas moi. Je connais trop ces machins-là. On est dans les ténèbres, tout le temps ; on entend vagir des monstres, qui disent des tas d'horreurs...

Voyez-vous, y en a encore qui surnageront, dix ans à peu près : *Ruy Blas,* et *Hernani...* mais le plongeon les attendra... Hernani, quel crétin !... Et Didier !... « Idiot », comme l'appelle la parodie. « Idiot de quoi ? » — « De rien... » Vous n'connaissez pas *Harnali ?* C'est charmant. Il y a des vers exquis, dignes de Molière...

Le plus beau drame, c'est *Ruy Blas.* Il n'y a pas l'ombre de sens commun. Seulement, la langue en est éblouissante. Le peuple n'est pas touché de cela ; mais il voit un laquais qui devient premier ministre : ça le flatte... Oui, Hugo avait pressenti le suffrage universel. Ce laquais est tout, même amant de la reine, ce que le suffrage universel ne pourrait pas donner... Oui, c'est le plus beau drame. *Hernani* est assommant...

Taine l'avait joliment défini, Hugo, et d'une façon que ne lui ont jamais pardonnée les familiers du poète : « Un garde national en délire. » Un garde national, c'est-à-dire le type du

crétin politique. Et puis, ce je ne sais quoi... « en délire ». —
Mais le lendemain, il avait à ses trousses une vingtaine de journaux qui lui mordaient les fesses... Se permettre de se moquer
de leur bon Dieu... légèrement avarié déjà !... Oh ! ces dernières années de Hugo ! C'est prodigieux ! Une plume qui est
habituée à une imbécillité titanique... et qui va son chemin,
tranquillement.

Sur Musset. (A propos de *la Coupe et les Lèvres,* mis en
vers latins par De Ridder) : Pourquoi avez-vous choisi ce
morceau ? Il est bien bizarre.

De Ridder : C'est le premier sur lequel je suis tombé.
(Tout de Ridder est là.)

— Ah !... au hasard... Voyez-vous, *la Coupe et les Lèvres,*
c'est l'œuvre d'un névrosé... Les nerfs, c'est très supportable,
c'est même charmant, (ça a ses mauvais moments), chez les
femmes. Mais chez les hommes, c'est interdit. Musset est une
femme... Il a été planté là par ses maîtresses... Mais, sac à
papier, il aurait fallu une vertu angélique pour le supporter,
avec son tempérament grincheux. Les rôles étaient intervertis,
c'était lui qui était la femme... Madame Sand avait aussi peu
de nervosité qu'un ruminant. Puis, le hasard les rapproche. Et
alors, tempête, coups de cravache, et tout ce qui s'ensuit... Non,
ça m'agace. (*La Coupe et les Lèvres.*) Ça n'est pas la poésie
d'un homme qui se porte bien. Ça ne ressemble pas à du
Boileau... Et encore, non... (Sous-entendu : « Boileau n'est pas
un poète qui se porte bien. ») Ça lui coûtait trop de peine, à
ce pauvre homme ! Oh ! la la ! En voilà un qui a sué sang et
eau, pour trouver ses rimes et surtout ses transitions... Y a des
conjonctions qui lui ont coûté des semaines... Et tout cela, pour
arriver à : « Mais, direz-vous... »

Sur Aristophane et Socrate. Aristophane était un pître...
(tranchant) un pître. I'n'cherchait qu'à faire rire... C'était le
bouffon d'Athènes, ce petit trou... une capitale colossale, comme Montargis ou Pithiviers... Tout le monde se connaissait là-

dedans... Ils étaient toujours dehors ; j'sais pas trop s'i couchaient chez eux, quand i faisait beau... Socrate, lui, qui était curieux comme une vieille portière, et indiscret !... vous arrêtait le premier venu dans la rue par le bouton ; la conversation commençait par l'immortalité de l'âme ; et puis i terminait en prouvant que l'individu était un crétin. L'autre s'en allait, pas content du tout... Voilà pourquoi Socrate a été condamné, et non pas à cause des *Nuées*. I n'était pas sérieux, Aristophane... L'un des dadas d'Aristophane, c'était, tout en étant un pître, de faire le conservateur et l'aristocrate... Mais c'était pas sérieux... Après tout, Socrate était du même côté politique. I poussait des bottes aux défenseurs de la démocratie, i leur mettait le nez dessus, et i leur prouvait qu'is étaient des crétins. Tous ses disciples étaient des aristocrates fieffés... Mais est-ce que Aristophane n'est pas aussi le champion des vieilles souches contre les sophistes ?... Au fond, y a rien de sérieux dans toutes ces attaques politiques d'Aristophane. C'était un pître, et c'était pas aut'chose... J'le diminue pas... C'est pas donné à tout le monde de se donner des coups de pied dans le derrière.

Sur Xénophon. (A propos du « Gouvernement de Lacédémone. ») Xénophon !... Il avait ses compatriotes dans le nez. Comprend-on cet imbécile, qui va habiter à Sparte ! Il quitte les Iles Fortunées pour le Kamtschtka... Les Spartiates, un peuple qui faisait l'exercice, toute la journée... et qui mangeait à la gamelle... une ratatouille abominable ; ils appelaient ça du brouet noir... Méchants comme des ânes rouges... Ils s'battaient com' des enragés. I n'avaient pas d'monnaie. Ils avaient des pataras gros comme des pièces de canon... Y en a 300 qui se sont fait tuer aux Thermopyles. En ont-i fait assez d'tapage ?... Is engraissaient les hilotes, pour faire la petite guerre, mais un' petite guerre sérieuse où on les tuait... Qué joli peuple !... Avec ça, pas capables de faire pousser un radis... Is expulsaient tous les étrangers, qui pouvaient corrompre les Spartiates femelles. Is escoffiaient les enfants malingres. Is appré-

ciaient les femmes, en raison de leur vigueur. I passaient leur
temps à s'espionner les uns les autres. Leur premier magistrat
se nommait un éphore, un surveillant. — (Il promène ses
gros yeux de tous les côtés,) — un caïman en chef... Qué joli
peuple !

(On nomme « Caïmans », à l'Ecole Normale, les surveil-
lants.)

Sur Cicéron. Brutus est un feuilleton ; c'est écrit à la diable.
Un bataillon de noms propres ; un petit mot à l'adresse de
César. Je donnerais tous ces traités, pour une page perdue de
Tacite. Les *Lettres* mises à part, aucune œuvre de Cicéron n'a
servi à l'humanité. — *Les Catilinaires ?* Cette œuvre d'école ?
Allons donc ! Un pur verbiage, le chef-d'œuvre de la verbo-
sité académique... Le soir du jour où il a saboulé Catilina, rentré chez lui, il s'est dit : « Sacristi, je vais écrire un morceau,
dont on me dira des nouvelles. » Et il a écrit la première Cati-
linaire. I parle ; i parle, comme s'il avait devant lui un monsieur, dont la profession serait de recevoir sans broncher sa
douche d'éloquence. — Et le discours contre Milon !... Quel
chenapan que ce Milon !... Un entrepreneur de barricades et
d'assassinats... Il faut voir cela dans Cicéron !... Il est vrai que,
le jour du plaidoyer, il n'a pas été brillant du tout. Mais, de
nouveau rentré dans son cabinet, il s'est dit : « Sacristi, je vais
faire une Milonienne..., » et il a eu le toupet de l'envoyer à
son client exilé. Ça lui faisait belle jambe, à Milon ! — Quant
au *pro Murena,* c'est la plus grande impertinence d'avocat de
Cicéron... Y avait pas moyen de défendre son client... Il avait
certainement acheté ses électeurs... I n'était pas du tout édi-
fiant dans sa vie... Il avait commis tous les excès possibles... Il
avait été jusqu'à se pocharder, au point de danser, lui, un personnage consulaire ! Crime épouvantable à Rome, scanda-
leux !... C'est comme si l'on disait que l'on vient de rencontrer
le président de la République su'l'boulevard, en pierrot... Ça,
c'était aussi patent que le soleil en plein midi. — Qu'est-ce que
va faire Cicéron ?... I dit : ... Vous accusez mon client d'avoir

dansé après dîner... Allons donc ! Est-ce que c'est possible ?
Il faudrait être absolument dépravé, pour faire ça... C'est pas
sérieux, n'est-ce pas ?... Nous allons donc, juges, passer à un
point plus important. — Alors, il aborde les autres griefs, les
traite de peccadilles. — Tenez, savez-vous à quoi ça tient ?
C'est qu'il a pour accusateurs des hommes... oh ! des hommes
parfaits, intègres, vertueux, mais si extraordinaires !... Et il se
met à taper à bras raccourcis sur Caton ; dont il fait un portrait caricatural... Oh ! un homme très comme y faut... mais si
extravagant... (tout bas) un stoïcien... Pauvre homme !... Tenez, savez-vous ce que c'est qu'un stoïcien ? — Alors, une peinture bouffonne. — C'est un homme qui croit que tordre le cou
à un poulet, ou à son père, c'est un crime aussi grand... que
toutes les vertus sont égales... etc. — Le tribunal n'a pas pu
s'empêcher de s'esclaffer ; et Caton a remporté une de ces
vestes !... « Ah ! nous avons un consul bien spirituel ! » a-t-il
dit tout haut. « Mais c'est un fier polisson », a-t-il dû ajouter
tout bas. — ... Jamais Cicéron ne se sert du positif. Toujours
cinq ou six superlatifs... Il aurait été fait, avec son esprit, ses
goûts... pour être la plus belle décoration de l'empire naissant.

Quelle différence avec César !... Dans *les Commentaires,* un
dédain absolu de la phrase. Beaucoup de lumière, pas de
couleur. Cicéron, qui sentait bien l'effet, était trop artiste pour
ne pas sentir la supériorité de celui-là. Mais lui, il n'a pas
peur de la phrase ; il n'en était pas dupe, mais comme il vous
souffle dans son saxophone !... César laisse là tous ces ron-
rons. Il est grand seigneur, de goût et de langage. Voyez un
peu si *les Commentaires* avaient été faits par Napoléon le
grand ! Encore un phraseur ! Il tape sur sa grosse caisse, avec
cette assurance de la badauderie humaine, à laquelle il faisait
la cour... Les Pyramides, le soleil d'Austerlitz..., grossiers or-
nements faits pour la foule...

Sur Caton l'Ancien. Caton était malin comme un vieux
singe et méchant comme un âne rouge... C'est un des types les
plus curieux de l'histoire que ce vieux bonhomme-là... « Manu

fortissimus », dit Tite-Live. Il se battait comme un hussard. Attaquant toujours quelqu'un, ayant autant d'ennemis que de compatriotes. Il se défend comme un molosse. A 90 ans, il accuse encore... Au fond, un très vilain bonhomme... méchant, grossier, avare... Il n'aurait pas volé un sou à l'Etat ; mais il se dédommageait sur son prochain. Un type d'Harpagon... Un vieux sauvage... Je me le représente comme un de ces ministres du roi Makoko, un des hommes noirs qui vivent près du lac Tanganyika...

Sur cette question (posée par Goumy) : « Avec quel homme de l'antiquité il eût été le plus agréable de vivre ? » (Réponse de Goumy : « C'est Horace. »)

Suarès et Dumas. — Et Platon ?

Goumy. — Platon ! !... Puuuuh !... Platon ! quel bavard ! Ah ! mon Dieu, quel bavard !... En voilà un qui vous en enfile... Des miscussions à n'en plus finir... pour couper un cheveu en huit !

Dalmeyda et Bouchard. — Et Aristophane ?

Goumy. — Aristophane... ah ! il avait du bon... (avec un sourire.)

Barthe. — Et Plaute ?

Goumy. — Plaute ?... (méprisant) un boulanger... un boulanger.

Colardeau. — Ménandre ?

Goumy. — Ah ! Ménandre, c'est autre chose. D'abord, c'était une bonne fourchette. Et puis, il avait des goûts mondains... Spirituel, très spirituel... dépravé... (Avec fatuité) : Mais on n'est pas parfait !

Joubin. — Et Virgile ?

Goumy. — Virgile ?... (Avec autorité) : Mélancolique, doux et piocheur.

Suarès. — Lucrèce ?

Goumy. — Lucrèce ? Ah ! mon bon ami..., mais après avoir entendu Lucrèce, il n'y avait plus qu'une chose à faire, c'était d'aller se fiche à l'eau... C'est évident, ça !

SUARÈS. — Eschyle ?

GOUMY *(soubresaut)*. Eschyle ? ?... (avec un grand calme, et en appuyant sur les syllabes, sourire dédaigneux) : Homère ! !... S'il a existé.

WARTEL. — Et Juvénal ?

GOUMY. — Juvénal ! ! ! Ah ! quel assommant personnage !... Oh ! la ! la !

SUARÈS. — Orphée ?

GOUMY *(bondit)* — Orphée ! !... (très calme) : Aux enfers, je ne dis pas...

(Conclusion : Horace, puis Cicéron, charmant ; seulement, il y avait toujours à craindre qu'il ne vous fît avaler un ou deux de ses discours.)

Sur Lucain et Juvénal. Lucain est d'une monotonie, qu'on ne peut comparer qu'au ronflement d'une toupie... Les premières minutes, ça amuse. Mais après... ça endort. — Et Juvénal ? En voilà un qui ne se prend pas au sérieux ! Un homme qui passe sa vie à porter des kilogrammes, à bras tendu. Il vous fait des plaisanteries de pince-sans-rire. Il cligne de l'œil, à la fin de sa tirade... Et M. Hugo, qui l'a appelé : « Juvénal... gonflé de lave ardente !... » Sac à papier ! Mon Dieu !... D'abord, « gonflé de lave ardente », on ne voit pas très bien ça, c'est gênant... ç'a été fait pour la rime : « Toi qui luis... dans l'œil fixe de Dante... » Et puis, voyons, c'est pas sérieux ! Juvénal apostrophait les morts de la Voie Flaminienne ! Voyez-vous un satirique d'aujourd'hui, prenant au collet et secouant comme des pruniers des hommes du XVIIᵉ siècle ?... Non, non ! *Les Châtiments,* à la bonne heure ! Mais Juvénal, à côté, il me fait l'effet... je ne sais pas... ; d'un petit gâteau sucré.

Sur Pétrone. Comparer Pétrone à Rabelais ! C'est une profanation ! Rabelais, qui crève de sagesse, de bon sens, de générosité ! Et puis, il est gai. Pétrone, lui, est gai comme un croquemort. Son livre est une grosse charge à froid. Cela ne fait pas plus rire que Swift ; c'est une satire de pince-sans-rire...

Quand M. Renan le compare à Mérimée, il y a de ça. Pas de
bonne humeur, aucune gaieté... Non, voyez-vous, Levrault,
comparer Pétrone à Rabelais, cela m'a fait bondir... Vous dites
que le *Satiricon* est « un livre très instructif », « le tableau vivant de la civilisation romaine »... Ah ! ça, est-ce que vous
vous figurez que tous les affranchis étaient des crétins, comme
ce vieux Trimalcion ?... Pour gouverner l'empire, fallait pas
être un bête... Pallas était l'amant de l'impératrice ; ce n'était
déjà pas si bête... Vous avez encore une singulière idée, celle
de trouver une intention morale à Pétrone. Autant dire que le
marquis de Sade était moral !... Le roman d'aventures de deux
drôles, qu'on ne prendrait pas avec des pincettes, qui roulent,
comme deux ivrognes, on ne sait pas trop où, qui viennent on
ne sait d'où, qui vont on ne sait où... Ah ! vous trouvez chez
ses personnages un ennui mortel, des angoisses douloureuses
après leurs débauches !... Allons donc ! Des indigestions, mal
aux cheveux, voilà tout... Et le regret du passé, où le voyez-
vous ? Il s'en fiche pas mal du passé, Pétrone ! Il y a Trimalcion, qui parle de l'antiquité, comme une huître qu'il est ; il
dit des âneries, des choses grosses comme les pyramides... Il
est bête... bête comme ses pieds... et un vieux... un vieux crétin !... C'est comme la profonde misère du peuple, au temps de
Pétrone ! Jamais il n'a été si heureux ! Pas d'empereur qu'il
ait autant aimé que Néron. Il avait rigolé, tout le temps de
l'Empire...

Sur le théâtre contemporain. — *Francillon !*... C'est une
pièce cocasse... cocasse... Le marin est un serin, comme lui dit
son auguste père. La femme est folle... Et ce conseil de famille,
qu'il réunit pour savoir s'il est cocu ! Voyons, le suis-je ? ne le
suis-je pas ?... Et ce quatuor d'amis qui laisse un d'eux faire
cette bourde, épouser une danseuse... Sa seule excuse, c'est
qu'il est trop ramolli... Mais la pièce est amusante. D'abord,
elle est courte ; c'est une grande qualité... Il est roublard, Dumas... Sa *Princesse de Bagdad* est une pure absurdité... Et
L'Etrangère ! Y a pas un atome de sens commun... I navigue

dans l'absurde, à cœur-joie... Mais il intéresse... Il sait que
tout ce qui intéresse est bien fait, au théâtre... Oh ! il s'y entend !...

Je ne saurais trop recommander *Le Tailleur pour dames*
à ceux qui ont eu l'affliction de voir *Hamlet*... C'est une pièce
tout à fait désopilante... Depuis *Fanny,* Feydeau n'a rien fait
de bon, comme Flaubert après *Madame Bovary*... Ils sont un
certain nombre maintenant, qui sont la monnaie de Labiche,
une monnaie excellente. Il y a, entre autres, un de mes anciens
élèves, un nommé Barré. C'était un garçon grave, correct, un
peu mélancolique, qui ne bronchait jamais... Ah ! je t'en fiche...

Je viens de lire quelque chose de charmant, une petite pièce
exquise... Devinez... C'est une œuvre délicieuse, la meilleure de
l'année... (Enumération de titres de pièces)... *Rigobert ?* Je
connais pas. J'irai voir ça. — Dumas : C'est très bête, mais on
y rit beaucoup. — C'est tout ce que je demande. Quand on
veut s'embêter, on va à l'Opéra... C'est à cent mille coudées
au-dessus de *Francillon.* Ah ! certainement, j'aimerais cent
fois mieux avoir fait ça que *Francillon*... — (?) — *Gotte...*
Gotte... C'est une œuvre... une très belle œuvre... très comique... la vraie... Eh bien, voyez ce que c'est. Y a là dedans une
actrice idiote, un pître en jupons ; elle se donne des coups de
pied au derrière ; elle a autant d'esprit que mon chapeau (Mademoiselle Lavigne) ; eh bien, il n'y a d'applaudissements que
pour elle... *Les Jocrisses de l'Amour !...* C'est une merveille,
un pur chef-d'œuvre, immédiatement avant *Athalie...* Je dis
avant. *Athalie* vient immédiatement après, bien que moins
amusante. Il y a là une âpreté et une amertume dignes de Molière... — (Après avoir longuement parlé de *Gotte.*) Il ne faut
pas être le premier venu pour goûter une comédie aussi gentille que cela.

Pensées diverses de Goumy. Chaix d'Est-Ange a eu des discours d'un pathétique supérieur à celui de tous les orateurs de
l'antiquité.

— (avec une impartialité bienveillante). Je ne compare

pas *Vert-Vert* à *La Divine Comédie ;* mais il y a de la poésie dans l'un comme dans l'autre.

— On n'a pas mieux fait que Delille (traduction des *Géorgiques*). Il est extrêmement élégant, et presque aussi sobre que le modèle. Parfois trop brillant ; mais il vaut mieux se plaindre que la mariée soit trop belle.

Mille a traduit en vers latins un morceau du *Groupe des Idylles,* de Victor Hugo. Goumy s'étonne. « D'où ça peut-il être tiré ? » — « De *La Légende des Siècles.* » — « Tiens ! Je l'ai pourtant chez moi, je n'ai jamais vu cela. » — « Mais c'est du second volume de *La Légende.* » — « On a donc donné un nouveau volume de *La Légende des Siècles ?* » (Il y en a cinq.) — On apporte le livre ; il le feuillette avec stupeur. « Quexexa ?... Je ne connais pas... »

Anecdote curieuse racontée par Goumy sur Lamartine. — Lamartine vieux était devenu sceptique, dégoûté, ennuyé, bâillant sa vie, n'ayant plus cœur à rien, indifférent à ses vers. Son *Jocelyn* n'est pas achevé ; beaucoup de vers ne sont pas finis ; c'est un trait de ressemblance de plus avec *l'Enéide*... Un jour, M. Hachette vint le supplier de terminer son œuvre. Lamartine refusa... « *Jocelyn !* Des vers !... C'est trop loin de moi, il faut être jeune... Vieux, c'est ridicule... Mais tenez, vous avez un correcteur très savant des textes latins et grecs, M. Sommer ; faites-lui donc terminer mes vers, si vous y tenez. »

« Je tiens l'anecdote, dit Goumy, de M. Templier, qui la tient de M. Hachette. »

Il est nommé, à merveille. Je ne connais pas d'homme qui ait à un plus haut point le sentiment de la justice, et qui l'applique avec une rigueur plus constante. Esprit original, d'un scepticisme universel, sauf à l'égard de la philologie hollandaise et de Gabriel Cobet (prof. à l'Université de Leyde), qui est son grand homme.

Pensées diverses :

Entre nous, je puis bien vous dire qu'il y a une très grande partie du Sophocle que j'ai publié, que je ne comprends pas...

ce qui ne m'a pas empêché de l'expliquer, parce que les professeurs veulent toujours avoir quelque chose à dire à leurs élèves... J'ai d'ailleurs l'exemple de Cobet, qui prétendait qu'il n'y avait pas une page de Platon, qu'il comprît tout entière ; et que pour Pindare, il n'y comprenait presque rien.

— Les découvertes de M. Pasteur frappent évidemment plus de gens ; mais la découverte de Benthy (F. Digamma) n'est pas moins merveilleuse, par la sagacité et la pénétration qu'elle suppose.

— Celui qui explique à première vue toute une page de grec ou de latin, est un âne.

— C'est une mauvaise éducation morale, de donner comme sujet de composition un discours de Catilina aux conjurés, de faire chercher tous les arguments que peut trouver un scélérat contre sa patrie. C'est une mauvaise éducation intellectuelle, de faire chercher un sens à ce qui n'en a pas. En pareil cas, celui qui ne comprend rien est supérieur à celui qui a trouvé quelque chose... Essayer de comprendre, c'est déjà n'avoir pas compris.

— Je comprends que l'on fasse éternellement de la philosophie, pour la bonne raison qu'on n'y peut jamais rien trouver de certain. Mais l'histoire s'épuise. C'est une science en l'air. On prétend qu'elle a des règles de critique. Elles sont jolies, ses règles ! « Quand de deux témoins, l'un est fou, l'autre sensé, c'est l'homme sensé qu'il faut croire. Quand de trois témoins... etc. » Voilà les règles de la critique historique.

— Alexandre disait : « Tout est grec. »

— Contresens fameux de M. Gladstone :   (lumière). « L'aigle de Jupiter. »

— De quelques traducteurs de Pindare, qui ont été de grands écrivains, plutôt que de grands philologues : M. Patin, par exemple.

M. Riemann nous écrit, un jour, une phrase de grec sur le tableau. Or, nous savons que « le Juge » a l'habitude, en entrant, de se coller contre le tableau noir et de lire ce qui y est écrit. Nous flanquons au texte Riemann une accentuation fantaisiste.

« Le Juge » arrive, regarde le tableau, reste plongé dans la stupeur, se retourne : « Qui a écrit cela ? » — « M. Riemann. » — Il a failli suffoquer.

Extrait d'une composition latine de Suarès :
« ...Cum ab hominibus confecta fuisset probitao... »
Appréciation donnée naguère des devoirs de Richepin, à l'Ecole : — « C'est jeté, mais ça se tient. »

Mots de camarades :
CURY : « C'est très agréable d'écrire du joli latin, bien cadencé ; — j'aime bien mieux ça que d'écrire du français ; on n'a pas à se préoccuper de mettre des idées dedans... »
« Je n'ai jamais été au Louvre ; mais le Luxembourg est rudement chic. Il est surtout chic, parce qu'on y a réuni des tableaux très chics. »
Le même : (Une discussion sur *Le Bœuf* de Rembrandt) : Wartel : « Raphaël n'aurait jamais pris un pareil sujet ; d'autant plus qu'il n'a *jamais* traité que des sujets religieux. »
CURY : « Quexa fait ? Il l'aurait mis dans la crèche. »

Dalmeyda va voir son idole, Massenet, à qui il a écrit des lettres enflammées. Massenet lui donne rendez-vous chez l'éditeur Hartmann, où il passe presque toutes ses journées. Dalmeyda revient enthousiasmé. — Je note, dans ce qu'il me raconte, quelques jugements musicaux de Massenet.
Sur Wagner : « Il ne faut pas être wagnérien à moitié... »
Il a entendu *Tristan,* une quinzaine de fois en Allemagne ; il l'admire passionnément. Il a été récemment entendre *la Walküre* à Bruxelles. Il ira applaudir *Lohengrin,* à l'Eden, bien qu'il soit membre de la Ligue des Patriotes. — A habité quinze jours dans la même maison que Wagner (je ne sais plus où). L'a fréquenté. Wagner n'était pas insociable, mais très brusque. Il était fort aimable ; et il avait des saillies singulières, des

bouffonneries bizarres, « des farces incohérentes qui font peur ».
Il jouait mal du piano, écrasait les touches, mettait dans son
jeu une brutalité passionnée ; mais dans l'ensemble, une vie,
une puissance admirables. — Massenet a surtout une tendresse
pour la Vénus du *Tannhaüser.*

Sur Saint-Saëns : Massenet a vu, la veille, à l'Opéra-Comique, *Proserpine ;* il en dit beaucoup de bien. J'aime beaucoup
Saint-Saëns : c'est un musicien, un vrai... Ce qui me plaît surtout en lui, c'est qu'il dessine bien ; son dessin est admirable. »
Science musicale. — « Je considère Saint-Saëns comme un
classique... Il y a un signe auquel on reconnaît qu'une œuvre
est classique : Saint-Saëns est tonal. Wagner est atonal. »

Sur lui-même : « Quelle est l'œuvre de lui qu'il préfère ? »
— « Vous savez, la dernière est toujours la mieux aimée ; c'est
celle que j'écris maintenant. Elle est très simple, comme donnée. » Cela pourrait se passer dans un salon, entre vous et
moi. Deux ou trois personnages. Il n'y a pas besoin que les
héros soient couverts de cuirasses pour être intéressants. » —
Se moque de l'opinion de Camille Bellaigue, préférant dans
son œuvre *Marie-Madeleine.* Témoigne d'ailleurs de beaucoup
de respect pour les critiques ; les lit longtemps après (quelquefois plusieurs années après) ; en profite ; sait beaucoup de gré
à Victor Wilder de certains reproches sévères (fautes de pro-
sodie). — Il a eu l'intention de représenter le Christ sous le
nom de Jean, dans *Hérodiade.*

Un curieux type encore, parmi mes camarades : Levrault.
Petit, rageur, barbe noire, vue basse, esprit étroit, déclamatoire,
soucieux de sa dignité, jusqu'au ridicule, incapable de comprendre la raillerie, quand elle s'adresse à lui, et par suite
berné sans cesse, faisant de farces d'écoliers des affaires d'honneur, ayant la monomanie du duel, bonapartiste enragé, criant
qu'il faut fusiller le peuple, et, l'instant d'après, s'apitoyant
sur lui, idéaliste vague, sceptique cherchant à se faire illusion
sur son doute et allant à la messe, s'efforçant de s'étourdir
avec des tirades emphatiques de poète ou de moraliste, confiant en son étoile : Je veux être en France ce qu'a été en

Angleterre O'Connel. Je veux être tribun. Je veux faire, en
sens inverse, ce qu'a fait Gambetta pour la République. » —
En littérature, ne comprend pas le réalisme, dont l'éloigne une
pudibonderie comique, la haine du mot propre et des choses
sales : ce qui est, sans doute, très honorable pour l'homme,
mais bien dangereux pour l'artiste. — Me fait lire un recueil
de ses vers, assez plats, où je note cet appel à la foi catholique.
C'est un orage ; tout est fracas et nuit ; soudain un éclair déchire les nuées, et dans le lointain flamboient la flèche et la
croix d'un clocher. Alors, il pense à la sombre fin du siècle,
au doute universel, au désespoir des âmes honnêtes, au triomphe du mal, à la mort de la patrie et de la religion...

> « Mais alors, au moment du désespoir suprême,
> Quand brisé par la lutte, aucun n'ose plus même
> Regarder le ciel sombre et la foudre qui luit,
> Quand tout secours est vain, quand tout espoir est rêve,
> Alors pour nous sauver, tout là-bas sur la grève,
> **Au milieu des éclairs tu surgis dans la nuit.** »
>   (la croix)

Avril 1887.

Nouvelles méditations sur mon *Credo*, récemment découvert : *Je sens, donc Il Est.*

C'est le fait le plus simple que je puisse trouver : « Je
sens. » — « Je sens toujours, je ne pense pas toujours. »

« Je sens, donc Il est quelque chose. »

Qu'est-ce donc qui est ?

1° Ma sensation ? — Je crois que ma sensation est ; mais
quand je dis : « Il est », j'affirme davantage. — Je souffre des
dents ; je puis douter de cette souffrance précise, mais non pas
qu'il existe quelque chose, qui se manifeste d'une façon quelconque. — Je ne puis être sûr, en dehors du Temps. Or la sensation particulière, à vrai dire, n'est pas ; elle se fond sans cesse
en une autre : c'est la goutte d'eau dont parle Tolstoy (Guerre

et Paix, III), qui « grandit, se resserre, disparaît, pour revenir de nouveau à la surface ». — Seule existe vraiment la sensation constante d'Etre. Je ne puis rien sentir, sans sentir qu'*Il est*. Je ne puis sentir qu'Il est, sans sentir qu'Il est, d'une façon absolue, en soi et par soi. — Dira-t-on que c'est une illusion produite par la succession ininterrompue des sensations particulières ? Admettons cette succession ininterrompue. Mais je nie que seules, soient les sensations particulières. Elles ne peuvent *être,* privées d'un noyau central. Dire : « Il est quelque chose », puis : « Il n'est que les sensations particulières et successives », est presque contradictoire. Qu'est-ce que ces sensations particulières ? Naturellement pas des êtres en soi, et par soi. Ce qui est en soi et par soi, n'a pas de raisons pour disparaître, ne peut disparaître. Je ne conçois pas un *être* (au sens véritable du mot), qui cesse d'être. — Et si la sensation particulière existe *par autre chose,* il faudra bien qu'on en revienne à l'Etre en soi, centre et foyer des sensations particulières.

2° Le Moi ? — Mais la sensation ne me donne que l'Etre, et pas du tout le Moi. Celui-ci m'est donné par une éducation. Il faut d'abord que je constate qu'il existe quelque chose, en dehors. Le Moi est un groupe de sensations, actions et réactions, souvenirs, etc. — De plus, il n'y a que Mélinand pour trouver que tout va suivant sa volonté, que son moi seul existe, et que tout le reste en dépend. Nous autres, nous sentons que notre moi coule et fond, sous notre observation ; il n'est pas en soi. Rolland n'est pas parce que et comme Rolland le veut. Les preuves abondent : c'est le mal sous toutes ses formes, moral, physique, péché, etc. — Puis-je même dire que le moi est ? Je puis supposer que Rolland n'est pas : il n'y a là rien d'impossible. Mais ce que je ne puis supposer, c'est qu' « il n'existe pas *quelque chose* » ; et ce quelque chose, ce doit être l'Un, l'Etre absolu.

« *Je sens, donc l'Etre est.* »

J'ai dit tout à l'heure que je pouvais douter que ma sensation fût précisément comme je la sens. Mais je sens avec certitude que l'Etre se manifeste tantôt sous une forme, tantôt sous une autre. L'Etre est dans toute sensation prise à part, et dans tout l'ensemble des sensations. Il est dans tout moi (groupe de sensations) et dans tous les moi, dans l'univers des âmes.

Chacun de nous est donc l'Etre, en tant qu'Il est nos sensations groupées en notre moi. Ainsi, mon individualité est constituée de la façon suivante :

Toute sensation est consciente.

Toute réunion de sensations (moi) est consciente.

Un de ces moi, c'est Rolland conscient de l'existence de Rolland.

Mais ce moi, c'est aussi l'Etre en tant qu'il est moi. Le *Je* éternel, absolu, est au fond de toutes les sensations. *Je* seul existe. Quelques-unes de *Mes* sensations groupées sont Rolland ; quelques autres, Suarès, etc. *Je* me développe sans cesse, en jouant une multitude de rôles particuliers. *Je* puis finir par prendre mon jeu au sérieux et m'identifier avec mes rôles. Mais *Je* suis bien au delà...

— Si *Je* suis tant de rôles, comment, lorsque l'illusion d'un de ces rôles tombe, ce rôle ne peut-il sentir ce que sentent les autres, puisqu'ils sont tous également *Moi,* qui seul subsiste alors ? Comment, à présent que je sais que j'existe bien au delà de Rolland, ne puis-je lire en Suarès, etc. ? — Mais ce serait contradictoire. Celui qui écrit ces lignes est bien le Moi divin ; mais Moi, en tant qu'il est Rolland. J'ai beau rompre l'illusion : ce qui a brisé le charme, c'est un groupe de sensations (un moi) ; et des sensations ne peuvent devenir d'autres sensations ; un moi particulier ne peut être un autre moi particulier. Rolland et Suarès sont des moi particuliers différents du même Moi absolu. Tant qu'ils conservent leur existence particulière, aucun d'eux ne peut sentir ce que sent l'autre. Seulement, après la mort, étant débarrassé de mon rôle, je reviens à la sensation d'être tout, d'être tous, Suarès comme les autres.

— Jusqu'où peut aller la communion des âmes en cette vie ? Quelles sont les limites de la prison de mon rôle ? — Je sais que je joue un rôle. Je puis m'y passionner et me faire illusion ; mais parfois, je me souviens que je suis bien autre chose, et

alors je remonte dans le Moi divin. — Comment se fait-il que
je n'en puisse redescendre dans un autre rôle ? N'ai-je donc
aucun moyen de passer dans une autre âme ? — Il existe des
moyens pour faire le vide absolu dans ma pensée, pour cesser
tout à fait d'être moi, Rolland : l'extase, l'hypnotisme... Alors,
je puis être seulement le Moi absolu, — mais un Moi vide,
creux (sensation de tout en général, mais nulle sensation particulière). Ce moi vide se peut remplir d'autres sensations, de
l'illusion d'un autre rôle, si l'on agit sur moi dans l'état d'extase. Exemple : le magnétisme. Les sujets peuvent prendre la
volonté, les pensées, le rôle tout entier d'un autre, si on le leur
commande. Mais ils ne cessent d'être dupes d'un rôle que
pour être dupes d'un autre, esclaves éternels de l'une ou l'autre
illusion. — Examinons pourquoi : dans le Moi suprême que
nous serons, quand la mort aura mis fin à notre comédie, la
sensation d'être tout se compose de la sensation d'être Rolland + de la sensation d'être Suarès + .. + .. + ... à l'infini.
Mais dans ma vie ordinaire, la sensation d'être tout (qui est
au fond de la plus petite sensation particulière) se compose
seulement de la sensation d'être Rolland + de la sensation
creuse, vague, nébuleuse, d'être le reste (que nous ne connaissons pas). Le total seul est précis, absolu. Le détail nous
échappe. Dans l'hypnotisme, ou dans l'extase (cet hypnotisme
de l'idée), je cesse d'avoir la sensation d'être Rolland ; il ne
me reste que la sensation creuse et vague d'être tout le reste.
Versez-y, par la volonté hypnotique, quelque chose de précis,
les sentiments d'un autre, de Suarès : peut-être serai-je Suarès
tout entier ; mais je serai toujours un rôle, je serai toujours
prisonnier. — Au lieu qu'après la mort, la sensation précise
d'être Rolland + la sensation vague d'être le reste (qui consti-
tuent Rolland), se fondent (avec Rolland) dans la sensation
précise d'être tout à la fois Rolland + Suarès + .. +.. + ... à
l'infini.

Ainsi, quatre états différents :

1° Etat normal. — Nous avons la sensation (illusoire)
d'être un moi particulier, individuel.

2° Extase, Hypnotisme. — Nous avons la sensation vague
d'être tout, de n'être plus esclave de notre moi individuel.

3° Suggestion mentale. — Nous avons la sensation d'être
tel ou tel moi particulier, individuel (illusoire), différent de
celui que nous habitons, à l'ordinaire.

4° Mort. — Nous avons la sensation précise et pleine
d'être Tout, en général, et tous, en particulier. Nous ne sommes plus esclaves d'un moi individuel. Nous sommes tous les
moi individuels. Nous sommes le Moi absolu, souverain, et
libre, dans son perpétuel devenir.

En deux mots, pour distinguer deux états que l'on est tenté
de confondre :

Le moi infini de l'Extase est creux.

Le Moi de la Mort est plein.

Je suis indigné de voir les musiciens français se liguer pour
empêcher les représentations de Wagner à Paris. J'écris à
Saint-Saëns :

13 avril 1887.

Monsieur,

*Je suis jeune et j'aime passionnément la musique. J'associe
dans le même culte la musique allemande et la musique française. C'est parce que vous êtes, à mes yeux, le plus illustre
représentant de celle-ci que je me permets de vous écrire. J'ai
vu que vous étiez contraire aux représentations de* Lohengrin,
*à Paris. Cela m'a surpris. Je sais que Wagner vous aimait. Je
sais aussi que vous n'avez jamais cessé de professer une vive
admiration pour les puissantes qualités dramatiques de l'auteur
de* Tristan. *Il n'y a donc en jeu qu'une question de patriotisme.*

*J'aime ma France. Mais en quoi serai-je coupable envers
elle, si je veux qu'elle connaisse des œuvres qu'il est honteux
d'ignorer ? Est-ce que j'introduis l'ennemi dans la place, parce
que je patronne son art, dans ce qu'il a de meilleur ? Est-ce
parce que les drames lyriques de Wagner sont le porte-voix des*

revendications ambitieuses de l'Empire germanique et qu'une phrase des Maîtres Chanteurs *sonne comme un manifeste menaçant pour les races latines ? On en sera quitte pour changer la phrase, si l'on joue l'œuvre à Paris. De ce qu'un art est national, il ne s'ensuit pas qu'il ne puisse être universel. Il y a dans les drames de Shakespeare certains traits contre les Français, qui ne les empêcheraient pas d'être joués en France, s'il n'y avait d'autres raisons, d'ordre purement dramatique.*

Est-ce qu'en introduisant l'œuvre de Wagner à Paris, c'est à la pensée germanique que nous ouvrons nos portes ? Je n'ai pas de peine à croire que là-bas la musique est l'art par excellence, et que la poésie, la philosophie de la nation, son essence même, y sont condensées. Mais si vous craignez tant que la pensée d'Allemagne nous subjugue, c'est donc que vous la croyez supérieure à la nôtre ? Un peuple fort n'a pas à craindre l'asservissement intellectuel d'un autre peuple, surtout quand ils sont aussi différents que l'Allemagne et la France. À toutes les époques, nous avons accueilli les arts des autres nations ; et si nous n'en avons pas toujours tiré le profit qu'on en pouvait attendre, jamais du moins ils ne nous ont gênés dans notre développement. Nous avons un Louvre pour la peinture et la sculpture étrangères. Nos sculpteurs et nos peintres y ont-ils rien perdu ? Pourquoi n'aurions-nous pas un théâtre de musique étrangère ? Notre école musicale est assez vivante pour ne pas risquer de perdre ses qualités personnelles. Nous avons eu, il y a deux ans, l'exposition des œuvres du Silésien Menzel ; pourquoi n'aurions-nous pas aujourd'hui celle des œuvres du Saxon Wagner ? Et qu'avons-nous à craindre ? En tout cas, rien de Lohengrin. *Ce n'est pas cela qui révolutionnera les esprits. Il est trop peu différent des opéras que l'on connaît en France.*

À parler franchement, je ne tiens pas beaucoup, pour mon compte, à voir Lohengrin, *à Paris ; je préfère entendre les partitions de Wagner, par l'imagination, ou bien aux théâtres d'Allemagne. Mais je suis honteux pour mon pays de l'ignorance où il reste. On me dit qu'il y a là une question de dignité na-*

tionale. *J'avoue ne pas comprendre la grandeur de caractère qu'il peut y avoir à s'opiniâtrer dans une négation que l'on sait mal fondée. Nous sommes un peu trop les fils de ces pauvres Gaulois, qui se faisaient un point d'honneur de combattre nus et avec de mauvais sabres de théâtre qui se tordaient, au premier coup : car ils ne voulaient rien devoir aux Romains. Nous ne ferions pas mal d'imiter plutôt ces derniers et de prendre aux autres peuples tout ce qu'ils ont de bon.*

Je vous demande pardon, Monsieur, de vous exprimer aussi franchement ma pensée. Je sais que ce n'est pas la vôtre ; il faut donc que je pose mal la question ; je vous admire trop pour en douter. Je serais donc heureux de savoir vos raisons. Je n'ai pas de parti pris ; si j'ai tort, je suis tout prêt à le reconnaître, pourvu qu'on me persuade... etc.

Saint-Saëns me répond :

Saint-Pétersbourg, 19 mars 87 [1].

Monsieur,

Je n'ai qu'une chose à répondre à votre lettre ; je ne me suis jamais opposé à l'exécution de Lohengrin, *à Paris* [2].

Ceci posé, vous me permettrez de vous dire qu'il est profondément triste de voir la jeunesse intelligente partager si complètement les idées des gens qui travaillent à détruire l'art national et jusqu'au patriotisme lui-même, quand à nos côtés l'Allemagne et l'Italie font précisément le contraire, exaltant quand même leur pays et leur art.

Agréez mes salutations.

C. SAINT-SAËNS.

---

1. Reçu le 24 avril.

2. Ceci n'est pas très vrai, si c'est matériellement exact. Saint-Saëns ne s'y est pas opposé ; mais il a fait campagne ouverte contre.

Je m'abstiens de commentaires. Je constate qu'il ne répond à rien de ce que je lui ai écrit et qu'il me prête gratuitement des sentiments que je n'ai pas. Un seul mot de sa lettre est caractéristique : « Exalter quand même... » C'est-à-dire, quelques bonnes raisons qu'on puisse avoir de trouver cet art médiocre. — Ce n'est pas très brillant. La patrie n'obtiendra jamais de moi qu'elle me fasse appeler blanc ce que je vois noir, et bonne une pauvre musique.

15 avril.

Proserpine de Saint-Saëns, à l'Opéra-Comique. — Livret stupide. J'étais surtout venu pour voir ce qu'un antiwagnérien wagnérisant veut opposer à l'art nouveau d'Allemagne. Il me semble comprendre les intentions de Saint-Saëns : il veut exprimer par la musique non pas tant un caractère, comme Wagner, c'est-à-dire l'ensemble des sentiments actuels, passés et à venir, mais tout le sentiment présent. Conserver par conséquent les anciennes formes de l'opéra : airs, duos, trios, etc., mais en les élargissant. — Mais le danger, c'est que du moment qu'on n'a pas à s'occuper de la vérité du personnage et de la logique de ses passions, que cherchera-t-on ? Uniquement le plus de variété possible dans les sentiments. Peu importe qu'ils soient bien à leur place dans l'ensemble de l'œuvre : il suffit que les morceaux aient une valeur individuelle, que chaque sentiment prête à une expression musicale plaisante ou piquante. D'où la recherche du pittoresque. — Ni réaliste, ni idéaliste : un genre mixte ; un sensualisme modéré, raisonnable, qui ne fait jamais oublier la vie, mais qui l'égaye. L'art n'est qu'un passe-temps.

18 avril.

Psyché de Corneille et Molière, musique de Lully, — à l'Odéon. — Adorable pièce. Musique charmante. Mademoiselle Cerny dans l'Amour. Albert Lambert dans le rôle du Roi. — Beauté de cette fable. C'est la première fois que j'en pénètre le sens. L'âme, qui n'a qu'une affectueuse sympathie pour les objets humains, s'éprend de l'idéal qui est son essence ; elle aime l'amour, seule passion qui ait en elle-même sa satisfaction immédiate et pleine, la seule où il suffise d'aimer pour être aimé, où l'aimé et l'aimant ne font qu'un. Mais le charme se dissipe, dès l'instant que l'âme veut savoir ce qu'elle aime. L'idéal est un rêve ; y toucher, c'est le détruire. Il existe au fond de notre cœur. Vouloir l'analyser, en déterminer l'être indépendant du nôtre, c'est faire qu'il s'évanouisse. Et Psyché reste attentive, seule avec elle-même, et dans un désert de pensée qu'elle ne peut supporter, depuis qu'elle a appris à aimer l'amour. De son côté, l'amour ne peut plus s'attacher à rien, depuis qu'il a connu Psyché, et les ravissements de l'extase. C'est en vain que Vénus, la forme divinement belle, mais qui ne pense pas, la beauté matérielle, se révolte et veut tuer l'âme, pour rester seule déesse : l'amour aimerait mieux détruire tout le reste et se changer en haine, s'il ne lui était permis de se rejoindre à l'âme, qui devient immortelle, par lui et en lui.

24 avril.

Notre première leçon de Got.

Assez grand, les cheveux blancs, les yeux bleu clair, les paupières gonflées, la mâchoire inférieure un peu déformée, comme chez tous les comédiens (leurs traits sont et doivent être toujours en mouvement ; au repos, ils grimacent). Soigneusement rasé ; tenue irréprochable ; un ruban très discret ; ne pose ni pour le professeur, ni pour le comédien ; s'exprime avec une certaine liberté, mais certainement moins grande que Goumy. Un seul mot de lui me choque : « Nous autres cabotins », dit-il, avec un sourire dédaigneux...

Bessières lit du Leconte de Lisle. Observations excellentes de Got : On croit que la poésie est plus difficile à lire que la prose. C'est tout le contraire. La preuve, c'est que vous l'apprenez plus facilement. La disposition des rimes et des strophes vous indique tout de suite les mots qu'il faut marquer. Au lieu que pour la prose, il faut avoir étudié déjà son texte. Got ne croit pas aux lectures, à première vue... « Jahvé »... « C'est le bon Dieu, qu'il appelle comme ça !... Je n'y vois pas d'inconvénient. » — Fait abandonner Leconte de Lisle. « Ce n'est pas que je ne l'aime ; mais c'est trop facile à lire. »

Lahillonne lit la scène d'Orgon et de son frère, au 1ᵉʳ acte de *Tartuffe*. Got fait la pantomime : gestes, expression de la physionomie, mouvement de la bouche, à chaque mot. C'est fort comique. — Il montre comment, dans ces scènes de comédie, il y a une progression, une gamme montante de sons, jusqu'à ce qu'un effet comique soit réalisé ; — comment, même lorsqu'on élève et qu'on pousse la voix, il faut rester dans le ton, de telle sorte que l'on puisse ramener pour accord final le son sur lequel on a commencé le morceau. — Importance des virgules marquées par l'auteur, pour l'effet comique... Victor Hugo, qui connaissait bien... pardonnez-moi ce mot ; je suis un vieil universitaire ; mais j'ai tant roulé, depuis, sur les planches que je puis bien vous parler de ficelles..., Victor Hugo a trouvé que la ponctuation ordinaire n'était pas suffisante pour lui : il a inventé le tiret.

Toutain lit le discours de Mithridate à ses enfants. Got mime toujours. Mais il a beau faire : son expression reste comique ; et rien n'est plus drôle que cette physionomie de Polonius, accompagnant la voix avinée de Mithridate-Toutain. — Observations fort justes, pour la prononciation. Les consonnes redoublées ne se prononcent pas : (attraper, malléable, etc.) C'est simplement un signe musical, équivalent à pp. (pianissimo) ; il faut prononcer ces mots très vite et très brefs. — Exception, pour l'r, qui est tout le contraire ; mais l'r est presque une voyelle. En grec, le ρ seul avait un esprit rude. Il faut aussi faire exception pour les mots composés, par ex. de *in* et d'un verbe (imminent, immortel) ; en réalité, il y a là deux mots, qu'il faut détacher.

Mithridate ennuie Got, qui termine sa leçon, en nous jouant merveilleusement le monologue de Sganarelle, dans *le Cocu*. Nous l'avons acclamé.

25 avril.

La Damnation de Faust, chez Colonne. Avec sa sœur qui ne connaissait pas cette œuvre.

27 avril.

Je fais à M. Guiraud une conférence sur *les Idées politiques de Tacite.* Guiraud n'a pas du tout les mêmes façons de voir ; mais il est très content de ma leçon. Il nous fait, à Suarès et à moi (comme dit Mille), le plus délicat compliment, en nous comparant l'un à l'autre. Il dit que nos deux conférences sont de même nature, — avec certaines différences. Suarès s'est mis à crier, en sortant de classe, devant M. Guiraud : « On va m'accuser de corrompre mes professeurs ; à propos de rien, ils me font les compliments les plus charmants. » — Je vois, plus que Guiraud, les différences qui nous séparent, Suarès et moi. Tous deux, nous sommes, avant tout, artistes ; mais je suis bien plus psychologue ; et Suarès, bien plus peintre. Le meilleur de Suarès, (comme écrivain), c'est son coloris. Il nous a fait, l'autre jour, chez Ollé-Laprune, une admirable leçon sur la *Renaissance italienne,* — leçon qui a été peu goûtée des camarades, parce qu'elle a été mal lue et que le procédé de Taine (la masse des détails) est mal fait pour l'expression orale, — encore moins aimée du professeur, parce que celui-ci est catholique, très religieux, et que Suarès a fait un éloge enthousiaste des Borgia et des condottieri. Mais il y avait dans cette conférence une œuvre en germe, une œuvre à la Paul de Saint-Victor, un tableau immense, éblouissant de couleurs et débordant de vie.

A propos de Tacite, M. Guiraud dit :

« Tacite raconte surtout les événements en moraliste. Il n'y a rien qui fausse davantage l'histoire. La morale et l'histoire n'ont rien de commun. Le cardinal Mazarin a eu des relations, bien connues aujourd'hui, avec la reine Anne d'Autriche. C'est bien un peu drôle, au point de vue de la morale. Eh bien, il est bon que le cardinal Mazarin ait été l'amant de la reine. Au contraire, souvent une action a été dirigée d'une façon déplorable par de parfaits honnêtes gens, parce qu'ils étaient avant tout des hommes de bien. »

27 avril.

L'affaire Schnœbelé préoccupe beaucoup les esprits. M. Gabriel Monod, ce matin, a assuré à ses élèves que la guerre éclaterait, d'ici à quinze jours au plus.

3 mai.

Il y a des jours où je trouve que je suis bien heureux d'être ici. Je ne sais pas si je les connaissais, avant de m'être donné ma croyance si reposante. Où trouverais-je, à Paris, un jardin comme ici, où je pourrais, une heure durant, rester étendu sur une pelouse, qui sent bon l'herbe nouvelle, et que percent çà et là des primevères, — les yeux perdus dans le bleu du ciel, où il semble qu'on plane. Nous disons tous, entre nous, que nous sommes prisonniers, entre les quatre murs de ces galeries de cloître, où nous nous sommes tant promenés, pendant l'hiver. Lorsque je suis couché sur mon tapis vert et que je me plonge dans le ciel, je jure bien que je ne me sens pas enfermé : j'ai l'immensité bleue.

4 mai.

Discussion de quelques minutes, entre Suarès et Rolland d'une part, Dumas et Renel de l'autre. Discussion très faible, de part et d'autre, et qui devient rapidement amère. Cela est surtout curieux pour Dumas, qui d'ordinaire est froid, gouailleur, blague toujours : il a pour Suarès des mots d'une aigreur blessante. — Nous parlions de Max Müller et de son explication des mythes. Un peu (beaucoup) par esprit de contradiction, j'avais dit que je trouvais absurdes ces interprétations péniblement cherchées, précises (d'ailleurs poétiques), des fables grecques ou des légendes françaises. On conclut d'une analogie à une ressemblance absolue. Dumas est devenu amer, s'est mis à rire d'une façon insultante de ce que disait Suarès, l'a traité (ou peu s'en faut) d'Escobar, et a fait semblant de ne plus vouloir continuer une discussion avec des esprits aussi entêtés ou aussi aveugles. — Bien amusants, ces gens qui se moquent de ceux qui croient à une foi. Et qui ont aussi une foi, et, surtout, qui vont la placer là, — en philologie.

5 mai.

Je vais voir, dans la salle des Etats, au Louvre, les diamants de la couronne, qui vont être vendus et dispersés, à partir du 12 mai.

Grande déception. — Mon oncle Edmond, qui part, la semaine prochaine, pour le Tonkin, m'avait pris un billet pour la troisième représentation de *Lohengrin,* à l'Eden-théâtre (un fauteuil d'orchestre, de 25 francs). J'avais obtenu la permission de sortie, pour le samedi soir. Et voici que, le jour de la seconde, Lamoureux renonce définitivement à donner des représentations de Wagner, en France. Il est écœuré des criailleries de la presse *(La Revanche, la France, le Matin),* et des insultes qui lui sont adressées. (Etudiants et voyous ont hurlé et lancé des pierres, mardi, mercredi, et jeudi soir. J'enrage. J'ai le mépris de ces brutes, qui prétendent m'interdire, au nom de la patrie, d'aimer ce qui est beau et saint, — et que leur patriotisme n'empêche pas d'absorber la bière et la choucroute allemandes.)

8 mai.

Mon premier acte d'électeur. (Je ne l'ai pas renouvelé souvent.) Je vote pour un monsieur, que je ne connais nullement. Nous nous disons, entre camarades, qu'il est absurde de

donner à tous le droit de suffrage, — quand nous, qui comp-
tons parmi les plus intelligents, nous votons au hasard.

Second canulard trimestriel. (Lecture des notes du trimestre par le sous-directeur Vidal de Lablache, en présence du
directeur Georges Perrot.)

J'admire l'incapacité de nos professeurs à juger mes camarades :

Note de Delacoulouche sur Mille : « Manque de netteté. »
— Sur Mélinand : « Manque d'analyse. »

Perrot à Colardeau : « Vous devez être passionné, monsieur Colardeau. »

Les notes données par Ollé-Laprune m'ont écœuré. Il cou-
vre d'éloges tous les gens nuls en philosophie : — Colardeau
« Leçon de cacique » (Elle était creuse et vide) ; — Barthe
« Noble conviction, hautes et grandes idées » (Il n'en a
point) ; — Gay « Sous la forme froide, une chaleur ardente »,
(!) « hautes et nobles idées » ; — Gauckler « Passion et conviction, nobles et hautes idées » ; — Legras « Effort intense de
la pensée ; l'élève n'a pu dire ce qu'il pensait (il en eût été
bien en peine), mais ce qu'il pensait était excellent » ; — Wartel « Généreuses convictions, hautes et nobles idées » — (un
zéro pointé). — En revanche, Dumas, qui est le seul philosophe sérieux de la section, mais qui a fait une leçon positiviste, est taxé « d'esprit étroit » ; — Suarès est malmené, pour
avoir fait bon marché de la morale bourgeoise ; etc. Je sais ce
que veut Ollé : s'il est resté professeur à l'Ecole, c'est pour
former des professeurs cléricaux comme lui. Il n'a pas trop
bien réussi : voilà Andler et Bernès, en 3ᵉ année ; Chavannes
et Lalande, en 2ᵉ ; Dumas, Mélinand et moi, en première.
N'importe ! Il essaie, par tous les moyens possibles, d'écarter
les positivistes et de réunir les talas (les dévots). C'est ainsi
qu'il est navré que Gay fasse de l'histoire ; — qu'il a fait une
démarche auprès de Barthe, pour qu'il devienne philosophe.
Et il nuit le plus possible à ceux qu'il ne peut chasser. Mielleux
et charmant avec chacun en particulier, nul ne sait comme lui

donner de petits coups de griffe traîtreux, en caressant. J'en
parle sans parti pris : car il a fort bien noté ma conférence,
dans le premier trimestre (avant d'être revenu de ses espérances cléricales sur moi). Il me dégoûte de la philosophie.

Perrot accuse Suarès de manquer de simplicité, de se tor-
turer pour étonner... « Pourquoi n'écrivez-vous pas comme tout
le monde ?... C'est comme ces cheveux plus longs que les autres, que vous portez. » (Toujours ces malheureux cheveux !)

Ma note de Goumy est « médiocre » ; la grammaire, faible ;
l'histoire, bonne ; le français bon. Perrot m'engage à prendre
garde à la licence. « Je sais que vous êtes grand musicien, à la
face de l'Eternel ; mais ça ne suffit pas... ça peut vous consoler ; mais il ne faut pas avoir besoin de consolations. »

13 mai.

Course militaire à Vincennes. (Nous faisons l'exercice militaire à l'Ecole, et nous avons un uniforme spécial, bleu marine.
Parfois, on nous fait manœuvrer, dans les rues demi-désertes
du quartier. Suarès, qui n'a pas voulu sacrifier ses cheveux,
les roule en chignon au-dessus de sa tête, et les fait entrer, tant
bien que mal, dans le képi. Mais, le plus souvent, il tâche de
s'esquiver, ou d'obtenir une dispense de l'infirmerie...) — Départ à 11 h. 30. Arrivée à 2 heures, sur le polygone de Vincennes. Cette immense plaine de sable rappelle à Mille sa
Flandre, — d'autant plus qu'à l'extrémité s'élève, comme un
vieux beffroi, le superbe donjon avec la chapelle. Dans ce
Sahara, courent çà et là des cavaliers peu maîtres de leurs
chevaux, des caissons d'artillerie ; un régiment défile ; une ligne souple et sinueuse, des points brillants et colorés. A quelque cent mètres, des soldats tirent sur des mannequins, ou,
pour se réchauffer, (il fait un vent violent), jouent au saute-
mouton. Ces petites fourmis à la tête et aux pattes rouges. —
Nous tirons à la cible, à 200 m., puis à 400 m. Chacun de nous
a 12 coups. Un seul de mes coups porte (le premier coup, —
à ma stupéfaction) ; mais il va au centre. — Nous repartons

à 4 h. Retour, à 6, en passant par le boulevard Saint-Germain, et le boulevard Saint-Michel. Mes camarades (Dumas, Joubin, Dalmeyda), sont furieux et honteux d'être vus de leurs amis — de leurs amies — en un pareil costume. Je laisse à penser si notre passage devant le café Vachette reste inaperçu. Je m'amuse beaucoup des ovations des petites femmes et de l'air vexé de mes compagnons.

14 mai.

Concert de bienfaisance, à l'Ecole. — Abondance d'artistes : Mounet-Sully, Got, Laugier, mesdames Broisat, du Minil, Worms-Baretta. Diémer, Giraudet, G. Nadaud. Cécile de Monvel. Le violoniste Lefort. — Got s'obstine à déclamer des vers tragiques ; et il est bien comique, ainsi. Mounet chante, suivant son habitude, plutôt qu'il ne déclame. Je ne l'ai pas trouvé aussi vieux que je pensais. Ses grands cheveux à la Marceau qui lui tombent plus bas que les épaules, sont encore bien noirs, si sa barbe grisonne. Il ne manque pas de gaieté. — Diémer est petit, a une voix douce et un peu flûtée. — Nadaud est bien vieux ; certaines notes ne sortent plus, la voix est cassée ; mais il a beaucoup de goût et de délicatesse.

Les salons sont trop petits. On promène les dames à travers toute l'Ecole. Au laboratoire de physique, les scientifiques font des expériences fort brillantes et aussi amusantes que les tours de Robert Houdin. De la fonte jaillit en bouquet aux gerbes d'or, comme un feu d'artifice. D'un tonneau, sort un jet de liquide enflammé, dont on change à volonté la couleur : bleu, rouge, vert, violet. On fait des projections de lanterne magique, dont les personnages sont mobiles.

A 11 heures, arrive le général Boulanger. En civil ; un grand crachat sur son habit noir. Moins grand que moi. Son nez n'est pas, (comme disent ses biographes populaires) « d'un dessin très pur » ; il est cassé dans le haut, puis continue droit. Ses yeux bleus sont à la fois perçants et vagues, fixes et troubles. Ses cheveux blonds (ou châtains ?) comme sa barbe,

bouclent un peu et sont trop bien peignés, et partagés par une
raie parfaitement droite, au milieu. La voix est un peu rude ;
et toute la personne m'a paru assez gauche et gênée. (Je l'ai
fort bien vu : dans la cohue, je me suis trouvé, pendant quelques minutes, serré contre lui.) On ne lui a pas fait chez nous
l'accueil qu'il attendait. Une énorme curiosité ; pas de témoi-
gnages de sympathie. Il est parti à minuit et demi, après la
pièce de vers de Mounet ; nous l'avons accompagné (une douzaine environ) à sa voiture. Il nous a dit : « Merci d'avoir
pensé à moi » ; mais toujours avec une certaine gaucherie. Il
ne trouvait pas la porte, pour s'en aller, et voulait sortir par la
loge du concierge.

Au Salon. — Le portrait équestre de Boulanger, par Debat-
Ponsan est bien ressemblant. Ses sourcils arqués, sa mine froide, un peu féline.

Rien, dans tout le Salon, n'atteint à la hauteur des cartons
de *Puvis de Chavannes,* pour la Sorbonne. Le coloriste est pour
plus de la moitié dans l'amour que j'ai pour le peintre. L'ensemble de la scène, l'harmonie des groupes, la pureté des traits
et de la pensée, me ravissent. De tous les peintres vivants,
c'est le seul que je chérisse tendrement et que je reconnaisse
vraiment grand, grand poète, grand mystique, grand coloriste.
— Je rêve à ses compositions des années précédentes, qui m'ont
fait tant de joie : *le Bois Sacré ;* et, plus récemment, *la Vision
antique* et *la Vision chrétienne,* l'une avec sa ferveur triste,
l'autre avec son merveilleux décor, la mer et les montagnes
bleues, et les petits chevaux blancs, marmoréens, se cabrant
sur le fond d'azur.

15 mai.

Je vais voir M. Guiraud, pour lui dire que je veux faire de
l'histoire. Il me reçoit fort bien, me rapproche de nouveau de
Suarès. Qualités littéraires. Différences : Suarès est séduit, attiré par le paradoxe, il le recherche. « Vous, non. Mais vous
me semblez manquer un peu de critique. Vous acceptez trop

le texte comme vérité vraie... Il me semble que vous voulez
voir surtout dans l'histoire une étude d'âmes, une analyse d'esprits. (C'est tout à fait exact.) Il y a là quelque chose de philosophique... Mon Dieu, je ne vous le reproche pas. La psychologie doit être unie à l'histoire, et l'étude des caractères
doit servir de fondement à l'étude des faits. Les hommes agissent de telle façon parce qu'ils pensent de telle façon... Mais
il y a autre chose : l'étude attentive et critique des faits. » —
« Vous auriez très bien réussi dans les lettres, me dit-il encore.
D'ailleurs, il n'est pas mauvais que vous ayez ce tempérament
littéraire, en histoire. » — Conclusion : « Il faut compter encore avec MM. Monod et Vidal de Lablache ; mais, dès à
présent, moi, je vous accepte avec grand plaisir, et vous pouvez
être sûr que ma voix sera pour vous. » — « Etes-vous travail-
leur ? » me demande-t-il aussi ; ce qui ne me surprend pas ;
car je sais que l'agrégation d'histoire exige une plus grande
somme de travail que toutes les autres. — Il me parle des différentes sortes d'histoire et des différents genres d'esprit qu'elles réclament. « Ainsi, l'histoire ancienne réclame, je ne dis
pas plus d'originalité, mais, comme il y a moins de textes, plus
de part personnelle, plus d'invention, et en même temps plus
de critique : il faut tirer d'un texte tout ce qu'il peut donner,
et rien de plus. » — Il oppose l'enseignement de l'Ecole Normale, où l'on donne un aperçu de toutes les histoires, et où
l'on exerce, par suite, toutes les facultés de l'esprit, à l'enseignement de l'Ecole des Chartes, qui fabrique des esprits nécessairement incomplets et étroits : car pour eux, rien n'existe
avant la date 390.

Voici pourquoi je me décide, malgré mes aptitudes philosophiques, à opter pour l'histoire. (Quant aux lettres pures,
je n'en parle même pas. C'est une nourriture creuse. Il me faut
un aliment plus substantiel) :

1° Les professeurs de philosophie sont Ollé-Laprune et
Brochard. Les professeurs d'histoire sont Guiraud et Monod.
L'esprit qui préside à l'enseignement de l'histoire dans l'uni-
versité actuelle est le plus libre de tous. Celui qui règne dans

les jurys de philosophie, à l'Ecole et pour l'agrégation, oblige au mensonge spiritualiste, ou idéaliste, — le plus répugnant de tous.

2° Avec mon système en tête, ayant sur quoi reposer ma raison, il ne me reste plus qu'à vivre, à enrichir ma vie, à voyager dans le temps et dans l'espace.

3° Je craindrais de me figer dans l'abstrait. Je puis appliquer à l'histoire mes facultés philosophiques et mon sens littéraire. Je resterai ainsi plus viril, plus humain, plus Français.

4° On ne peut guère avoir de missions, avec la philosophie. Or, je veux voyager.

5° L'avancement est trop lent, en philosophie. Tout est plein, à Paris, et de jeunes professeurs (de 27 ans, comme Lévy-Brühl). Je ne tiens pas à croupir à Pontivy.

Je fais passer une proposition de supprimer le canulard, à l'Ecole, l'an prochain.

L'ont signée avec moi :

Suarès, Dumas, Dalmeyda, Mille, Renel, Levrault, Surer, De Ridder, Barthe.

Tous les autres, sauf Pagès, indécis, (il y a de quoi ; il a failli mourir du canulard de l'an passé !) entendent bien conserver les vieilles sottises qui les indignaient, il y a six mois.

On vote aussi sur l'existence de Dieu. Ballottage. Ce pauvre Dieu ne sait pas trop s'il existe.

Mille et Dumas cherchent à se faire une morale.

ROLLAND. — Une drôle d'idée ! A notre âge, bâtir des systèmes dont nous devrons toujours dépendre, ensuite !

MILLE. — Tu as raison... Mais moi, il faut que tout ce que je fais soit logique. Je vais jusqu'aux dernières conséquences. De là vient que je fais des bêtises énormes. Mais je suis content, je me dis...

DUMAS. — C'est en rapport avec tout le reste.

Ils rient.

On vend de fausses pièces de 5 francs, dans les rues de

Paris. D'un côté : « *Liberté, Egalité, Fraternité.* » De l'autre :
Boulanger, ex-ministre de la France.

19 mai.

Exposition François Millet, à l'Ecole des Beaux-Arts. —
Peu de tableaux une trentaine, environ. Beaucoup de dessins.
A première vue, je suis peu séduit. Mes yeux, attirés surtout par la couleur, ne se reposent avec plaisir que sur le *Printemps.* Un ciel pesant. De grosses nuées noires et bleuâtres
(comme je les connais bien ! Je ne les ai jamais vues, sans une
sorte de terreur sacrée) ; une toute petite éclaircie bleue, à
droite ; sur ce fond sombre se détache, en plein soleil, — un
de ces soleils luisants d'orage, — un bouquet d'arbres sur un
léger renflement de terrain. Des oiseaux qui planent se détachent, blancs, sur le nuage noir. Au premier plan, un verger
que traverse un chemin détrempé, avec des flaques d'eau. Les
couleurs, comme lavées par la pluie de tout à l'heure, ont un
éclat frais ; le petit bout de champ d'herbe verte luit brillant
et humide ; les fleurs blanches d'un cerisier, les fleurs roses
d'un amandier, ajoutent leurs nuances fines et pénétrantes à
l'harmonie du tableau. Une vapeur légère plane au fond, sur
les maisons qu'encadre le double arc-en-ciel. Sous un arbre
s'abrite un paysan.
Les autres tableaux sont d'un ton général pâle doré. Le
détail est sans exactitude. Cela semble peint de mémoire. —
Mais c'est justement là sa supériorité, que Millet, n'ayant plus
le paysage sous les yeux, quand il compose, ne le voyant plus
que dans sa mémoire, élimine les puérilités accessoires ; et que,
seule, subsiste une puissante synthèse, largement simplifiée,
unifiée, de ce qu'il a vu. Et comme il a vu, avec des yeux de
poète, ses œuvres donnent la sensation de la prise sur le vif.
— Seulement, la poésie de Millet est celle d'une âme profondément vraie, simple, qui ne connaît pas nos exagérations et
nos subtilités parisiennes. Pas d'éclat, pas de pose. Une dis-
crétion absolue. Ses paysannes ne pensent pas ; elles sont lour-

des, vulgaires, à peine féminines (j'entendais une belle Parisienne dire : « Ce sont donc des Esquimaudes qu'il a pein-
tes ? ») ; mais quel abîme entre elles et les femelles de Zola !
Elles ne posent pas, elles sont. Et comme, pour plaire aujour-
d'hui, il faut être plus ou moins cabotin, cette simplicité qui
ne cherche même pas à passer pour simple n'attire pas. Il faut
qu'on soit averti et qu'on s'y reprenne, à deux fois.

C'est ainsi que je n'ai aimé *L'Angélus* (collection Secrétan)
qu'à la seconde fois que je l'ai vu. — Principaux tableaux qui
m'ont frappé : *La gardeuse d'oies,* qui va se baigner dans le
ruisseau, avec ses bêtes, assise sur l'herbe, un pied déjà dans
l'eau ; — *La Gardeuse de moutons,* une tête pure, un grand
et calme paysage, un vaste horizon que terminent les lignes
souples de renflements de terrains ; — *Le Coup de vent,* l'arbre
tordu, les feuilles qui s'envolent, les nuages qui filent, l'homme
courbé par la rafale ; — *Les Glaneuses,* ces robustes bêtes, à
la patte crispée, à la mâchoire grimaçante de l'effort qu'elles
font pour rester ployées ; — *Le Vol de corbeaux,* qui tourbillonnent, par un ciel gris, au-dessus d'un champ, où reste enfoncée une charrue abandonnée ; — *Labor,* l'homme tué de
travail et de chaleur, les yeux brûlés par la réverbération du
soleil sur la terre, la bouche ouverte, la lèvre inférieure blanche
et sèche, la chemise collée au corps, appuyé sur sa pioche, au
milieu d'un terrain rocailleux qu'il défriche ; — *Le Parc aux
brebis,* la nuit, clair de lune, — encore un clair de lune, sur la
mer, et qui donne aux lames clapotantes la blancheur de cy-
gnes ; — *La Batteuse de beurre et La Lessiveuse,* cette dernière surtout ; — la marche au supplice du cochon — le petit
qui pisse, à la porte ; — les nombreux semeurs, fagottières, etc.
Partout même vérité, même simplicité.

En revanche, cinq ou six horribles petits tableaux mythologiques ou sacrés : Amour, Tentations de saint Antoine, etc.
d'une lourdeur incomparable. Quelques portraits, assez ordinaires. Exception faite pour le sien, qui est beau. Grands cheveux, large barbe, une grosse tête. Un peu de la physionomie
de Gounod.

Lettre de Millet.

...Je voudrais que les êtres que je représente aient l'air voués à leur position, et qu'il soit impossible d'imaginer qu'il leur puisse venir à l'idée d'être autre chose... Je désire de mettre bien pleinement et fortement ce qui est nécessaire, car je crois qu'il vaudrait presque mieux que les choses faiblement dites ne fussent pas dites, parce qu'elles en sont comme déflorées et gâtées ; mais je professe la plus grande horreur pour les inutilités, si brillantes qu'elles soient, et les remplissages, ces choses ne pouvant donner d'autre résultat que la distraction et l'affaiblissement.

21 mai.

Seconde leçon de Got. Il lit la première scène de *l'Ecole des Femmes,* et dit la scène de la forêt, entre Sganarelle et don Juan. — Une de ses observations : « L'*e* muet est une grâce de notre langue. Les langues qui ne l'ont point, si harmonieuses qu'elles semblent d'abord, ne tardent pas à paraître rudes. En effet, c'est une lettre qu'on prononce ou qu'on ne prononce pas, qu'on prolonge ou qu'on abrège, comme on veut. Le reste est noté. Besoin qu'en a le français : rimes féminines. »

22 mai.

Découverte de Claude Monet. (A l'Exposition internationale de peinture et sculpture, galerie Georges Petit, rue de Sèze.) — Depuis deux heures, je sais son nom. Depuis deux heures, je le considère comme celui d'un des plus puissants coloristes qui aient jamais existé. Une dizaine de tableaux, presque tous des vues de mer et de rochers, presque tous de la seule année 1886. Le bleu violet est le fond de ses harmonies ; il se mêle à l'émeraude admirable de la mer. Violets, roses, bleus, verts, des rochers et des flots. Les ciels sont moins bien observés.

Une douzaine de paysages de Cazin. Grand charme, calme d'observation. Lumière douce, tamisée. Il semble que le peintre ait été à l'ombre, pour peindre ses soleils. *L'Eté :* le soleil se couche, rouge, au milieu de vapeurs grises et froides ; la pluie se prépare à tomber, pendant la nuit ; un champ de blé fauché et réuni en gerbes ; un sol doré. — La lune se levant derrière des toits de chaume, dans un ciel bleu froid.

Quelques Whistler. Chez lui, ce n'est pas, comme chez Monet, le bleu violet, mais le rouge violet, qui est la base fondamentale. On voit ces couleurs, après une marche au soleil, les yeux injectés de sang.

De bonnes scènes réalistes, notées par Raffaeli. Mais la lumière manque. L'air est gris, pâle, sans ombres.

Un tableau de Lkroeyen Skagen, qui est comme un roman de Tolstoy. Il ne commence, ni ne finit.

Deux vastes toiles de Besnard, de conception bizarre, mais d'une lumière blanche et bleue, très douce, très vaporeuse. (L'homme sauvage, au pied de l'Himalaya ; — et l'homme civilisé, dominant d'une terrasse un vaste panorama, une ville et son port.)

Des Pissarro. Une mosaïque de petites plaques colorées. Arrive à rendre le mouvement qui existe dans la couleur naturelle, — la vibration des nuances, dans le plein air.

Des Renoir. Vraie peinture sur porcelaine. Mais grâce voluptueuse.

Dans la sculpture, un *Bourgeois de Calais,* fort beau, dont l'auteur, Rodin, a rendu énergiquement la rage muette, qui se tait par dévouement. Du même, une *Françoise de Rimini.*

Mais c'est toujours à Monet que je reviens. Quel fougueux musicien !

Efforts pour arriver à la vérité.
(Ecrit, pendant une classe d'Ollé-Laprune.)
Je sens : c'est la seule chose dont je sois sûr.
Donc il est : Il est quelque chose (conclusion nécessaire).
Qu'est-il ? — Sensation, cela est sûr.

Quelle sensation ?

Je me brûle. Il est quelque chose : la sensation. De brûlure ? — Non. Aucun moyen, aucun droit de l'affirmer. Quand je dis : « Il est quelque chose » (et je dois le dire), la sensation de brûlure *a été*. On peut même prétendre que chaque sensation particulière est une sensation, non d'être, mais d'avoir été. Je puis toujours douter de son existence ; rien n'est moins certain. Je puis contester la réalité du chaud et du froid, du blanc et du noir, etc. Mais ce qui est nécessaire, c'est que ce soit quelque chose, — *la sensation d'être quelque chose que ce soit.*

Je sens.

Donc la sensation d'être existe. — Toute façon d'être particulière, j'en puis douter. Peu importe le contenu ; cependant, il faut un contenu ; une sensation d'être, creuse, qui ne serait pas qualifiée, serait abstention pure. La matière de l'Etre est indifférente ; mais il faut une matière ; et puisque toute parcelle de cette matière, toute façon d'être particulière est indifférente, la sensation d'être les comprend toutes, également. — Il y aurait contradiction à ce que la sensation d'être ne fût pas tout. Cela résulte presque de la définition : (puisque j'ai dit que toute sensation d'être quelque chose de particulier n'est pas véritable, — et que pourtant la sensation d'être quelque chose que ce soit existe). Quel que soit le contenu, il passe, et la sensation *est*. Il faut donc que toutes les parties passagères possibles aient place en un tout sans limites. La sensation d'être quelque chose de particulier *a été* éternellement, parce que la sensation d'être autre chose de particulier *veut être*, éternellement. *Seule est la sensation d'être tout.* Et toutes les sensations particulières réunies n'égaleraient pas encore l'Etre absolu, qui en est formé.

La sensation d'être tout, existe.

(Dieu).

(On me dira : « Je me brûle. Donc, la sensation de brûlure, est. On ne peut rien affirmer de plus. » C'est-à-dire : « Je suis brûlé. Donc, je suis brûlé. »

Moi, je dis que lorsque je sens, je conclus : « Il est quelque chose » ; et ce n'est pas sur le mot : *quelque chose* que j'appuie mais sur le fait *d'existence,* qui est simple et sans limites.

Or, toute la question est de savoir maintenant si la brûlure *est.* — Je dis qu'elle est bien *quelque chose ;* mais non pas, qu'elle *est.* — Du moment que nous posons l'Etre, nous le posons tout entier : il ne peut nous venir à l'idée qu'il y ait quelque chose, et puis qu'il n'y ait rien. S'il y a quelque chose, *il est, l'Etre est.*)

Je sens.

Donc il est quelque chose.

Donc Il Est, d'une façon absolue.

Qu'est-ce qui Est, d'une façon absolue ?

Ici, je fais une pause : je voudrais analyser ma sensation du moi.

Si je ne puis répondre de mon existence réelle, à moi, Rolland ; si je puis, moi, groupe, faisceau de sensations, me dissoudre et disparaître ; si mon unité est factice, — le sens commun m'assure pourtant avec puissance qu'elle existe à présent, qu'il existe une sensation d'être un groupe de sensations, qui se nomme Rolland. — Chacun de nous fait la même observation. Voilà donc des fragments de la grande Sensation d'Etre, nécessaire et réelle, qui n'existent que par elle et en elle. C'est Elle qui me constitue essentiellement. Elle, c'est moi, dans ce que j'ai de plus profond.

Qu'y a-t-il du Tout en moi, Rolland ? — Le fond même, le général, la matière commune à toutes les parties, la sensation d'Etre indéterminée, la Raison. — Pour chacun des moi humains, de ces expressions particulières du Tout, la raison est l'intuition du fond de sa nature, c'est-à-dire de ce qu'est tout le reste. Le Tout n'en a que faire ; il lui suffit d'avoir conscience de lui. La raison est une forme inférieure, la forme réservée aux êtres relatifs. La sensibilité totale est la forme suprême.

Comment vivre ? Comme le veut Spinoza ? Par et dans la raison ? Ne pas être Rolland, pour être le Moi divin ? — C'est contraire à la nature des choses et au bon sens. Si je parvenais à être tout Raison, je cesserais d'être Rolland, (ce qui est un bien relatif), et je m'évertuerais à pressentir vaguement l'Etre total : ce serait un état très inférieur. Ne vaut-il pas mieux employer ma raison à imprimer, d'une façon permanente, le Moi divin, dans le moi humain, en sorte que j'use de celui-ci avec plénitude, et sans rien ménager, sans rien économiser ?

Conclusion : Un dilettantisme héroïque, fondé sur la présence perpétuelle de Dieu.

(N. B. — Toutes ces notes viennent de ce que, tout en sentant très fortement ma foi, je la sens faible comme démonstration ; et j'y reviens sans cesse. Tout ceci a été écrit, pendant les leçons d'Ollé-Laprune, qui ont fini par me porter sur les nerfs, et que j'ai pris le parti de ne plus écouter.) (20 mai.)

Nouveaux efforts.

L'Etre. Sensation d'être tout, quelque chose que ce soit.

Ma brûlure est la Sensation d'être tout, en tant qu'elle est ma brûlure. Mon moi Rolland est la sensation d'être tout, en tant qu'elle est mon moi Rolland. La sensation d'être tout est tout entière, partout.

Mon devoir est d'être mon moi Rolland. Je n'en ai pas d'autre. — Suis-je libre ?

Je suis un groupe de sensations, un accord arpégé. J'écoute un morceau de musique, que Je me chante à moi-même. Chaque note de ce morceau, est une partie de moi. Chaque accord est moi, au moment où Je le chante. Vous dites que cet accord n'est pas libre ? Cet accord est une partie de moi ; c'est moi qui l'ai créé ; il est trop évident qu'une sensation que je me suis donnée dépend de moi ; *Moi* seul, suis libre ; une partie de

Moi ne l'est pas, pour la bonne raison qu'elle ne sait pas ce qu'est la liberté : elle *est,* tout bonnement.

Je prétends que la liberté n'a aucune raison d'être, dans le moi relatif, et n'en a que dans le moi absolu. Gay se dit libre, parce qu'il fait tout ce qu'il juge bon et raisonnable, malgré les poussées de ses instincts. Suarès se dit déterminé, parce qu'il fait tout ce que ses instincts le poussent à faire. Ils ne sont, ni l'un ni l'autre, libres ou déterminés. Ils sont, l'un, plus Raison, l'autre, plus sensibilité. C'est une dispute de mots. Comment diable voulez-vous qu'un être relatif soit libre ? Du moment qu'il existe d'autres êtres relatifs, et qu'il ne peut pas les être, il n'est pas libre. Et d'autre part, que signifient les vieilles déclamations déterministes, plus ou moins douloureuses ? Peut-on appeler déterminé un être qui est entraîné par *lui-même* ? Un amoureux véritable, Roméo, doit se sentir pleinement libre dans sa passion la plus ardente et la plus asservissante. — Mais il n'y a de Liberté que pour l'Etre absolu, en qui liberté et nécessité se confondent : être tout.

J'ai donc deux moyens, pour être libre :

1° celui qui est à la portée de tout le monde : être Rolland, sans penser ; vivre de la vie pratique. Si je ne me farcis point la cervelle de sottes théories et d'analyses écourtées, je ne penserai pas à me trouver esclave, dans mes moments les plus passionnés ;

2° celui qui est à la portée de ceux qui peuvent : être mon être véritable, l'Etre total, absolu. C'est l'ensemble du morceau qu'il faut savoir embrasser. Une dissonance, désagréable, prise à part, a son charme, à sa place, dans la suite du morceau. Je *suis* cette dissonance ; et j'en suis arrivé à ce degré de la connaissance, où l'on se juge soi-même, et où l'on se déplaît. N'en restons pas là. Elevons-nous au degré supérieur de la connaissance. Voyons-nous, écoutons la dissonance que nous sommes, dans l'ensemble du morceau. C'est du fond de notre Etre total qu'il faut regarder les sensations, les moi particuliers. Du dedans, au dehors. Non du dehors, au dedans.

26 mai.

L'Opéra-Comique est détruit. Un incendie l'a mangé tout
entier, hier soir (Mercredi 26). Il a éclaté, vers 9 h. du soir,
après la représentation du *Chalet,* et pendant les premières
scènes de *Mignon.* Un nombre considérable de victimes. Jusqu'ici, on a retrouvé une trentaine de morts et 150 blessés ; on
n'a pas déblayé les ruines, où l'on craint de trouver 50 à 60
personnes des dernières galeries. — Mes parents ont vu l'incendie, de leur balcon (Rue Michelet). L'embrasement du ciel
était admirable. On apercevait, même à cette grande distance,
les flammes ou les flammèches. — Je vais, dans la journée,
sur le lieu du désastre. Les rues avoisinantes et la moitié du
boulevard qui y touche, sont barrées. Une foule énorme, cos-
mopolite. On risque d'être écrasé. Des pompes à vapeur sont
rangées en bataille, le long du boulevard. Les quatre pans de
murailles du théâtre sont seuls restés. En bas, l'affiche verte de
Mignon est intacte, toute fraîche. Les fenêtres sont noires de
fumée, et les parois crevassées. La coupole est fondue. De ce
grand trou sort de la fumée, encore. (Il est 4 h. du soir.) De
hautes échelles rouges sont appliquées, tout le long ; et des
pompiers y grimpent, à tout instant, et se promènent sur les
rebords. — Une grande foule se presse aussi devant le poste
de police de la rue Richelieu, où sont gardés les cadavres qu'on
n'a pas reconnus. La rue sent le phénol.

2 juin. — Le total actuel des morts est de 109.

Une couronne d'immortelles est pendue, au-dessus de l'ancienne porte de location du théâtre, avec cette inscription : A
la mémoire des victimes.

Leçons de Got. — 3e leçon : Il dit la scène de Pierrot et
de Charlotte, dans *don Juan,* et la scène du maître de philosophie, dans *le Bourgeois.*

« Molière ne grasseyait point. (Voir la prononciation de
l'r (...rrrrra). — Il avait la coquetterie de sa barbe. Toutes les

fois qu'il joue un rôle qui ne la comporte pas, il écrit quelques vers pour la justifier :

« Et cette large barbe au milieu du visage » (Orgon).

« Une large barbe » (Médecin malgré lui).

« Il y a des femmes qui en ont autant (de barbe) que vous. » (Pourceaugnac, déguisé en femme.)

« Prononciation du mot : « Donc » — « Don », dans le courant d'une phrase. « Don-c », au commencement, pour annoncer la conclusion d'un raisonnement. »

— 4ᵉ leçon : Scène de la Flèche et du fils (*l'Avare*, scène de l'usurier) — première scène du *Misanthrope*. Miman lit Alceste et Got Philinte. — Dialogue de Sosie et de Mercure. Got est charmant, en Sosie.

— 5ᵉ leçon. Jamais il n'a été si gentil. Il nous en dit plus qu'en une soirée de la Comédie-Française. Il lit la scène de don Juan et de M. Dimanche, avec plus de verve peut-être que de vérité. Il dit la dernière scène du 1ᵉʳ acte du *Médecin malgré lui*. Il joue et chante la scène de la bouteille. Enfin il joue la grande scène des plaidoyers, dans *les Plaideurs*. Il a un merveilleux pouvoir de changer instantanément de voix, de gestes, de visage. Il ânonnait le plaidoyer de Petit-Jean, soufflait avec colère le maladroit, reprenait imperturbablement les mots soufflés, etc. « Avant la naissance du monde... » Perrin l'interrompt par un bâillement. L'avocat sourit dédaigneusement, jette un regard de côté, chargé de mépris, sur le malencontreux interrupteur, et reprend avec fermeté : « Avant donc la naissance du monde... et sa création », pour bien affirmer son droit à la parole. — Dire par saccades : « Compendieusement énoncer... expliquer... » etc., sans appuyer sur les mots, (bref) comme on fait, d'ordinaire. — Got est d'avis que la chanson du roi Henry, dans *le Misanthrope*, ne doit pas être dite avec sensiblerie, mais avec une bonhomie souriante, tout juste un peu émue. Il nous la dit ainsi.

— 6ᵉ leçon. Il dit deux scènes de *Georges Dandin*, et une

scène des *Femmes savantes*. Nous sommes fort peu nombreux, et nous devons payer de notre personne. Suarès lit la première scène de *Georges Dandin* ; et moi, la scène du Pauvre, dans *Don Juan*. Je ne m'en tire pas trop mal.

Got nous dit que « son vieil ami », Emile Augier, compose ses pièces, de tête, sans écrire, comme Casimir Delavigne, dont la *Mélusine* a été perdue, pour cette raison, bien qu'elle fût achevée, dans la pensée de l'auteur. Got en a entendu le premier acte, qui en était, dit-il, fort beau.

2 juin.

Exposition Théodule Ribot, à la galerie Bernheim. Une soixantaine de tableaux. Sauf une demi-douzaine, rien que des portraits. Un même type reparaît, trois ou quatre fois ; mais la tête a remué, l'expression a changé. Une note opiniâtre, le noir, sur laquelle se détachent des plaques de lumière crue, ou de rouge sang de bœuf, et du gris. Très peu de variété dans la gamme des tons, mais beaucoup d'énergie. Peu de types français. Le décor est faible, l'air absent, les contours esquissés. L'artiste abstrait volontairement son personnage du milieu, de l'atmosphère ; il peint des monographies. — Pas un instant, je ne puis m'imaginer que j'ai devant moi des tableaux français. On pense aux Espagnols, Ribera, Zurbaran, aux maîtres noirs. — On est surpris, en voyant le portrait du peintre : vieux, grosse moustache blanche, les yeux ronds, cachés par de larges besicles, la bouche ouverte. — Il est fort ; mais il ne me plaît pas beaucoup. Au reste, j'ai peu de goût pour ses modèles, les Espagnols. J'ai toujours oscillé de la pensée pure à la sensation pure, de Puvis de Chavannes à Rubens, — en m'arrêtant, je crois, à Léonard de Vinci.

10 juin.

Dernière promenade militaire à Vincennes, par une chaleur accablante.

15 juin.

Nous sommes dix à onze candidats à la section d'histoire.
Or, on n'en peut recevoir que sept à huit. Au sortir d'une excellente conférence de Pagès, je suis tout surpris de voir
Gauckler me prendre par le bras, et très hypocritement me
dire : « Ah ! mon pauvre Rolland, voilà ce que c'est que l'histoire, maintenant ! un travail de manœuvres... » Et pendant
cinq minutes, il s'efforce de m'en dégoûter, sachant la haine
que j'ai pour le travail impersonnel des cuistres de l'Ecole des
Chartes. Enfin, tout s'explique par ce mot : « Nous voilà dix,
maintenant. Qui donc partira ? »

16 juin.

Suarès va chez Guiraud, pour la première fois. Guiraud le
reçoit fort bien, et lui dit que, pour Pagès, lui, et moi, il n'y a
pas d'hésitation à avoir : il nous garde. Puis, il lui parle de sa
leçon de la Renaissance (chez Ollé), « qui n'a pas été goûtée
de tout le monde ». Et à ce propos, voilà qu'il se lance dans
une diatribe contre les cléricaux de l'Ecole, « le tiers ordre »,
comme il dit, chez les professeurs (qu'il ne nomme pas), et
chez les élèves (qu'il désigne par leur nom).

16 juin.

Départ de mon oncle Edmond pour Toulon. Lundi prochain, il s'embarque pour le Tonkin (que j'écris : Tonquin).
Nous ne nous reverrons plus, — si nous nous revoyons —
avant septembre 89.

17 juin.

Dernier exercice militaire de l'année. Le général Jeanningros vient nous passer en revue. Type de général Boum. —
Assez grand, gros, rouge, barbiche blanche, cheveux blancs,
une voix tonnante. (On dit qu'à des grandes manœuvres, il

enleva quatre régiments d'infanterie, d'un seul commandement.) — D'inénarrables « topos » patriotiques, entremêlés de
« foutre » ! de « sacrédié » ! de liaisons dangereuses, d'ânon-
nements à la Ramollot : « la chose de l'idée... », ou « l'idée de
la chose... » ... « Aussitôt que j'ai entendu parler de guerre,
j'ai été chez le ministre, et je lui ai dit : Monsieur le ministre,
moi, général..., soixante-dix ans..., (il se frappe la poitrine)...
eh bien, je vous demande une faveur... (il se redresse)... en-
voyez-moi à la frontière... je veux entendre le premier coup de
canon qui sera tiré... vous entendez bien ? l'entendre..., et leur
rendre la monnaie de leur pièce... » — « Il ne faut pas se plaindre d'être gros. Plus on est gros, plus on reçoit de balles... Les
balles, ça vous traverse, ça ne fait pas de mal. » — « Rappelez-
vous cette importante vérité de l'art militaire..., que plus on
tue d'ennemis, moins on en a devant soi... » etc. — Il se déclare très satisfait de nous, et nous donne une sortie du soir.
Ça fait la quatrième, en huit jours !

17 juin.

Ollé-Laprune termine ses conférences sur la vérité, par une
apologie de l'Eglise catholique.

Parmi les religions, dit-il, les unes ne se sont pas préoccu-
pées de donner des dogmes ; les autres ont donné des dogmes
contraires à la raison. Il n'y a qu'une seule espèce de dogmes,
qui résiste à l'examen de la raison : c'est le christianisme, et,
dans le christianisme, le catholicisme qui nous offre cet exem-
ple unique. J'en parle, au point de vue humain ; il est trop
considérable pour que je ne le considère pas ; il est trop de
mon sujet pour que je me dérobe à cette obligation. C'est une
chose extrêmement remarquable, singulière et unique en son
genre, que ce rôle des dogmes. La raison humaine en souhaite,
et elle n'en trouve pas ; il y a comme une sorte d'incompatibi-
lité entre la fixité dogmatique et l'infinie variété de la vérité
morale, d'apparentes antinomies. Si vous regardez les choses,

comme il convient à un philosophe digne de ce nom, vous re-
marquerez ce rôle des dogmes dans le christianisme : c'est une
formule définissante et une formule définitive. L'esprit humain
supporte, au XIXe siècle comme autrefois, ces dogmes qui pourraient sembler étroits ; il y a aujourd'hui encore des gens qui
admirent cela, sans y croire ; et cela est en effet admirable. Rien
de plus étroit, rien de plus fixe. Anathème à celui qui n'admet
pas cela ! — On est donc emprisonné ? — Oui et non. C'est
pour vous dire : si vous sortez de cette précision, il y a l'erreur,
prenez garde. Mais cette formule ne renferme pas l'infinité
des choses ; elle est surtout suggestive ; et la preuve, c'est la
variété dans l'Eglise ; chez les Saints, qui sont l'expression, non
de la théologie, mais de la vie religieuse ; — dans la théologie
même, vous verriez comment, à côté de points fixes, il y a les
opinions libres, à l'infini... Reste à admirer l'étonnante vitalité
de cette Eglise, qui, tout en travaillant à fixer ses dogmes, avec
persévérance, sait vivre, sous l'Empire romain, au moyen âge,
au XVIIe siècle, toujours jeune, toujours vivante. Cette vitalité,
avec des dogmes précis, est bien faite pour déconcerter tout
esprit sérieux.

Je devais vous le dire. Car enfin, que cherchons-nous, sinon
ce qu'il peut y avoir de solide et d'assuré ? Car il y a une chose
qui n'a jamais manqué à ces pauvres leçons, c'est la sincérité ;
je vous dis tout ce que je pense ; et quand je suis dans une question, je vais jusqu'au bout. Traitant en homme une question
humaine, et parlant à des hommes, je vous dis toute ma pensée. — J'admire donc la science, jamais stagnante et toujours
fixe. Je ne trouve dans la vie morale que des embryons d'idées.
Et quand j'étends ma vue, j'aperçois ces choses singulières sous
nos regards : une religion qui se donne comme ayant des dogmes et qui n'arrête pas la vie. Elle aurait donc trouvé le merveilleux accord que nous cherchons. Et nous avons ainsi, aux
deux pôles de la certitude, la Science et la Religion divine.
Voilà la chose dans sa sincérité, dans sa naïveté, dans sa simplicité.

En dehors, — des probabilités, rien que des probabilités.

22 juin.

Après cette apologie catholique, qui suffoque les libres-penseurs et les juifs de la section (Dumas, Dalmeyda, etc.), — voici la contrepartie : Guiraud, rendant compte d'un travail de Mille, fait une dure leçon sur le catholicisme. Il semblerait qu'il ait eu connaissance de celle d'Ollé, et qu'il veuille y répondre. — J'eusse été heureux de l'entendre, si je n'avais été avec des camarades catholiques, que la brutalité de Guiraud a blessés. Gay en avait presque les larmes aux yeux ; il avait peine à se contenir. — En revanche, Dalmeyda exultait ; Dumas rayonnait ; Gauckler cachait maladroitement un méchant rire ; Joubin se tordait bruyamment ; Bouchard était aux anges. — Je crois que nous avons été les seuls, Suarès et moi, à écouter la leçon, au point de vue purement esthétique. Mais nous avons été peinés de la violence injurieuse, avec laquelle Guiraud a parlé de Jésus, « de l'âpreté de ce personnage », de « ce fondateur de secte », « de cet homme, qui ne faisait rien, qui ne travaillait pas, qui n'avait pas de rentes ; mais certaines femmes riches lui donnaient de l'argent. C'était tout à fait légitime ; personne n'y trouvait à redire... » etc. — M. Hubert, de Liège, assistait à la conférence. Il a dû emporter l'idée que « le Séminaire de la rue d'Ulm » est à la tête de l'anticléricalisme !

23 juin.

En allant chez moi, je fais route avec le cube Bernès, président de la Ligue anticléricale de l'Ecole. Il me demande sur qui il peut compter, dans notre section. Je lui indique Dumas et Renel. Je ne sais trop lui en nommer d'autres. Le parti moyen est le plus fort. D'ailleurs, la question ne s'est pas posée, chez nous, entre « talas » et « antitalas ». Elle a été transformée par la présence parmi nous, de deux Juifs : Suarès et Dalmeyda. Par ce fait, il ne s'est plus agi de la croyance religieuse, au sens large du mot, mais du seul catholicisme, en face duquel se sont groupés juifs, protestants et athées. — Maintenant,

il y a la nuance « philotala » (Mélinand, Gignoux), — la
nuance « atala » (moi, — Suarès, depuis que je suis son ami :
car il était, avant, très anticlérical) ; — la nuance « antitala,
ami de talas » (Barthe, Gauckler) etc. Je ne crois pas que
Bernès réussisse, parmi nous. Et c'est regrettable : car il ne
faudrait pas que sa Ligue pût se dissoudre. Elle vaut mieux
qu'elle n'en a l'air. Son œuvre est surtout de défense et non
d'attaque. Elle a été fondée, pour faire échec à la Société de
Saint-Vincent-de-Paul, présidée par Ollé-Laprune. Elle a surtout pour objet d'effacer toute distinction de croyances dans la
distribution des secours que le Comité de bienfaisance accorde
aux pauvres. Le jour où la Société Saint-Vincent s'éteindrait,
la Ligue anticléricale se dissoudrait. — Son utilité se fait d'autant plus sentir, parmi nous, qu'aujourd'hui même, nous ve-
nons d'être battus par les talas. Dalmeyda et Levrault étaient
nos délégués au Comité de bienfaisance. Nous avons voulu,
aux nouvelles élections, remplacer Levrault, qui nous représente peu dignement. La turne du cacique (Colardeau, Barthe,
Joubin, Cury, Gauckler) s'est séparée de nous, a rejeté notre
candidat, Bouchard, et nous a opposé Levrault et Gay. Levrault
et Gay ont eu, chacun, 15 voix. Dalmeyda, 9. En sorte que ce
sont justement les deux catholiques intolérants qui nous représentent, au bureau de bienfaisance. Je trouve cela dur.

GOUMYADE.

Les décadents, ce sont des fumistes. Il ne faut pas y faire
attention ; ils veulent vous faire monter à l'arbre. La première
chose qu'on fait, lorsqu'on sait que quelqu'un veut vous faire
monter à l'arbre, c'est de ne pas y monter... Il font des excen-
tricités, parce qu'y a toujours des naïfs qui vont se retourner
et joindre les mains : « Oh ! Oh ! si c'est possible !... » Alors,
i sont contents, is ont atteint leur petit effet. Mais on se doit à
soi-même de ne pas s'y laisser prendre. Ils font des choses in-
compréhensibles... Tenez, y a un an, Monod m'a montré un
numéro d'une *Revue Wagnérienne*... Y a une *Revue Wagné-*

rienne à Paris, consacrée tout entière, depuis la première ligne jusqu'à la dernière, à la glorification de Wagner... Que Wagner soit un musicien qui avait du talent, je ne dis pas, je n'en sais rien, ça m'est bien égal ; qu'on en parle dans un salon, très bien ; mais dans une revue, d'un bout à l'autre... franchement, c'est du crétinisme... Eh bien, danc cette *Revue Wagnérienne,* y avait un sonnet, un sonnet de Mallarmé ; il était absolument impossible d'y rien comprendre : c'étaient des mots, et puis des mots. Mais voilà, y a toujours des imbéciles, ils le savent bien, qui vont se creuser la tête là-dessus, et *vivos rodere ungues...* qui vont se demander : « Mon Dieu, qu'est-ce qu'il a donc voulu dire là-dedans ?... » Il n'a rien voulu dire du tout ; il a voulu ça... Ah ! non, voyez-vous, ce sont des fumistes... A moins qu'y ne soient complètement idiots. Alors, c'est inquiétant...

« Oui, *la Revue Wagnérienne...* Eh bien, vous savez la grande nouvelle ?... *Lohengrin* va être joué maintenant... Y a des musiciens ici ?... Vous irez voir ça, Cury ?... (*Cury secoue dédaigneusement la tête.*) — Non ?... Ça ne vous manque pas ? Ni à moi, non plus. Y a des gens qui en pleuraient toutes les larmes de leur corps, de ce que nous n'avions pas *Lohengrin ;* i n'en dormaient pas... Y a des wagnériens, ici ? (Il regarde de notre côté.) Suarès ? Vous devez être ça. (*Suarès fait oui, en boudant.*) Vous faites de la musique... ça vous achève... Oui, j'connais pas Wagner ; mais j'en ai entendu parler par quelqu'un qui le connaît bien. Eh bien, voilà ce que c'est. Wagner, c'est un musicien qui s'est avisé de bouleverser tout ce qui se faisait jusqu'à lui. Il a fait chanter aux voix ce qui était à l'orchestre, et il a fait jouer à l'orchestre ce qui était aux voix... Il a trouvé des instruments nouveaux... Et puis, pour fondre tout ça, il a imaginé de cacher l'orchestre dans une espèce de boîte ; de sorte que les sons, au lieu de briser les oreilles, arrivent tamisés... Ça, c'est ingénieux, c'est très ingénieux. Oh ! il a du talent !... i connaît l'harmonie, dans la perfection... »

Je rapproche cette opinion de celle-ci, que je coupe dans l'article d'un autre professeur de l'Ecole.

« En réalité, Baudelaire n'a rien voulu, rien essayé, que de se faire un nom, comme l'on dit ; s'il y eût pu réussir avec des berquinades, je ne sais s'il n'eût pas écrit, tout comme l'autre, *le Petit Grandisson.* »

(BRUNETIÈRE. *Revue des Deux Mondes,* 1er juin 1887.)

Je note quelques passages d'un discours du ministre Spuller, (au Congrès des Sociétés Savantes), où il veut que la France d'aujourd'hui revendique ses liens de famille avec la France d'autrefois. Il rend un bel hommage à « cette noblesse, qui fut une fleur de chevalerie », à « ce clergé, qui fut une grande école de politique, de science et de charité », à « cette royauté, si habile, si persévérante », grâce à laquelle la nation française « a tenu une si grande place dans le monde ». Il parle « des fils des croisés », et s'écrie : « Eh bien ! et nous, que sommes-nous donc ? Ceux que vous conduisez, ces roturiers, dont vous autres, nobles et prêtres, vous étiez les chefs, qu'étaient-ils, à cette époque ? Si vos pères étaient les croisés, nos pères l'étaient comme les vôtres, car qu'eussent-ils été faire aux croisades, si nos pères n'y avaient pas été avec eux ? — La démocratie, qu'on le veuille ou non, règne et gouverne. Elle a lutté pendant cent ans pour la conquête de ses droits. Aujourd'hui, elle est maî-tresse de ses destinées, elle est souveraine, et, comme tous les souverains, elle a ses flatteurs qui pourraient la perdre, comme les flatteurs ont perdu toutes les puissances qu'ils ont trompées. Il faut savoir résister à ce courant, et déclarer qu'il n'y a pas de droits sans devoirs. Proclamons donc qu'après avoir passé tout un siècle à réclamer et à conquérir nos droits, il est temps de commencer à pratiquer nos devoirs. »

14 juillet.

A trois jours de la licence, bien que mal préparé, je vais voir la Revue de Longchamp. Les événements sont devenus graves et intéressants, après l'odieuse manifestation de la gare de Lyon, qui m'a écœuré, tout en amusant ma curiosité d'historien : — (il n'est pas donné à tout le monde de revoir Galba et Othon). — L'espoir d'assister à des scènes (dont j'ai honte cependant pour mon pays), m'attire à Longchamp. Comme Normalien élève-caporal, j'ai un billet de tribunes ; et je fais bénéficier mon père de celui de Suarès. — 4 heures. On hisse le drapeau. Le canon du Mont-Valérien tonne. Les cuirassiers du président arrivent au galop. Puis, le landau, où le vieux Grévy, tout noir, tout rabougri, tout décomposé, — (il vient d'être sifflé, sur le chemin) — est assis à côté de Rouvier, ironique, le lorgnon sur le nez, hautain, — et en face du général Brugère et d'un autre officier. Des tribunes et de la foule, nul cri défavorable. Mais quand passent les généraux Saussier et Ferron (le gouverneur de Paris et le ministre de la guerre), de la foule massée au loin, on crie et on siffle. On siffle Saussier, parce qu'il a fait échec à la popularité de Boulanger, qui lui a infligé, l'an dernier, une peine disciplinaire, pour son indépendance. Ferron prend place dans la tribune du président, et Saussier, lui faisant face, au milieu de la plaine, à cheval, passe la revue. — On acclame avec enthousiasme les Saint-Cyriens, le génie, la garde républicaine, et surtout l'artillerie, — les douze chevaux de front au galop, sur la même ligne, comme un quadrige antique, les quatre bouches à feu, sévèrement parallèles, les huit roues des affûts sur le même axe, l'impassibilité dans le mouvement. — Au départ, les tribunes accueillent Ferron et son état-major, du cri de : « Vive Boulanger ! » répété sur toute la ligne, sans une protestation. — Quand je vois le pauvre vieux bourgeois Grévy, décrépit, ridé, chauve et laid, tremblant de peur au milieu de ses lourds cuirassiers, je comprends bien qu'un peuple amoureux du faste acclame, par réaction, un général, dont le plus grand mérite est d'être jeune et bel homme, d'avoir prononcé des discours énergiques, et de monter supérieurement un superbe cheval noir. Mais quelle honte, pourtant, que ce mannequin puisse faire échec aux grandes idées de la Révolution ! Et penser que

l'inepte chanson de Paulus est pour moitié dans la popularité
redoutable de cet homme, que je crois intelligent, brave, habile, mais sans scrupules, sans moralité, et d'une ambition
liberticide. Misérables idiots qui chantent, à tue-tête : « En
r'venant de la r'vue... C'est Boulange, Boulange, Boulange...
Il reviendra !... etc. » pour faire enrager le gouvernement, et
qui travaillent, sans s'en douter, à se faire administrer les plus
vigoureux coups de botte que jamais peuple ait reçus au cul,
depuis le Corse !...

Suite de lettres de mon oncle Edmond, racontant la traver-
sée, de Toulon à Saïgon.

23 juin : à Oran ; — 24, à Alger ; — 30, à Port-Saïd ; —
21 juillet, Suez.

(Sur le bateau, *le Comorin,* 500 hommes de la légion étrangère. En passant le canal, une dizaine (des Allemands) déser-
tent. Cela arrive souvent. C'est un moyen pour eux d'émigrer
sans frais. Ils s'engagent dans la légion, demandent à partir
pour le Tonkin, et filent, soit dans le canal, soit à Singapour.
Des instructions ministérielles interdisent de faire tirer sur
eux. Aussi se moquent-ils des précautions prises.)

7 juillet, Obock.

(La journée la plus pénible du voyage : un domestique,
enlevé en deux heures par un coup de chaleur, bien que ne
s'étant pas exposé au soleil. — La nuit, mon oncle descend à
terre, et cherche les officiers et fonctionnaires de ce misérable
Obock. Il trouve une case éclairée, 5 ou 6 personnes autour
d'une table : c'est l'état-major. Il entre, se présente ; on l'accueille froidement, et d'un air étonné ; tous sont écrasés de
chaleur ; aucun ne s'est dérangé pour voir arriver le bateau-
transport. Quand ils se mettent à parler, il n'est question que
de leurs misères ; ils ne peuvent dormir qu'à force de dou-
ches ; les vêtements de toile, les draps appliqués sur la peau,
brûlent ; heureusement, il y a un appareil distillatoire et un
appareil à glace. — Dans le village (quelques cases et des

huttes), un Hôtel de l'Univers, avec une salle de café et un billard.)

Mon oncle lit *La Maison des Morts* de Dostoïewski, et me recommande le livre.

Fête nationale du 14 juillet, sur le bateau, dans l'Océan Indien. Retraite aux flambeaux. Aubade. Concert. Théâtre, dont les acteurs sont des soldats légionnaires. — Il est à remarquer qu'à la fin, des passagers civils chantent la Marseillaise, et que cela ne paraît pas plaire à la majorité des officiers ; au cri final de : « Vive la République ! » ils répondent, en le soulignant : « Vive la France ! » Les civils s'en plaignent ; et mon oncle trouve qu'ils n'ont pas tout à fait tort.

Idées Robinsonesques de mon oncle, en voyant les petites îles couvertes de cocotiers, vers l'île de Sumatra.

22 juillet, Singapour.

28 juillet, Saïgon.

« Je suis émerveillé de Saïgon, et je conseillerais à ceux qui nient notre génie colonisateur de venir voir ce que nous avons fait de cette ville, depuis la conquête. S'étendant sur un espace de plusieurs kilomètres carrés, coupé de larges avenues ombragées par de beaux arbres, orné de monuments, comme bien peu de villes en France en possèdent, Saïgon a l'aspect d'une grande ville et grandit, tous les jours. Il y a moins de vie, de mouvement, qu'à Singapour ; le pays est moins beau, pas accidenté ; mais la ville est mieux construite, mieux percée ; il y a moins de commerce, de magasins, mais beaucoup plus de jolies habitations encadrées de verdure. »

Le lendemain, il déchante un peu :

« Je me félicite de ne pas être installé à Saïgon ; on y mène à peu près la même vie que dans une garnison de France ; les rapports entre l'autorité civile et l'autorité militaire sont assez tendus. Les oreilles me cornent déjà de toutes les réclamations, les racontars, les cancans de part et d'autre. Les administrateurs des affaires indigènes, pour la plupart anciens officiers de marine, qui sont bien placés pour juger des choses puisqu'ils sont dans le pays, depuis une vingtaine d'années et qu'ils l'ont fait ce qu'il est, c'est-à-dire une fort belle colonie, prétendent que l'administration civile est en train de tout compromettre ; ils sont froissés avec raison de se voir dirigés par des préfets ou des secrétaires généraux de préfecture, qui n'entendent rien aux choses coloniales, qui ne sont venus que pour palper pendant deux ou trois ans des émoluments considérables et sont souvent d'une moralité fort douteuse. »

Repart le 1ᵉʳ août pour la baie d'Along, où il arrivera le 5. De là, à Duu-Hao, à la frontière du Tonkin, dans le Than.

1ᵉʳ août.

Distribution du grand concours. — Rouvier, avec sa petite tête fine, narquoise, un peu blagueuse. Ferron, l'air d'un colonel de gendarmerie. Floquet, qui rajeunit et pose toujours pour la belle tête. Spuller, plus pataud que jamais. Perrot, prenant toutes les attitudes possibles, (sauf celles qui sont convenables). — Discours de Chantavoine. Une heure de pointes sur l'avantage des études classiques pour les démocraties. Une voix nasillarde, fatigante, soulignant tous les mots. (Dans tous les mots d'un professeur, il y a un effet). — Spuller répond. Il lit fort mal, d'une voix pâteuse, peu soucieuse de la ponctuation. Il se retrouve, quand sa grande honnêteté parle des devoirs envers la patrie. « Ce sont des devoirs austères à remplir, plutôt que des droits à exercer, que la liberté apporte avec elle au peuple qui a mérité de la conquérir. La liberté a ses périls ; c'est le prix dont on la paie aux dieux, disait Montesquieu. Elle est souvent pour un peuple, quand il est sans constance et sans force d'âme, un fardeau lourd à porter ; mais c'est là précisément ce qui fait sa noblesse et sa grandeur. Comme elle ajoute à la somme des efforts que tout homme de bien doit à l'œuvre commune, elle ne lui devient chère que par la responsabilité qu'elle lui impose, au regard de ces concitoyens... » ... « Ayez par-dessus tout le respect de vous-mêmes. Sans mépriser l'heureux emploi des facultés de l'esprit, dites-vous bien qu'il y a plus d'honneur encore à faire un bon emploi des forces de l'âme, et que le *caractère, surtout dans notre temps troublé, vaut mieux que le talent.* Soyez fiers, patients et doux. Destinés à fonder en ce vieux pays, pour l'exemple du reste du monde, le règne de la démocratie, rappelez-vous que *l'on ne fonde rien sur la haine,* et que la justice, la fraternité, l'amour, sont le vrai ciment des sociétés durables. »

Examens de licence ès lettres. J'ai passé, tant bien que mal ; mais Suarès, Bouchard et Legras ont été refusés, et doivent repasser l'examen, à la rentrée ; en cas de nouvel échec, ils seraient renvoyés de l'Ecole.

9 août-7 septembre 1887.

Voyage en Flandre, Belgique, Hollande, Allemagne.
A titre de curiosité, ce petit fait :
Pendant tout le voyage, en Belgique, en Hollande, jusqu'à l'extrême pointe du Helder, nous avons entendu siffler, ou chanter, l'air de Paulus *(En r'venant d'la r'vue.)*
Comme renseignement psychologique, cette notation, de Bruges (11 août) :
« Je suis content de moi et de ma machine : je ne suis pas bien portant ; j'ai mal dormi ; j'ai l'estomac malade ; mais je suis parvenu à me séparer de moi, quand je le veux, et à goûter mes sensations belles et bonnes, d'une façon désintéressée. J'éprouve un plaisir délicieux à me sentir aussi dégagé de ma vie, et maître de la vie. Je ne puis dire combien j'étais heureux, ce matin, en m'éveillant, de me savoir mal portant, et de voir de mon lit un joli rideau de feuillage s'agiter, à la fenêtre. »

Le reste du mois de septembre est passé à Clamecy, dans notre vieille maison près du canal, où mon grand-père s'est réservé une aile. (Le reste est loué à la famille Nolin et à la famille Mignon.)

De ce séjour, je me rappelle surtout une débauche de lectures, grâce à la bibliothèque de la Société Scientifique et Artistique de Clamecy. — J'y lus, entre autres :

Un roman chinois du XVe siècle : *les Deux Cousines,* trad. par Abel Remusat ; — les *Nouvelles* de Alexandre Herzen (l'Aliéné, Par ennui, la Pie voleuse, etc.) ; — *Servitude et Grandeur militaires* de Vigny ; — *Pickwick* de Dickens ; — *l'Evangéliste* de Daudet ; — *David Copperfield ;* — *Tarass Boulba* de Gogol ; — *Mémoires d'un Chasseur* de Tourguenieff ; — *Mon Oncle Benjamin* de Claude Tillier ; — *Oblomoff* de Gontcharov ; — *Souvenirs de la Maison des Morts,* de Dostoïewski ; — *Crime et Châtiment ;* — des romans et nouvelles de George Elliot ; etc.

Après avoir lu le premier volume de *Crime et Châtiment :* C'est sublime. C'est le plus grand des romans russes, à côté de *Guerre et Paix.* Je préfère Tolstoy parce que son art et sa nature d'esprit et de vision se rapprochent plus de ce que je suis et veux faire ; mais cela se vaut. Il faut que j'écrive une comparaison, qui s'est imposée à moi. *Guerre et Paix* me fait penser à l'immensité de la vie ; c'est l'océan des âmes, aux millions de pensées ; et je me sens devenu l'Esprit de Dieu, qui flotte sur les eaux. *Crime et Châtiment* est la tempête d'une âme ; on est comme la mouette, emporté sur une vague énorme, qui vous berce et vous secoue, et tantôt vous éclabousse de l'écume de ses millions de gouttes, qui vous pénètrent le corps, tantôt vous emporte en tourbillonnant dans son maëlstrom. — Je ne trouve pas que le second volume vaille le premier. Je ne sais si je me trompe ; mais j'y trouve, (ainsi que dans les complications d'aventures de *l'Idiot* et des *Possédés*) — une influence fâcheuse d'Eugène Süe.

A propos d'*Adam Bede :* — Les personnages de Tolstoy : c'est un monde inconnu, au milieu duquel on est plongé. Gêne et ennui d'abord, puis curiosité, puis intérêt, puis affection profonde, affermie par l'habitude. — Les personnages d'Elliot : ce sont des amis, que vous ne connaissez pas. J'ai souvent éprouvé cette impression, au milieu de camarades, dont j'imaginais le caractère d'après une idée préconçue, que l'observation journalière devait ensuite ruiner. Quand on a le don de sympathie, on se figure volontiers les autres meilleurs qu'on n'est forcé de les voir, par la suite. Ainsi, dans *Adam Bede,* c'est à la longue que nous découvrons les fautes d'Arthur, les faiblesses même d'Adam.

Avec Elliot, on est toujours deux, pour voir les aventures des autres. Tolstoy s'annihile ; il ne paraît qu'à de rares intervalles, dans les chapitres philosophiques, comme des théorèmes de *l'Ethique,* comme les lois inflexibles qui gouvernent le monde, non comme une personne vivante.

Cf. la façon différente dont Tolstoy et Elliot font un tableau. Chez Tolstoy, il n'y a pas deux points de vue de la scène, il n'y en a qu'un : les choses sont ainsi, non autrement. Avec Elliot, elles sont comme vous les verriez, si vous alliez les voir. Si Elliot veut nous peindre un intérieur, elle entre avec nous, elle regarde les objets du seuil, et les peint non tels qu'ils sont, mais tels qu'elle les voit du seuil. Cf. le chap. *v* d'*Adam Bede :* « Entrons doucement, et restons tranquilles sur le seuil de la porte... » — Tolstoy nous force à être ses personnages. Elliot réserve notre personnalité, la sienne ; et c'est avec elle qu'elle voit et comprend les choses et les âmes.

Je n'aspire, dit Elliot, (Adam Bede, 11, 17), *qu'à représenter fidèlement les hommes et les choses qui se sont reflétés dans mon esprit. Le miroir est doublement défectueux ; les contours y seront quelquefois faussés ; l'image faite ou confuse ; mais je me crois tenu de vous montrer aussi précisément que je le puis, quel est ce reflet, comme si j'étais sur le banc des témoins, faisant ma déposition sous serment... Je ne voudrais pas, même si j'en avais le choix, être l'habile romancier qui pourrait créer un monde tellement supérieur à celui où nous nous levons le matin pour nous livrer à nos travaux journaliers, que vous en viendriez peut-être à regarder d'un œil dur et froid. Les routes poudreuses et les champs d'un vert ordinaire : ces hommes et ces femmes réellement existants, qui peuvent être glacés par votre indifférence ou souffrir de vos*

*préjugés, qui peuvent être réjouis par votre sympathie, sauvés
par votre appui... Je ne suis pas du tout sûr que la majorité de
la race humaine ne soit pas laide. Pourtant, il y a beaucoup de
tendresse et d'affection... Dieu merci, l'amour humain est
comme les puissantes rivières, qui fécondent la terre ; il n'attend pas la beauté, il s'élance avec une force irrésistible et la
porte avec lui... Il y a peu de héros dans le monde. Je ne puis
parvenir à donner tout mon amour à de telles raretés. J'en ai
besoin d'une partie pour mes semblables de chaque jour... J'ai
eu de vrais mouvements d'admiration enthousiaste pour de
bons vieux, qui parlaient le plus mauvais anglais, qui avaient
quelquefois le caractère maussade, et qui n'avaient jamais agi
dans une sphère d'action supérieure à celle d'inspecteurs de
paroisse. La manière dont j'en suis venu à conclure que la nature humaine mérite d'être aimée, celle qui m'a appris quelque chose de sa profonde éloquence et de ses mystères sublimes,
a été de beaucoup vivre avec des gens terre à terre, voire vulgaires. Ces natures d'élite qui aspirent à l'idéal et ne trouvent
dans ce qui les entoure rien d'assez grand pour obtenir leur
respect et leur amour, ressemblent singulièrement aux natures
les plus rétrécies et les plus mesquines.*

— On voit la différence de l'amour de Tolstoy et de celui
d'Elliot. L'amour de Tolstoy s'adresse au Tout, à l'Univers :
d'où sa grandiose impartialité. Celui d'Elliot s'attache à la personne humaine, si humble qu'elle soit, d'où sa tendresse clair-
voyante, mais émue, pour chacun de ses héros.

— A propos des *Récits d'un chasseur* de Tourguenieff : —
un dilettante. Amour ému, frais, brillant, de la nature. Toutes
les espèces de bois et d'oiseaux. Une galerie de portraits contemporains merveilleuse. C'est le matériel d'âmes que nous
verrons jetées dans une action immense, universelle, par Tolstoy. Grande précision, jamais diffuse, toujours habilement
condensée. Chaque petit récit eût pu faire un roman de Tolstoy.

— A propos de *Tarass Boulba* de Gogol : — un poème
épique dans un siècle positiviste. Une *Salammbô*, qui se sou-

vient d'Homère. Comme chez Flaubert, la minutie de la description, le petit détail saisi par un regard aigu, qui veut être
trop exact, et voit trop. Car ce poète est le premier grand réaliste russe. Mais, à la différence de Flaubert, poète par la passion
du rythme et de la couleur, réaliste par l'âme, Gogol reste au
fond poète, poète qui a pris des notes minutieuses, et est exact
— parfois seulement.

— Tolstoy en germe, dans une nouvelle de Herzen : *l'Aliéné* (1848). L'aliéné, malingre de naissance, entouré de soins
exagérés, amolli ; passionné pour la musique, grand pianiste ;
un paquet de nerfs ; bon pour tous ceux qui l'entourent, aimant et timide ; d'une petite femme de chambre, qui a une
belle voix, il fait une cantatrice, lui donne la liberté ; il l'aime
sans le lui dire ; la fille le vole, avec un galant ; il est frappé
au cœur. Il a lu beaucoup, beaucoup de sciences ; il travaille
l'histoire, s'occupe de la maladie du globe terrestre, de la guérison de la race humaine. Haine et dégoût du progrès. C'est
le mal européen, l'épidémie venue d'Angleterre, et propagée
par toute la terre. Célèbre le retour à la nature.

— Très peu de sympathie pour Alfred de Vigny. La première moité de *Servitude et Grandeur militaires* me paraît insipide, poseuse, factice. Le vague, l'absence de précision, l'amour
du terme général pseudo-poétique, des vues étroites, une pensée
mesquine, qui veut faire illusion, et qui y a réussi, par son
énorme confiance en soi. — J'aime mieux la seconde partie,
Grandeur, malgré beaucoup d'emphase creuse. Belle mélancolie. J'admire l'évolution dans le sacrifice, « les transforma-
tions lentes de cette âme bonne et simple, toujours repoussée
dans ses donations expansives d'elle-même, mais parvenue à
trouver le repos dans le plus humble et le plus austère devoir ».

Je note cette phrase, qui prend tout son sens, à l'époque de
Boulanger :

« Telle révolution à demi formée et recrutée n'aurait qu'à
gagner un ministre de la guerre, pour se compléter entièrement. »

— *Pickwick* de Dickens m'assomme. J'ai de la peine à le
lire jusqu'au bout. Dire pompeusement des niaiseries, faire
ronfler des mots dans lesquels il n'y a rien. Une masse de détails bizarres, étouffant la vie. Les détails parlent ; les âmes,
non. Pas une âme vivante ; mais, en revanche, les corps qui
pourraient leur appartenir. Les Anglais, merveilleux par leur
vue incisive des détails puérils et bouffons, qui escortent la
réalité, qui en jaillissent, qui servent parfois à la découvrir,
mais qui ne sont pas la réalité. — Le second livre vaut beaucoup mieux. Dickens finit par s'attacher à son pantin.

David Copperfield. Je pense constamment aux *Souvenirs
d'enfance* de Tolstoy ; et la comparaison ne tourne pas à l'avantage de Dickens. Je n'aime pas que celui-ci prête à son petit
garçon la sentimentalité romanesque d'une jeune fille de 18
ans. Des phrases comme celle-ci me choquent : « Il me sembla
recevoir une commotion, qui partait du cimetière et venait me
frapper au cœur » (lorsqu'il apprend que sa mère se rema-
rie). Combien le réalisme des sentiments est mitigé, atténué,
à propos de la mort de la mère. Dickens ne veut pas voir le
réel, comme il est, parce qu'il n'a pas l'amour passionné du
vrai, comme Tolstoy ; il a ses préférences ; et cela le gêne pour
bien voir.

De plus, son penchant à la caricature le porte à pousser
certains portraits, même sympathiques, jusqu'à la charge.
(Ainsi, « ma tante ».)

Je crois que l'infériorité des souvenirs d'enfance de Dickens
vient en partie de ce que Dickens enfant sortait trop de la
moyenne ; il avait une vivacité d'émotions et de souvenirs qu'il
prête à tous ses enfants. Au lieu que Tolstoy a eu la bonne
fortune d'être un enfant médiocre, et un homme moyen, avec
une intensité de mémoire extraordinaire.

Trop de mélodrame dans ce livre de Dickens, trop de caractères angéliques. Dickens a dit simplement ce qui est simple ; mais il ne sait pas dire simplement ce qui est grand : la
mort, par exemple. Tout de suite, il croit devoir prendre une
pose solennelle : « Pourquoi ces torrents de larmes, cet appel

muet, cette main solennellement levés vers le ciel ? » — C'est moi qui le demande !

J'aime beaucoup la petite Dora.

Les deux écueils auxquels se heurte Dickens sont : 1° le besoin anglais de la charge ; 2° l'idéalisation vertueuse. Il n'a de force que pour aimer ; il ne sait pas haïr, ni voir clairement, en face, la réalité. — Ce n'est pas là mon homme, mon modèle, mon maître. Mais que je l'eusse voulu pour ami ! Et c'est un ami pour moi. Je n'admire pas son génie ; mais je lui suis tendrement attaché. — « Ma chère fleur des champs... Pâquerette chérie... », comme dit Steerforth à Davy.

(Je regrette que Dickens n'ait pas écrit les Mémoires de ce Steerforth, dont le caractère n'est pas sans force et sans vérité. Ni bon, ni méchant, ennuyé, sympathique et dangereux, amoral.)

— *Oblomoff* de Gontcharov. — Le type classique du roman réaliste. Il commence à 8 h. du matin et finit à 4 h. 30 du soir ; il ne sort pas d'une toute petite chambre ; et compte 300 pages. — Avec cela, il est très intéressant, bien que le héros passe sa journée à dire qu'il va se lever, sans se décider à le faire. Suite de rêvasseries interrompues par des visites. Remarquer qu'Oblomoff, et le lecteur avec lui, attendent impatiemment depuis les premières pages l'ami de cœur, le seul, et que cet ami ne paraît pas. — Très réel.

— *L'Evangéliste* de Daudet. — Beau sujet. Pour s'aviser de montrer la violence du mysticisme montant dans un siècle d'incrédulité, il faut déjà être bien intelligent — et avoir de bons yeux, surtout quand on est Parisien (de Tarascon) et un écrivain à la mode ! Ce roman réaliste français, comparé à un roman russe, montre les raisons de notre infériorité.

1° La légèreté parisienne. On ne peut consentir chez nous à languir sur un livre ; il nous faut des caractères nets et une action rapide. Ce que dit Daudet est presque toujours réel. Bien observé. Mais au galop. Mais il en dit trop peu ; il élague ; il laisse des trous dans les caractères, de l'inexplicable dans leur

évolution. C'est esquissé seulement. La clarté à outrance. C'est
Daudet que l'on voit, racontant son histoire vraie ; il la commence parfois, en la prenant par la fin, ou par le milieu (la
mort de la grand'mère). Vient un nom dans la suite du récit.
Parenthèse d'un chapitre. Rapide exposition du caractère nommé. Nouveau nom, nouvelle digression... etc. Ce n'est pas le
vrai réalisme, qui commence non pas avec l'action, mais avec
les personnages, avant l'action ; ainsi, nous les connaissons
dans leur état ordinaire. Ce n'est pas sans peine. On nous laisse
nous débrouiller nous-mêmes, nous faire une idée du personnage, d'après ses paroles et ses actes ; peu à peu, nous nous
intéressons pour ou contre lui ; nous le suivons dans sa vie ;
il nous devient une vieille connaissance. — Les personnages
français nous sont trop vite présentés, et nous les voyons trop
peu. Notre sympathie ou notre antipathie demeure assez ba-
nale. Nous les connaissons vite, nous les oublions de même.
Ils nous font rire ou pleurer, un moment ; mais nous n'avons
pas l'âme prise, comme on l'a dans la vie par le sort d'un
homme, bon ou mauvais, avec qui on a vécu dix ou vingt ans,
côte à côte ;

2° la langue n'est pas celle qui convient au roman réaliste.
Tolstoy se moque du style ; la nature est son maître. Tolstoy
écrit mal, souvent ; l'essentiel est que sa notation soit nette et
fidèle. Daudet lime, aiguise, et brillante. Son style est pailleté,
tourmenté, nerveux, décadent ; c'est un appareil qui décompose la lumière, qui enlève à la nature son unité, qui la soumet à un travail chimique, — travail d'analyse et de psychologue spéculatif, non de romancier qui reflète les sensations
de son héros, sensations le plus ordinairement simples, com-
pactes, non dégrossies. — Voici ce que je veux : vous me dé-
crivez la nature ? Faites-le dans le style et les pensées du personnage que vous y placez momentanément ; et changez de
manière, autant de fois que de personnage. Mais surtout, ne
vous avisez pas d'illustrer, en style décadent, l'en-tête, la bor-
dure et les marges de votre histoire. L'effet est déplorable et
de très mauvais goût.

Mon principal reproche au roman ; c'est que la crise principale est dans l'ombre. Et il la voit du dehors, bien plus que du dedans. Il laisse même dans la nuit l'heure décisive. Eline Ebsen n'est qu'une esquisse. — Mais c'est déjà beaucoup qu'un Parisien affiné ait pu voir (non sentir), cette terrible envolée du mysticisme qui s'annonce et s'affirme.

Au reste, je pardonne tout à Daudet, *pour quelques pages qui m'ont fait pleurer, pour la première fois depuis bien des années :* le prêche du vieux Aussandon à l'Oratoire, le refus de la Communion, la disgrâce qui commence par la désertion des amis, le pauvre grand cœur qui se fond dans l'embrassement de sa femme, la rude paysanne, d'esprit pratique, mais pleine de sentiment du devoir, et fière de son brave homme. *Je ne puis dire ce que cela m'a fait, au cœur. Que c'est beau, le devoir ! Et comme il vaut bien l'art ! Ah ! je veux, je veux faire le bien, plus tard. La sensation pure est trop sèche, trop égoïste. J'ai besoin de pleurer, d'aimer, non pas moi, mais les autres... Que c'est beau, cette scène ! J'aime Daudet, pour l'avoir pensée.*

Le bien, le beau se valent. Qu'ils aillent de pair !

On remarquera combien toutes ces lectures se ramènent à Tolstoy, comme terme de comparaison. C'est sans doute l'époque de ma vie, où j'ai le plus senti son influence, et où son esprit a le plus agi sur le mien.

Je lui avais écrit, deux fois, — la première, vers la Pentecôte (1887), lorsque tout plein de ma récente foi en la Sensation (Dieu-Sensation), je ne pouvais comprendre la proscription de l'art par l'auteur de *Que faire,* — la seconde fois, de Clamecy, à mon retour de Hollande, à un moment où, plein de sensations artistiques, jusqu'à en être écœuré, sentant pour la première fois l'égoïsme qui est dans l'art, et la beauté qui est dans le sacrifice, — des pensées découragées de Herzen tombaient dans mon esprit préparé à les recevoir, et m'inclinant à croire que Tolstoy avait dit la vérité.

Je ne retrouve que quelques notes de ces deux lettres. —
De la première :

*Monsieur, je n'oserais vous écrire si je n'avais à vous ex-
primer que mon admiration passionnée ; il me semble vous
connaître trop bien par vos œuvres pour vous adresser des compliments, presque impertinents de la part d'un enfant, comme
je le suis encore. Je suis tourmenté par l'idée de la mort, que
je retrouve presque à chaque page de vos romans ; je ne puis
vous dire combien votre Ivan Iliitch m'a remué... Je me suis
convaincu que la vie ordinaire n'est pas la vie réelle, puisqu'elle
se termine par la mort, et que la vie ne peut être bonne que
si nous supprimons la mort. La réalité de la vie est toute dans
le renoncement à l'égoïste opposition des vivants et dans notre
union étroite avec l'Unique Vie, l'existence universelle. Que
notre vie s'y fonde. Il me semble que c'est là votre pensée.
C'est aussi la mienne. Je comprends que, pour réaliser ce renoncement à notre personnalité, il faille chercher à éviter les
vaines affections stériles, travailler pour tous : car seule, dites-
vous, la bienfaisance, la charité pratique, le travail corporel,
nous arrachent à la conscience funeste de notre moi égoïste,
nous donnent le seul bonheur, l'ataraxie de la pensée, le sommeil du cœur. Monsieur, cet oubli de soi-même, cette ataraxie
guérissante, je la cherche, je la veux de toute mon âme, et je
crois pouvoir y arriver ; mais pourquoi voulez-vous que ce soit
par le travail des mains ? (Je vais vous adresser la question
qui me tient le plus au cœur.) Pourquoi condamner l'art ? Dites, monsieur, que ne vous en servez-vous au contraire, comme
du moyen le plus parfait pour réaliser le renoncement ? Je
viens de lire votre nouvelle œuvre :* Que faire ? *La question de
l'art s'y trouve remise à plus tard. Vous dites que vous le condamnez, sans donner tous les motifs de votre arrêt. Permettez-
moi de ne pouvoir attendre et de vous les demander. J'ai cru
comprendre que vous condamnez l'art, parce que vous y voyez
un désir égoïste de jouissances raffinées, propre seulement à
grossir démesurément notre moi, en excitant notre sensibilité.*

Je le sais bien, hélas ! que l'art est, pour la plupart des artistes,
un sensualisme aristocratique. Mais n'est-il pas autre chose,
encore ? Autre chose, qui pour certains est le tout ? — C'est
justement l'oubli de la personnalité égoïste, l'absorption dans
l'Unité divine, l'extase. Que peut sur nous la mort ? Nous
l'avons supprimée... L'art est la mort de la mort... Dites si
vous pensez que j'ai tort. Je suis amoureux de l'art, parce qu'il
brise ma misérable petite personnalité et qu'il m'unit à la vie
éternelle... Ne croyez-vous pas que l'art aurait un rôle immense
à jouer, surtout chez les peuples vieux, qui meurent de l'excès
de leur civilisation ?...

Dans ma seconde lettre, je disais que je voyais l'égoïsme
qui subsistait dans l'art, et que je me demandais si le travail
sans pensée, préconisé par Tolstoy, était donc l'unique recours.
Je le conjurais de me dire, « en toute sincérité, si, depuis qu'il
avait trouvé la vérité, il ne lui venait jamais de regrets de cette
existence sans pensée, et si la pensée pouvait être refoulée,
simplement parce qu'on le veut, par le seul fait du travail »...
« J'ai besoin de conseils. Autour de moi, nul directeur moral.
Des indifférents, des sceptiques, des dilettantes. »

Tolstoy me répond une longue lettre de 28 pages. Je la
trouve, le soir du vendredi 21 octobre 1887, en allant voir
Suarès à l'Ecole Normale (où il est rentré plus tôt que moi,
pour préparer son nouvel examen de licence) ; et nous avons
lu la lettre ensemble.[1]

---

1. Elle a été publiée, depuis, aux *Cahiers de la Quinzaine*. L'écriture en
est très grande, très allongée, et liée, égale, peu élégante, sur un papier encore
moins élégant, à larges raies. Des surcharges nombreuses ont été faites, par
une autre main plus fine, (qui est peut-être la vraie, celle de Tolstoï). — La
lettre était adressée à Paris, 13, rue Michelet.

Ç'a été une grande joie pour moi ; j'ai dit, depuis, et je répète que je
n'oublierai jamais la bonté avec laquelle le vieux grand homme s'adressait à
son humble petit frère, et l'extraordinaire oubli de soi-même, qui se montrait
dans ces pages véridiques et secourables.

Décembre 1887.

BRUNETIÈRE.

N'a pas une tête sympathique, ni une voix agréable. Esprit étroit, faux ; peu ou point de goût ; arbore des gilets jaunes stupéfiants, ou des gilets à carreaux de palefrenier de bonne maison. Style logique, fatigant, avec des locutions du XVIIe siècle et des incorrections. Ni finesse dans l'analyse, ni légèreté dans la langue, ni agrément dans la parole. Rien moins que psychologue.

Mais il vit. Il mâche ses mots avec une telle vigueur et jette ses idées avec une telle assurance, les entassant les unes sur les autres, dans un édifice logique, bien cimenté, et qui n'a de fragile que la base, — que ce grand constructeur de systèmes faux nous plaît à tous. Ce n'est pas un empaillé, au moins, celui-là ! Il vit.

Mais quel tyran ! Il avertit chaque élève qui doit lui remettre un travail : « Vous montrerez ceci et cela. Du reste, vous êtes libre. Mais si vous ne faites pas comme je dis, ce sera faux. » — Des violences de langage surprenantes. C'est un homme dans le genre de Guiraud, avec aussi peu de goût, aussi peu de sens des nuances, un besoin aussi impérieux de netteté, et un pareil talent de construction. Encore n'a-t-il pas la largeur de sa critique.

Sa vie est un enseignement, au moins aussi profitable que son cours. Il a débuté par être pion de l'infirmerie, au lycée Louis-le-Grand ; il a été prote d'imprimerie, jusqu'au jour où, au lieu de corriger simplement les épreuves de la revue qui lui étaient confiées, il y ajouta ses idées. Ce fut le début de sa fortune. Il a une énergie admirable. Aussi dit-il à l'un de nous que le travail est tout, même dans les lettres. Il est content et flatté de sa nomination à l'Ecole Normale. « Je suis très écouté ; mes idées font leur chemin. » (A Ravaisson.) Il sera de l'Académie, malgré la brutalité de sa critique.

Il est loin d'avoir la finesse de goût de Lemaître et le dilettantisme d'intelligence de Bourget ; mais il a un trésor d'idées
générales, quelques-unes d'une rare fausseté, presque toutes
originales, et un esprit violent, tyrannique, qui tord la réalité,
qui la plie à sa volonté, qui fabrique avec elle de solides édi-
fices, réguliers, compacts, assez harmonieux. Chacune de ses
leçons est une construction. Mais il y a rarement plus d'une
idée pour deux ou trois leçons.

On sent qu'il a fait son éducation lui-même. Ce qui est
beau dans ses conférences, dans ses livres, comme dans sa vie,
c'est la volonté. Mais la rudesse de son origine se trahit ; il
manque d'un fond d'observations tranquilles, délicates, profondes, creusées à loisir dans la paix de l'esprit, et goûtées
doucement. Artiste à sa manière, dans l'ordre de la volonté
et de l'action, il n'a aucunement le sens de l'art, — sens généralement coûteux, amassé par l'atavisme, ou formé par l'éducation.

Des idées comme celles-ci :

« La cathédrale gothique est identiquement la même, d'un
bout de l'Europe à l'autre ; on n'y sent aucune personnalité. »

Gœthe est un bonhomme, Bernardin de Saint-Pierre un
idiot, un imbécile, Chateaubriand le plus grand nom du XIXe
siècle, et Delille un homme d'un très grand esprit.

Je vais le voir, dans son cabinet à la *Revue des Deux Mondes* rue de l'Université. Au premier. Un petit couloir étroit
donnant sur de petits cabinets ouverts. Deux fenêtres sur une
cour, un jour faible, tamisé par de petits rideaux, d'une blancheur douteuse. Une grande table, avec le tapis vert traditionnel. Une grande carte de France, qui n'est pas toute jeune.
Une masse de livres, sur et sous les meubles, la plupart non
coupés, à peine déballés. — Brunetière, aussi aimable qu'il
peut : ce qui n'est pas beaucoup dire. Il pose des questions, et
y répond le plus souvent. Il porte dans la conversation le dog-

matisme qu'il impose, dans sa critique. Il m'interroge sur la
section, avec cette précision napoléonienne, qu'il a en tout,
(et qui ne m'en impose guère : car elle se condamne fatale-
ment à l'erreur) : « Quel est l'esprit de la section ? De quoi
s'occupe-t-elle ? D'histoire ? De philosophie ? Vos aînés étaient
de grands dissertants. » Je réponds que nous nous occupons
surtout de littérature et d'art, ce qui lui fait plaisir. Je lui
parle de la littérature russe, qui divise notre section en deux
camps. Il le prend légèrement.

— « Ah ! vous suivez la mode ; c'est naturel. »

Puis, comme je proteste que ce n'est pas, chez moi, une
affaire de mode, il me demande si je sais le russe.

— « Non. »

— « Eh bien, on ne peut parler d'une littérature que si on
la lit dans la langue. »

Quelques instants après, il me dit qu'il ne sait pas le russe.
— Ce qui ne l'empêche pas d'avoir des idées très catégoriques
sur le roman russe, comme sur tout le reste.

— « Voyez-vous, c'est comme pour la littérature allemande,
dont je vous parlais, l'autre jour. C'est surfait par la mode.
Avec le temps, on s'apercevra qu'il y a là seulement deux ou
trois noms, deux noms qui subsistent, et dessous chacun, deux
noms d'œuvres. Encore, ce ne sont pas celles qui passent pour
leurs chefs-d'œuvre. »

Il me demande si je suis fixé sur le choix d'une section.

— « Oui, l'histoire. »

— « Et peut-être savez-vous de quel côté vous vous diri-
gerez ? »

— « Peut-être du côté de l'histoire d'Allemagne. »

— « Et peut-être savez-vous encore sur quel point précis
de cette histoire vous vous fixerez ? »

— « Non, je n'y ai pas pensé. »

Tout cela, pour arriver à me dire qu'il n'aimait pas les
gens qui se spécialisaient, qu'il voudrait qu'en seconde année,
on se laissât vivre, on fût « des épicuriens des lettres » — ce
qui est bien, d'ailleurs, aussi ce que je pense.

Dimanche 4 décembre.

Election de Sadi-Carnot.

Nous sommes peu mêlés aux troubles de la rue ; mais l'écho nous en arrive. Jeudi dernier, jour où l'on attendait le message de démission, j'étais un peu malade, et je n'ai pu aller voir, au pont de la Concorde ; mais mon père, (en revenant du Crédit Foncier), y a assisté à une charge de cavalerie : 3.000 personnes hurlant la Carmagnole, que poussait la garde républicaine, à cheval, dans la nuit et le brouillard. Parmi mes camarades, Levrault, qui ne néglige aucune occasion de compléter son éducation politique, s'est donné le plaisir de se faire charger trois fois par les municipaux. Gauckler et Joubin ont croisé, sur le boulevard Saint-Michel, une manifestation de 5 à 600 individus, ayant à leur tête un farceur enveloppé d'une grande houppelande, qui se faisait passer pour Déroulède ; tous gueulaient avec conviction : « A bas Ferry ! A bas Grévy ! » — Vendredi, c'est devenu plus sérieux. Des agents ont été assez gravement blessés ; des cavaliers ont reçu des coups de pierre ou des balles ; et on a joué du sabre. — Ce soir-là, (c'était justement l'anniversaire du 2 Décembre), nous avons, à l'Ecole, procédé à l'élection d'un président de la République. Levrault et Couturat ont, naturellement, parlé. Ferry a obtenu une majorité de 25 voix. — Mais nous nous rendons compte, tous, de la gravité de la situation. Ferry, que nous souhaitons, peut et doit amener une révolution. Michelin a déclaré que si Ferry était nommé, il irait, le soir même, à l'Hôtel de Ville, proclamer la Commune. D'autre part, tous regardent Freycinet comme une canaille. Floquet s'est désisté. Sadi-Carnot ne paraît pas avoir de chances. On n'y pense pas. Cependant, jeudi soir, mon père m'avait dit : « Tu verras qu'il sortira de là quelque chose d'inattendu, Sadi-Carnot, par exemple... » — En effet, à 7 heures, après diverses émotions causées par les journaux que nous faisions acheter, notre caïman Gallois est venu nous annoncer que Sadi-Carnot avait été élu par 590 voix,

Ferry et Freycinet s'étant retirés après le premier tour. Ferry
n'a pas lieu d'être découragé, car Sadi est un Ferryste ; et peut-
être reverrons-nous avant peu Ferry premier ministre. S'il avait
été élu, le sang aurait certainement coulé. Basly, Camélinat,
avec leurs écharpes de députés, cet imbécile de Déroulède, avec
sa Ligue, avaient annoncé leur intention de se mettre à la tête
de la foule. Paris et Versailles sont pleins de soldats. Trois régiments d'infanterie de marine sont arrivés de Cherbourg à
Versailles. Des hussards, venus de Saint-Germain, sont au
Champ de Mars. D'autres troupes, d'Amiens. Les généraux
ont été invités à rejoindre leurs centres de commandement. Sur
le Rhin, l'Allemagne avait massé des troupes. On craignait
une manifestation violente, devant l'ambassade d'Allemagne,
qui était spécialement gardée. — Vendredi dernier, après l'exercice, on nous a fait enlever les culasses mobiles de nos fusils,
et on a emporté nos sabres-baïonnettes, dans la crainte qu'en
cas d'insurrection, la foule ne vînt chercher des armes chez
nous.

Sadi-Carnot est le petit-fils du grand Carnot. Son père est
sénateur inamovible, et a voté hier pour lui.

10 décembre.

Trois coups de revolver, tirés sur Ferry, par un individu,
qui crie ensuite : « Je suis Lorrain ! Je suis Lorrain ! » — Cette
nouvelle nous cause une émotion profonde. Ferry est l'homme
politique auquel je tiens le plus, depuis la mort de Gambetta.
Quelques-uns d'entre nous vont porter leurs cartes, avenue
d'Iéna. Foule considérable. Pêle-mêle de noms. Rosita Mauri,
et le nonce du pape...

20 décembre.

Ferry envoie des cartes aux 74 de l'Ecole, qui lui ont porté
la leur. Et, de plus, une lettre à Gauckler, qui lui avait écrit,

en notre nom. Lettre de rhéteur, d'avocat, arrondie, cicéro-
nienne :

« Depuis le jour où la main de Bersot, cette main qui allait
se glacer bientôt, m'écrivait : veillez sur mon Ecole, — je n'ai
pas cessé d'avoir pour elle une affection particulière ; et, dans
la guerre de sauvages que l'on me fait, c'est une consolation
pour moi d'avoir de mon côté la jeunesse intelligente. »

Un de nos officiers de l'Ecole, le sous-lieutenant Belot, nous
raconte, en ces termes, la part qu'il prît à la guerre de 70, au
combat de Nuits :

« On réquisitionnait tout le monde, dans le pays. Pas
moyen de dire non. Il y avait des sentinelles qui tiraient sur
ceux qui fuyaient. Alors, mourir pour mourir, j'ai mieux aimé
que ça fût de cette façon-là, contre les Prussiens. Qu'est-ce que
vous voulez ? C'était pas de ma faute. »

Fort peu de sympathie de nos conscrits pour nous. Ils ne
nous ressemblent guère. Un seul d'entre eux lit des romans,
comme nous faisions tous, l'an passé. (C'est Selves.) Ils sont
bien plus scolards, et s'entendent mieux avec les cubes.

8 décembre.

Nouvelle évolution de Suarès, dans le sens le plus heureux,
je crois. — Depuis huit jours, sombre, fiévreux, il s'enfermait
seul dans une salle de conférences, avec un peu de pose peut-
être. Il y en a toujours un petit fonds en lui, bien que souvent
d'une façon inconsciente. Impossible de rien tirer de lui. Enfin,
jeudi matin, je l'ai amené à soulager son cœur : « Il ne se suffit
plus à lui-même. Il veut créer et ne peut pas. Ce qui le désespère, c'est qu'il sent ce qu'il faut dire, et qu'il en est incapable. » C'est qu'il n'est pas encore mûr. — A force de questions,
je finis par comprendre que son mal vient surtout de ce qu'ayant
une foule confuse de sensations dans la tête, il n'arrive pas

à y mettre l'ordre, à jeter la lumière dans ce chaos. Il ne sait
par où commencer. Il éclate. — Je lui conseille de jeter sur le
papier, en désordre, tous les sentiments troubles qui l'agitent,
sans aucune préoccupation d'œuvre d'art. Une fois les idées
notées il est relativement facile de les classer. Dès que l'on
sait les éléments dont on dispose, on trouve aisément le lieu,
l'unité, l'âme qui les tient tous. Cette recherche peut même
devenir un plaisir. — Il écoute très attentivement ces conseils,
que je lui donne parce que je me suis rendu compte que mon
grand remède pour moi-même ne lui convient plus : nos deux
âmes, tout en s'aimant, ne sont pas de même nature. La pensée
de l'inutilité des efforts humains, l'importance à mes yeux de
la mort dans la vie, font que la pensée de mon avenir ne me
trouble guère ; et point du tout, le néant de gloire qui m'attend, sans doute : car pour moi, la seule œuvre d'art qui s'impose, c'est la vie ; et je me crois sur le chemin de la réaliser,
comme je la veux.

Depuis jeudi soir, Suarès est tout changé. Il a repris ses
façons amicales, ses gentillesses, le courage nécessaire à la
monotonie de l'existence normalienne. Quelques entretiens
m'ont fait voir que la lecture de *Guerre et Paix,* qu'il avait
achevée, ce même jour, lui avait mis au cœur une consolation
douce, et insinué, pour la première fois, la grande idée morale,
que j'aime de toute mon âme, depuis que je vois en elle le
principe et la source de tout le reste, même du beau. Suarès
n'en est pas là ; il ne la sent pas, comme moi ; mais il la comprend ; et c'est beaucoup, pour qui la trouvait absurde, dans
nos discussions d'il y a un mois, avant la licence. Son Flaubert,
son dieu du mois de septembre, décline visiblement. Il en vient,
aujourd'hui, à émettre, avec son exagération ordinaire, une
idée dont j'ai fait la base de mon étude sur Stendhal : que
l'intelligence est en art chose assez vulgaire, et que ce qui importe le plus, c'est le cœur. — Le voilà donc arrivé au vrai
point de vue du réalisme créateur. L'ironie et le mépris dessè-
chent la vérité. L'art n'est vivifié que par l'amour, la vaste
sympathie de l'esprit.

11 décembre.

J'ai été inquiet, ce soir, en me couchant. J'avais le cerveau pris, les os malades, tous les nerfs secoués et frémissants.

16 décembre.

Nouvelle crise, moins forte, plus longue. La cause occasionnelle en a peut-être été une discussion que j'ai eue sur Tolstoy, avant de me coucher. Je disais que   , (que nous traduisons, en ce moment, de l'allemand) me semble très faible. Au contraire, Mille qui me l'avait prêté, et Dalmeyda, avec sa superficie pointue, déclaraient que c'était ce qu'il y avait de plus beau de Tolstoy, et que ce qui leur paraissait très faible, c'était la page qui termine la première *Scène de Sébastopol*. « Le héros de ce récit, c'est le Vrai. » — « Ç'a été un coup de massue pour moi », dit Dalmeyda, renchérissant sur Mille. Or, cette page de Tolstoy est parmi celles qui m'ont fait le plus de plaisir. Je comprends bien que ceux qui ne l'aiment pas voient dans ce mot : « le Vrai », une abstraction à la française ; au lieu que pour Tolstoy, (comme pour moi), le Vrai est un Etre, l'Etre même, et que sa déclaration est une profession de foi, au sens littéral du mot. — Quoi qu'il en soit, Tolstoy est cause que je souffre ensuite, pendant plus d'une demi-heure, d'une angoisse nerveuse. Je connais trop ce mal. Je l'ai souvent éprouvé, avant ou après une émotion. Ma timidité profonde, je ne l'ai jamais portée dans l'action ; une fois engagé dans une discussion, j'ai toujours été ferme, brave, souvent téméraire, violent ; j'ai trop de foi pour être timide, quand on touche à mes convictions, ou quand j'y touche. Mais cette timidité s'est portée tout entière dans l'attente de l'action. Autrefois, au lycée, même quand je n'avais qu'un mot à dire, quand je savais que je devais le dire, ne fût-ce que mon nom, j'avais cet ébranlement nerveux, dont personne ne voyait rien. J'ai encore éprouvé quelque chose d'analogue dans mes grandes jouissances. Il y a des phrases musicales, il y a aussi des

caresses, qui m'étreignent le cœur, comme la plus terrible
anxiété. Comme Stendhal, avec plus de raison sans doute, je
puis dire que je suis devenu trop sensible : tout me blesse. Je
m'en étais aperçu déjà, l'année dernière. Dans nos discussions,
tout de suite, je devenais pâle ; mes lèvres, mes mains trem-
blaient ; les larmes me montaient aux yeux ; et en même temps
que ma pensée arrivait à une très grande lucidité que je ne lui
soupçonnais pas, elle arrivait aussi à des violences d'expression, dont j'étais affligé plus tard, tout en ne pouvant les regretter, puisque j'avais dit ce que je pensais. Tous mes camarades ont remarqué en moi cette nervosité, ce tremblement ;
quelques-uns m'ont gardé rancune de quelques paroles dures.
Je ne regrette rien ; mais je me sens malade, je ne suis pas
maître de moi, mes nerfs et ma foi m'emportent. — Ce qui est
curieux, c'est que, dans le même temps que mes nerfs sont le
plus convulsivement livrés, mon esprit est paisible ; je vois
toutes les éventualités qui pourraient se produire, avec le calme
le plus parfait. Il y a deux êtres en moi. Moi ? Est-ce bien moi ?
Même quand je veux, le plus fermement, je sais bien que c'est
Lui qui veut en moi, c'est *Lui* qui joue mon personnage, avec
toute la puissance qu'il peut mettre dans ce rôle imparfait et
maladif.

Pages déchirées, sur Suarès, suivies d'une page où je m'ac-
cusais de mon besoin de voir clair, même dans les âmes que
j'aime le mieux.

25 décembre.

A l'Odéon, *Beaucoup de bruit pour rien,* de Shakespeare,
arrangement Legendre, musique de B. Godard. (Paul Mounet,
Raphaële Sisos, Amaury.)
Conversations entendues :
Une dame à son mari : « Est-ce que c'est comme cela, dans
Shakespeare ? »
— « Oh ! non, c'est arrangé. Dans Shakespeare, c'est beau-

coup plus embrouillamini ; c'est une machine dont on ne sort
pas, comme dans *Hamlet*. Tu te rappelles *Hamlet ?* »

— « Oui. »

— « Ça n'en finit plus ; on ne sait plus où on en est. »

— « Moi, j'ai compris. »

— (Goguenard.) « Ah !... »

La pièce ne m'a pas fait le plaisir que j'attendais, sur la foi
des critiques. J'aurais dû penser que si Sardou la trouvait superbe, lui qui comparait, il y a deux ans, *le Songe d'une nuit
d'été* au *Pied de mouton,* c'est que la pièce devait être du médiocre Shakespeare, ou même qu'elle n'en était pas du tout.
L'intrigue principale me paraît trop mélodramatique. J'appelle
mélodrame, une pièce qui amène des situations larmoyantes ou
violentes, par des événements inattendus, sans les expliquer
par la connaissance intime des personnages. Alors, on est pris
matériellement par le décor, l'orgue qui se plaint, une voix qui
pleure, le sujet même de la scène ; ce n'est pas là une émotion
vraiment esthétique. Je voudrais voir Héro, entre les deux
scènes de l'église, et vivre avec son âme. Je voudrais que le
caractère de Don Juan fût dessiné plus profondément, que la
fin fût mieux amenée, etc.

Au reste, je suis absurde. Les comédies de Shakespeare
sont adorables, telles qu'elles sont, — à la lecture. Donner à
ces caprices de l'imagination les contours nettement définis,
les arêtes vives d'un drame, c'est réduire en poussière une œuvre d'art délicate et rare. Les comédies de Shakespeare ne sont
pas faites pour la scène. Ou, il y faudrait beaucoup de musique, des harmonies captieuses et capiteuses, une liqueur qui
vous grise et vous fasse oublier où vous êtes. Mais, pour goûter
pleinement ces rêveries, il est mieux de rêver soi-même, le soir,
près de s'endormir, dans sa chambre silencieuse, une bougie
éclairant tout juste le livre que vous avez devant vous, sur
votre table, le corps las, le cerveau plein des chimères qui tout
à l'heure se condenseront en rêves.

26 décembre.

En allant à l'exercice, j'entends dans le corridor, derrière moi, Mille qui m'appelle. Il arrive, en courant :

— « Pardon, Rolland, peux-tu m'accorder une minute ? »

Il est tout drôle ; bien que souriant, il a les joues plaquées de rouge.

— « Je viens de relire les lettres que tu m'as envoyées, ces vacances ; et j'ai reconstitué, avec, la lettre stupide que je t'avais adressée... Je t'en demande pardon... J'ai à te dire, pour excuse, que j'étais alors à Salies, très surexcité par le traitement, que j'avais aussi une passion ridicule... Je voulais que tu ne pusses pas me juger sur la lettre que je t'ai envoyée... »

Je l'aime bien, pour la contrainte qu'il vient de s'imposer. Mais je ne comprends pas son trouble. Je n'avais rien du tout contre lui.

31 décembre, 11 h. 30 du soir.

J'éprouve toujours, à la fin d'une année, cette étrange sensation — que, le 31 décembre prochain, je ne serai plus là peut-être pour l'éprouver... Sous un sol gelé, blanchi de neige, une nuit grelottante... Mais je ne puis concevoir qu'à cette heure je n'existerai pas, — non pas celui que les miens ont connu, — mais Moi, qui suis tout ce qui est, et ceux que j'ai aimés, et ceux que j'ai haïs, et ceux que je connaissais même pas, de mon vivant... Amen.

3 janvier 1888.

Je finis le second volume du *Journal* des Goncourt. Je tenais à m'édifier sur le compte de ces « Hommes illustres » du XIXe siècle français. Je ne puis dire l'impression de dégoût qui se dégage pour moi des soupers chez Magny. Des déclamations ronflantes et vides, chargées d'ordure, des professions de foi criardes et creuses, un vacarme d'egoïsmes malpropres, dont chaque voix cherche à dominer celle des autres, pour faire retentir quelque mot stercoraire qui ne veut rien dire. Les Sainte-Beuve et les Gautier ne gagnent pas à être vus en déshabillé.

Une seule grande parole dans tout le livre. Un mot de Renan, Renan, qui n'est pas très sympathique, et qui parle peu. (On le représente, à un passage, « un peu effarouché devant cette violence de la pensée et du verbe, à peu près muet, curieux pourtant, attentif, intéressé, buvant le cynisme des paroles, ainsi qu'une femme honnête dans un souper de filles ». — Mais le peu qu'il dit, est d'une résonance grave, qui surprend dans ce choc de pensées vides.

« Et Renan émet le paradoxe que peut-être les grands hommes sont ceux qu'on ne connaît pas, et avoue qu'il admire profondément dans Port-Royal l'Invocation aux Inconnus. Il finit par déclarer que se produire vient de notre bassesse littéraire, et qu'il n'y a qu'une chose de vraie et d'estimable en ce monde : la sainteté. »

Ce livre des Goncourt, mal fait, insupportable par la prétention continuelle, la vanité littéraire, les airs alanguis de l'auteur, qui est bien le personnage le plus insipide qu'il ait créé, — n'en reste pas moins précieux par ces notations intimes où les hommes sont pris sur le vif, sans que le peintre ait crié gare, sans que personne n'ait eu le temps (que l'auteur, comme de juste), de prendre une pose, de se faire une tête, ou, comme Sainte-Beuve, de s'administrer un lavement pour avoir le teint plus frais. — Il est bon de voir de près ces artistes pour arriver sur l'art d'aujourd'hui aux conclusions méprisantes que mon cher Tolstoy a posées, (avec exagération), pour l'art en général.

Remarques diverses :

1° Aucun de ces hommes n'est musicien. « Nous qui n'aimons tout au plus que la musique militaire. » Jugements de Gautier, Balzac, Hugo, Lamartine. Taine fait de Beethoven une des quatre cariatides de l'humanité ; mais il semble parler

musique en normalien, — en homme qui apprend à parler de
ce qu'il ne connaît pas. — A la période des peintres fourvoyés
dans la littérature, je vois succéder celle des musiciens : la
forme y perdra peut-être, mais la pensée y gagnera. — Noter
la différence d'une description toute colorée de Gautier à une
description de Loti, où les impressions de l'ouïe se mêlent
subtilement à celle de la vue. (*Mon frère Yves :* après le bap-
tême ; le soir, campagne bretonne ; paysage exquis.)

2° Tous ces hommes professent le mépris du lieu-commun,
qui est « l'éternel humain », le cœur même de l'art. Au lieu
de chercher à le vivre à nouveau, ils sont perpétuellement à la
chasse d'inédit, d'original ; et ils tombent dans l'extravagance.
Les causeries avec Flaubert roulent sur « l'inconnu des goûts
bizarres, des tempéraments monstrueux... L'amour est couché
sur une table d'amphithéâtre, et les passions passées au specu-
lum ». Le comble, c'est que les Goncourt y voient « un beau
livre à écrire ». — Gautier, Flaubert, les Goncourt, dans leur
haine du bourgeois, cherchent à passer pour « des malades,
des décadents... Nous ne sommes pas Français... Nous sommes
pleins de nostalgie ». — Croyance unique à l'art. « Il ne faut
mourir pour aucune cause. Tout le reste est mensonge et attrape-
nigauds. » — Mépris du XVIIᵉ siècle « si ennuyeux, si antipa-
thique, d'une si mauvaise langue ».

Taine, à ces dîners Magny, fait l'effet d'un diseur de para-
doxes, en osant soutenir les idées qui ont cours aujourd'hui, en
osant critiquer Hugo, et demander à la poésie d'être autre chose
que de la peinture.

Gautier : « Taine, vous me semblez donner dans l'idiotisme
bourgeois. Demander à la poésie du sentimentalisme... ce n'est
pas ça. Des mots rayonnants, des mots de lumière, avec un
rythme et une musique, voilà ce que c'est que la poésie. Ça ne
prouve rien. Ainsi, le commencement de *Ratbert...* il n'y a pas
de poésie au monde comme cela. C'est le plateau de l'Himalaya ».

« Racine faisait des vers, comme un porc. »

« Ils ne savaient rien, au XVIIᵉ siècle. Un peu de latin, et pas de grec. Pas un mot d'art. »

Incapacité totale de psychologie. Gautier, critiquant le *Jésus* de Renan. Il comprend Jésus socialiste enragé. « Ça, c'était un livre, ça pouvait être faux, mais le livre avait sa logique. Il y avait aussi le livre absolument contraire et qui prêtait au moins autant. Mais je ne comprends pas un livre entre l'un et l'autre. »

« Il y a dans les Evangiles, dit Sainte-Beuve, un tas de choses stupides : Bienheureux les doux, parce qu'ils auront le monde. Ça n'a pas de sens. »

L'intérieur de Flaubert : un bric-à-brac, verroteries et Orient, gros Orient. Son premier roman : un jeune homme qui perd son pucelage. Sa collection de documents horribles. Ses causeries scatologiques.

Gautier : « Un homme ne doit jamais laisser passer de la sensibilité dans ses œuvres ; la sensibilité est un côté inférieur, en art et en littérature... Cette force que j'ai, et qui me fait supprimer le cœur dans mes livres, c'est par le stoïcisme des muscles que j'y suis arrivé. »

Taine combat le spleen, « cette maladie spéciale de notre profession ». Les autres lui crient que « peut-être tout notre talent n'existe qu'à la condition de cet état nerveux » etc...

Assez de ces citations, qui me répugnent ! Assez de ces rapins manqués, de ces carabins manqués ! Nous chasserons ces vendeurs du temple.

6 janvier.

Atmosphère amicale, affectueuse, que je sens dans notre petite turne (notre cellule d'Ecole). Les angles se sont atténués. Quatre caractères, les plus dissemblables qu'on puisse trouver : Dalmeyda, avec qui j'eus naguère de violentes disputes ; Mille, que j'ai appris à estimer ; Suarès, dont j'ai douté. Et pourtant, une harmonie intime et singulière. (Je ne crois pas l'inventer, la projeter de moi.) Suarès est adouci, accalmi, avec une bienveillance et une pudeur de sentiments, qui lui est toute nouvelle : il ne les étale plus, il les renferme en lui. Mille, toujours correct, mais avec une délicatesse d'attentions, qui se devine plus encore qu'elle ne se voit. Dalmeyda, toujours grand enfant Bordelais, grand chien bruyant et jappeur, est un peu à part de cette communion d'amitiés ; il y est pourtant nécessaire : car il y introduit l'élément de camaraderie normalienne, sans lequel le bizarre de notre association finirait par nous frapper ; et nous en sentirions la gêne.

7 janvier.

Au commencement de la classe, le cacique Colardeau félicite en notre nom Brunetière, qui vient d'être nommé chevalier de la légion d'honneur. Brunetière est très ému, lui qui ne s'émeut guère. Sa voix tremble, et ses premiers mots très bas sont embrouillés. Il se remet, nous remercie, nous assure de son dévouement et de son travail pour nous. — On sent que ce parvenu apprécie d'autant plus ces distinctions que c'est à la force des poignets qu'il les a conquises.

De la Coulouche, officier de la légion d'honneur. Il est incapable de nous répondre. Il n'a jamais su dire une ligne, si elle n'était écrite.

Boissier rend compte d'un travail de Légras. Il le fait avec une lourdeur et une grossièreté, qui nous révoltent tous. Cet Académicien, qui se croit le droit de nous traiter de haut, ne se doute pas qu'il y a quelque chose au-dessus du succès, et qu'en dépit de ses honneurs et de ses amitiés princières, aucun de nous ne se croit inférieur à lui, en intelligence ; aucun, qui ne croit pouvoir exiger de son professeur, si illustre qu'il soit, tous les égards et toute la courtoisie.

Petite conversation :

DUMAS. — « Tu sais, Dalmeyda, c'est toi qui vas faire le café aujourd'hui. »

DALMEYDA. — « Ah ! mais, mon ami, c'est le cours de Fischer (le cours de danse), aujourd'hui. Je ne peux pas. »

DUMAS. — « Moi aussi, je vais chez Fischer. »

DALMEYDA. — « Mais je ne peux pas, je ne donne pas 5 francs par mois, pour manquer une leçon. Nous allons perdre la leçon, si nous faisons le café. »

DUMAS (*très sérieux*). — « Nous ne la perdrons pas, puisque j'y vais. »

Dalmeyda envoie ses félicitations à Massenet, promu officier de la légion d'honneur. Massenet lui répond par sa carte et quelques mots d'une amitié bizarrement tendre. Cela se termine par : « Et je vous aime tant ! »

Dalmeyda me montre la carte. Tandis que je la lis, il est heureux ; un sourire triomphant, les yeux baissés, rougissant, — une maîtresse qui a reçu une lettre de son amant.

Mélinand revient, à chaque fois plus enivré, du cours de Boutroux, à la Sorbonne. Avec son sérieux habituel, il nous analyse ses impressions. C'est une extase continuelle, une jouissance trop forte. « C'est trop beau... La prochaine fois, lui ou moi, nous y resterons... Mais je crains bien que ce ne soit sa dernière leçon. C'est trop sublime, ce n'est pas humain. Le terrible, c'est qu'il est plus beau que ceux dont il parle. Aujourd'hui, il a été plus beau que Malebranche. La dernière fois, c'était encore bien plus fort, il était plus beau que Spinoza. »

— « Alors, dit Suarès, pour toi, Boutroux est un des plus grands penseurs. »

— « Positivement. »

Et après un silence :

— « Je ne puis comparer l'impression que me cause Boutroux, qu'à celle de Mounet-Sully, quand il est le plus admirable. »

Suarès demande à lire la leçon écrite.

— « Ah ! ce ne sera plus la même chose ! »

— « C'est donc sa voix, son geste, qui t'enchantent ? »

— « Ah ! c'est le tout. »

Beau philosophe ! — Ah ! ça, il n'y a donc que moi d'idéaliste mépriseur de la forme !

Intrigues entre talas et antitalas. Depuis l'élection de l'antitala Gautier, à la présidence du Comité de bienfaisance, l'an
dernier, Blerzy, le candidat malheureux des talas, ne décolère
pas ; et tout son parti cherche un moyen d'obliger Gautier à
démissionner. L'autre jour, Gautier, rentrant à l'Ecole, trouve
chez le concierge Colbert, une lettre pour Rouger, ou, s'il n'y
était pas, à un des membres du bureau de bienfaisance. » Gautier décachette la lettre. — A la séance d'hier, Levrault se lève
et émet cette proposition « qu'à l'avenir, soit déchu de ses
fonctions tout membre qui se permettrait de décacheter les
lettres d'un autre ». — Stupeur générale. Gautier furieux écrit
sa démission. Levrault, visiblement interpellé par le Comité,
dit qu'il donnera sa démission, si Gautier maintient la sienne.
— Nous ne savions rien de tout cela, nous désintéressant complètement des questions religieuses à l'Ecole, lorsque Gauckler
fait irruption chez nous, et derrière lui, Colardeau, Joubin,
Gay, Lorin. Vacarme, pendant quelques minutes. Gauckler,
blême de rage, gesticule et crie, d'une voix rauque : « Il y a
une conspiration contre les antitalas. Je le sais bien ! Je ne
veux pas qu'on cède. Chez moi, les talas veulent que je sacrifie
mes convictions antitalas, mais je ne les sacrifierai jamais. » —
Ils se prennent de bec, lui et son cher ami Gay, et le sympathique Lorin. — Après beaucoup de cris, on décide qu'on met-
tra Levrault en demeure de démissionner, sans conditions. —
Ce qu'il a fait, ce matin, à la séance extraordinaire du bureau.
Le Comité a accepté sa démission et prié Gautier de reprendre
la sienne. — Ma section demande de me porter comme candidat, à la place de Levrault. Je refuse.

Curieux caractère de Gauckler : mélange d'hypocrisie am-
bitieuse et de franchise violente.
Levrault affamé de scandale : — « Si tu savais quel effet ça

a fait ! », disait-il, le soir, en parlant de sa pétarade. « Tout le monde en a été tué. »

Le professeur de littérature grecque, Weil, le petit vieillard juif, trotte-menu comme une vieille petite souris au nez pointu. — A sa dernière classe, on sonne pour le médecin. Quatre ou cinq élèves sortent à la file. Weil s'effare :
— « Quel est donc cet... (cherchant le mot) Exode ? »

15 janvier.

On aura peine à comprendre plus tard la situation morale dans laquelle nous aurons passé notre jeunesse, nous, la génération née de 66 à 72. Ceux qui ont vécu, avant, ceux qui vivront, après, ont eu, auront toujours l'idée de la mort qui peut venir, à tout instant. Mais c'est une mort indécise, indéterminée, vague, générale. Pour nous, elle est toujours présente et précise : c'est la guerre. Depuis 1875, le pays vit dans l'attente de la guerre. Depuis 1880, la guerre est certaine ; elle est imminente. Soldats sacrifiés d'avance, nous sommes campés, partout où nous sommes ; nos sacs ne sont pas entièrement défaits ; à tout moment, nous attendons l'ordre de partir. Impossible de faire des projets d'avenir. Le travail dont j'écris la dixième page, je ne sais pas si j'aurai le temps d'arriver à la trentième. L'idée que j'entrevois, pourrai-je jamais l'approfondir ? — C'est pourquoi il nous a fallu, au plus tôt, être en règle avec la visiteuse menaçante, vaincre la mort en l'absorbant, nous retrancher en une vie plus haute, en une foi d'airain contre laquelle ses dents se brisent. Mais qui dira les angoisses par où nous avons passé avant d'atteindre cette foi ?

Un de mes projets, — si je vis, — est d'écrire une histoire, d'une espèce toute nouvelle. Comme époque, je choisirais la seconde moitié du XVIe siècle, les guerres de religion et de la Ligue. Voici pourquoi : — d'abord, une foule d'individualités puissantes, complexes, agissantes. L'histoire réaliste n'est pas

écrite. Je vois des scènes aussi belles que les plus belles d'un
roman russe : ainsi, Poltrot de Méré, parlant de son futur attentat, devant Coligny muet : une scène sans paroles, quelques
regards, deux entretiens différents, et parallèles : celui de la
bouche, qui dit des mots ; celui des yeux, qui disent des actions, agissent, font agir, suggèrent le crime. — Et puis, de
cette histoire où je me suis enfoncé, depuis un mois, je vois
surgir une grande idée, où se fondent la multiplicité des sentiments contradictoires. Quand je lis les lettres ou les Mémoires
d'un des personnages engagés dans la lutte, tous ceux qui lui
sont hostiles me deviennent odieux ; il y a une vigueur communicative de passions, qui fait que je m'incarne en lui, contre
ses ennemis. Mais quand je prends ensuite les lettres du personnage ennemi, je me mets à l'aimer ; et, de vrai, il le mérite.
Tous les grands acteurs de luttes sanglantes, généralement haïs
ou méprisés, ont dans l'âme des parties excellentes ; tous, ils
aiment quelqu'un ou quelque chose ; et c'est pour cela qu'il
faut les aimer. Mais leur sympathie ne s'ouvre pas assez, pour
leur faire sentir celle qui rayonne autour de leurs ennemis.
Chacun reste enfermé en soi et dans ceux qui sont le prolon-
gement de soi, ses enfants, ses fidèles.

Un seul moyen de bien comprendre et de bien peindre les
personnages historiques : c'est de les aimer. Le réalisme sans
la sympathie est une flamme sans feu. La raison en est simple :
le principe de l'être est de s'aimer, de toutes ses forces, et d'as-
pirer à son plein développement. L'historien doit donc avoir
cette sympathie suprême, qui peuple son cœur de tous les égoïsmes de ceux dont il épouse les âmes.

Je ne serai jamais aussi loin de la vérité, en aimant Catherine de Médicis, qu'en la méprisant. Car, en l'aimant, je me
rapproche de son âme. On ne juge bien des actions des gens
qu'en se plaçant à leur point de vue. Ce point de vue, n'est-ce
pas toujours un grand amour de soi ?

L'amour de soi est bon, est saint ; c'est une part du grand
amour de l'Etre pour l'Etre. Mieux vaut sans doute s'aimer en
Dieu, aimer Dieu ; mais ce n'est à la portée que de quelques

mystiques. Au lieu que cette part du divin, si petite soit-elle,
est à la portée de tous. On a tort de la flétrir du nom d'égoïsme.
C'est, dans la masse des âmes, le seul rayon de Dieu, une étin-
celle du grand Amour. Et je voudrais bien savoir ce que serait
le monde, sans ces égoïsmes que je bénis d'autant plus que le
mien me gêne moins ! L'égoïsme est le moteur du monde. Et
Dieu est le grand égoïste. C'est qu'en lui, l'Amour de Soi est
l'amour des autres. Il Est. En dehors de lui, il n'y a rien. Son
amour est l'expression de la plénitude de sa vie.

De la réalité du monde extérieur, dans mon idéalisme.
Je ne vois, je ne sens que des âmes. Mon Moi divin se
donne d'infinis spectacles, d'immenses symphonies, dont mon
moi humain est une note, un son, — (dont les vibrations sont
modifiées par les sons voisins). — Je joue un rôle, limité par
les rôles qui m'entourent. — Comment est-ce que je les vois ?
Comment vois-je mes voisins ? Comme des rôles, ou comme
des âmes ? — Comme des rôles, et cela d'autant plus qu'ils
s'accordent moins avec le nôtre, qu'il nous sont plus étrangers
ou ennemis. En somme, nous ne sentons bien qu'une âme : la
nôtre. Nous avons tort. Et nous n'avons pas moins tort, en ne
regardant les autres que comme des rôles. Chaque être est à
la fois une âme et un rôle. Je veux dire qu'il est une incarnation passagère, mais profondément vivante, du Dieu-Tout.
En quoi consiste donc le monde extérieur ? — Uniquement
en ceci, que nous voyons les autres âmes, de notre être individuel comme centre, et non pas de l'Etre total ; — en ceci, que
nous n'en jugeons que d'après les sensations imprimées sur
notre moi humain, et non pas d'après la force divine qui anime
les autres moi humains. C'est l'effet de notre condition actuelle.
Mais, en remontant aux sources de l'Etre, je puis déchirer ces
voiles qui m'aveuglent. Il n'en est rien dans la nature qui ne
mérite mon amour : un arbre, autant qu'un homme. Si l'arbre
que je vois de la fenêtre de ma turne m'est indifférent, et si
j'ai près de moi des camarades que j'aime, c'est que l'arbre
n'existe pour moi que comme une petite sensation colorée, au

lieu que mes amis ont une part active à ma vie ; et que je juge
de la vie des autres, d'après l'impression que j'en reçois. —
Mais c'est du fond de l'Etre éternel, qui est également en moi
et en eux tous, qu'il me faut les juger, les voir et les sentir. —
Dès lors, tout est Amour ; l'herbe qui pousse dans le jardin
que j'entrevois, n'en est pas plus indigne que l'ami qui me
parle, en souriant.

Mais j'ai raison, tandis que je vis, de donner la préférence
aux miens, — à ma famille, mes amis, ma patrie, mon humanité, mon univers, — sur tous les autres. Car si nous sommes
tous des personnages, que joue l'Etre divin, je serais fou de
vouloir me détacher tout entier du mien ; et mon personnage
me lie à certains autres, dans la vie. Je serais insensé de m'arracher la joie qui m'est accordée de pouvoir les bien comprendre et les bien aimer, pour l'inutile essai de comprendre et
d'aimer des êtres trop lointains, trop différents de moi. Patience ! Je les pénétrerai plus tard, dans l'universel concert
de la Vie totale. — Aimons bien les nôtres. Ils sont nous, nous
sommes eux, nous participons au même Dieu ; et c'est en Dieu
qu'il vaut mieux nous aimer. Mais cet amour divin s'indivi-
dualise en chacun de ces êtres aimés, prend des contours précis,
des nuances personnelles, qui en augmentent le charme et la
douceur.

Autres raisons de les aimer, de préférence aux autres :

1° la possibilité de se sacrifier aux autres, seulement complète, lorsque le sacrifice est fait à des êtres de notre nature ;

2° la nécessité de rendre l'amour à l'amour. L'amour n'a
toute sa plénitude, qu'entre deux êtres qui s'aiment entièrement. Ils font échange entre eux de leur personnalité. Quand
l'amour n'est point payé de retour, celui qui aime épouse la
personnalité de l'autre et garde, hélas ! la sienne.

— En conclusion : le monde extérieur n'a pour moi aucune
existence profonde. Rien n'existe que des âmes, qui ont conscience d'elles-mêmes et des autres, soit en Dieu, soit dans leurs
petits mondes fermés : — et c'est seulement dans ce dernier
cas que nous sommes abusés par l'illusion de l'extériorité.

Pour étudier Henri IV, Dalmeyda me sera utile. — Cela semble cocasse. Mais (en mettant à part la différence du petit au grand, du talent au génie, — qui n'est, à mon sens, qu'une différence de degré) il y a beaucoup de l'un dans l'autre. Je parle du moule et de la pâte physique et morale.

« Cet homme de tant d'esprit, sensible, toujours la larme à l'œil, était le plus oublieux, le plus léger, le plus ingrat. »

(Michelet. X. 24)

22 janvier.

Visite à M. Guiraud, qui nous quitte, pour aller à la Sorbonne, où il vient d'être nommé. Il n'en est pas du tout réjoui. (C'est une question de traitement qui lui a dicté son choix.) — Il est charmant pour moi, m'interroge sur ce que je veux faire, est très content de mon choix du XVIe siècle, qui est pour lui le siècle le plus intéressant, parce que c'est le plus rempli de personnalités. L'histoire n'en a pas été écrite. Ainsi, le personnage de Coligny, dont Delaborde fait un saint : il n'y a pas de saints en histoire. Il dit que mes qualités d'esprit et de style conviennent parfaitement à cette époque ; qu'il faut prendre garde seulement à ne pas exagérer le rôle des individus, au détriment des masses : mettre cette sourdine à mes travaux, que presque toujours les masses dirigent les hommes. — Je parle de Suarès, qui prendrait le XVIe siècle italien. Moi, le XVIe siècle français (et dans ses rapports avec l'Allemagne et l'Angleterre). — Il m'assure que Suarès ne court aucun risque d'être « précipité » de la section d'histoire, (comme je lui en exprime la crainte) ; — que d'ailleurs, bien qu'il n'ait plus le droit d'intervenir aux réunions des professeurs de l'Ecole, il paraîtra dans les coulisses, influera sur le directeur. — Ne pas s'inquiéter.

Dumas, protestant, non croyant, de Nîmes, me parle de ses coreligionnaires. Deux Eglises protestantes françaises : les orthodoxes et les libéraux. Les premiers se rattachent à Mont-

pellier ; les autres, à Genève. Parmi ceux-ci, un très grand
nombre ne croient pas à la divinité du Christ. Le pasteur athée
peut même se rencontrer. — En revanche, les orthodoxes font
plus de bruit qu'ils ne sont nombreux. Dumas les déclare as-
sommants, et dit qu'il a plus de plaisir à causer avec un curé
qu'avec un pasteur, qui, au bout de dix minutes, vous parle
de l'Evangile et vous fait la morale. — A Nîmes, la société,
protestante, ne reçoit aucun fonctionnaire catholique. On ne
fait d'exception que pour l'élève de l'Ecole Normale, nommé
professeur dans le pays.

Au fond, il y a autre chose que le désir de m'instruire,
dans les lettres que j'ai écrites à mes grands hommes : — c'est
le besoin de sentir, un instant, ces âmes plus pleines battre à
l'unisson de la mienne, palpiter en moi.

Nuit du 28 au 29 janvier.

22 ans. Je vais les avoir. Je ne sais si je suis jeune ou vieux :
ces mots n'ont pas grand sens pour moi. Je m'abîme de plus en
plus dans la sensation de l'Etre unique. Ce n'est pas qu'elle
soit plus vive à présent qu'il y a quelques mois. C'est peut-être
le contraire. Mais elle est beaucoup plus fréquente ; elle devient habitude.

De plus en plus, je sens la négation de mon existence individuelle. Et cependant, de plus en plus, dans la vie, mon individualité m'entraîne. Je deviens égoïste, tout en connaissant
la nullité de l'égoïsme. — Dieu, et mon rôle à jouer : rien en
dehors. Je souffre de l'ardeur brutale avec laquelle je me sens
poussé à jouer ce rôle. — J'attends une réaction : car je suis
las de moi. Mais ce qui fouette mon énergie égoïste, c'est la
nécessité de répondre aux espérances de quelques vies (celles
de mes parents), et d'assurer une autre vie... Ah ! si j'étais
seul ! Tout changerait de face. Il est probable que je me li-
vrerais à ma foi, au mysticisme, à l'art, au sacrifice. Mais mon

rôle est enclavé dans des scènes que je n'ai pas faites : il faut
bien s'y soumettre.

22 ans !... Avec le double de cet âge, je serai près de ma
fin. 44 ans. Si je vis jusque-là, je ne puis guère durer beaucoup
plus. — Dire que lorsque j'étais à mon petit collège et que
j'entendais parler d'un homme de 22 ans qui venait de mourir,
je ne le trouvais pas trop à plaindre : car il avait vécu, lui!...
J'ai donc vécu, moi ?... Niaiserie que cette vie ! Et qu'il faudrait
être dénué de bon sens pour y voir autre chose qu'un masque,
un personnage, une incarnation de théâtre !

29 janvier. — *La Tosca* de Sardou, à la Porte Saint-Martin.

Sarah, plus charmante que jamais. Elle est jolie, jolie, jolie,
au premier acte, avec son grand chapeau et son costume Direc-
toire et les gerbes de fleurs qu'elle porte si gentiment. Elle a
rajeuni, depuis deux ans. Dans *Hamlet,* elle était fatiguée. La
voici fraîche, vive, impatiente, passionnée, capricieuse. La première scène des deux amants est d'ailleurs la meilleure partie
de l'œuvre.

Le nom de Sardou évoque pour moi l'idée du théâtre le
plus matérialiste qui soit. Il n'est pas sans talent. Il saisit bien
la réalité extérieure ; mais rien de plus. Il ne connaît que le
corps, et l'exploite. C'est par le détail matériel qu'il vaut, uniquement. Les âmes qu'il peint n'ont aucune vérité ; mais l'atmosphère, autour est réelle, et donne, par moments, l'illusion
que l'on est d'un autre temps et d'un autre âge. Cela tient
d'ailleurs beaucoup moins au texte écrit qu'au texte réalisé,
par son génie de metteur en scène. Ainsi, la fin du premier
acte ; le superbe décor de l'église, la chapelle latérale dont
Cavaradossi peint une muraille, le chœur en face, la foule qui
prie (ces foules qui manœuvrent si bien, dans toutes les pièces
de Sardou), les orgues, les chants du rituel romain, tandis que
les conversations des acteurs principaux se déroulent, sans qu'il
y ait un lien entre leurs paroles et les pensées de la foule. Un
luxe extrême, mais tel qu'il ne frappe pas les yeux ; d'un
goût parfait ; et surtout, l'expression du décor est adéquate à

la pensée de l'auteur. — Puis, il n'y a que chez Sardou qu'on trouve des foules vivantes et réelles.

Sardou, qui ne connaît que le corps, connaît à merveille les nerfs ; et il en joue, comme un virtuose d'un clavier ; il a pour eux, dans chaque « opéra », des scènes de torture, des viols, des tueries. Il ne s'en tient pas là ; il a des raffinements de cruauté, de petites barbaries. Personne ne sait, comme lui, faire haleter le spectateur par la vue, ou le récit savamment féroce d'une torture, par l'attentat du coup de feu, du coup de couteau ou de l'épingle, qui va tuer. — C'est déjà assez bas. Mais ce qui l'est encore plus, c'est son exploitation d'une femme, depuis des années, — ce ruffianisme artistique. La Tosca, comme Théodora, n'existe que pour et par Sarah Bernhardt. Chaque tableau est divisé en deux parties : la première, inutile, et sans intérêt, où elle n'est pas ; la seconde, où il n'y a plus qu'elle. Et le plus fort, c'est que depuis la fin du troisième acte, il n'y a presque plus d'elle que ses cris, ses spasmes, ses sanglots.

Et avec tout cela, ce qui m'étonne le plus, ce n'est pas le succès de Sardou ; c'est qu'il n'en ait pas encore davantage. Son drame est bien au point, pourtant, bien adapté, semble-t-il, à la médiocrité française : un parfait réalisme matériel, d'une part ; de l'autre, des conversations scientifiques, historiques, etc., relevées, comme toujours, d'une pointe de chauvinisme, — cela compose un plat qui devrait être au goût du jour. Et cependant, Sardou réussit juste autant que joue Sarah Bernhardt. C'est donc qu'il y a au fond de ce public grossier un idéalisme latent, qui ne demanderait qu'à être éveillé ?

4 février.

Je souffre de ma sauvagerie. Je ne saurais parler, que pour dire ce que je pense ; et, dans la société, je ne le puis sans être impoli ou ennuyeux. Il ne me reste qu'un parti : approuver mon interlocuteur. A quoi bon discuter ? Il ne me comprendrait pas ; et je risquerais de lui faire, inutilement, de la peine. Mais c'est un rôle insipide que celui de confident de tragédie ; et je ne m'y résigne pas. Je me recroqueville en moi ; et j'ai envie de pleurer d'ennui, de fatigue de vivre sans voir plus clair, sans respirer plus largement. Alors, mon dangereux mysticisme m'aspire. Je me sens sucé par l'Etre ; et je n'y trouve pas de charme. Il me semble qu'on m'arrache ma peau, comme à saint Barthélemy. J'ai beau souffrir de cette existence ; je l'aime, et je veux vivre.

6 février, le soir (vers 5 heures).

Jamais mon ennui n'a été si lourd. Je suis las de mon rôle. J'ai vu devant moi mon avenir, mon avenir le plus heureux, tous mes souhaits réalisés. Rien ne me plaisait plus ; tout m'était indifférent. Si bien que la pensée que peut-être je ne mourrais pas n'a fait que redoubler mon ennui. A quoi bon, tout ? A quoi bon l'ambition, l'amour, l'amitié, l'art, la pensée, — non pas si je dois mourir, — mais même si la mort n'est pas ? Que signifie cette existence, que je ne puis nier ? Pourquoi cette sensation présente de l'Etre, même, — surtout — si elle dure ? — C'est à devenir fou. Il faut que ma volonté intervienne, pour m'empêcher de remuer sans cesse une tristesse et des doutes, dangereux pour ma raison.

Même jour (11 h. du soir).

Ce soir, en me couchant, j'ai réfléchi. Mes pensées étaient autres, plus calmes, plus sereines, presque souriantes. J'ai revu le divin bonheur de l'Etre éternel. — Mon mal (mal terrible) est de m'être ouvert les yeux à demi, d'avoir dissipé l'illusion, de vivre dans la conviction (devenue habituelle) que ma vie est un rôle. Et lorsqu'il y a quelques heures je pensais à l'ennui de ne pas mourir, d'être éternel, c'est que cette éternité, je l'attribuais sans réfléchir à mon rôle, si fastidieux, quand on a une fois goûté par avance les délices de l'Etre divin. Au lieu que ce qui durera, ce ne sera pas ma vie individuelle, étroite à n'y pouvoir tenir, à n'y pas respirer, c'est l'Etre qui est au

fond. — Je suis dans les conditions les moins avantageuses.
De deux choses l'une, — ou il faudrait jouer mon rôle, sans
penser que c'est un rôle, avec une conviction absolue ; (et cela
ne m'est plus guère possible : car je crains bien que, pour n'y
plus penser, il faille *ne pas savoir* ; — ou du moins, il me faudrait une longue habitude de vie active et violente) ; — ou
bien, il faudrait m'absorber tout entier dans l'Etre, m'y perdre,
mourir. Mais concilier les deux ; avoir la force de jouer mon
personnage, en sachant que c'est un personnage : il faut un
rude cerveau, pour le pouvoir supporter. Songez qu'en ce moment, quand j'agis, dans mon action même, je supprime mon
moi ; je sais que c'est *Lui,* qui agit. — Terrible rôle que le
mien !

11 février.

Bal de l'Hôtel de Ville. — Cette foule énorme (les journaux disent : 16.000 personnes), avec des courants, des vagues,
des spirales, comme une mer. Quand la valse commence, ce
sont des tourbillons circulaires, au milieu des grands courants
des deux côtés. Puissante polyrythmie. — Pas assez d'unifor-
mes, de notes vives. Du haut des tribunes, l'harmonie de couleurs est un peu pâle, diffuse. Salons blanc et or, lumière électrique, cristal des lustres : une seule et belle note claire, comme
un son de harpe. Tableau plus lumineux que coloré. — Rencontré les camarades d'Ecole, Dumas, Dalmeyda, Bouchard,
Gallouédec, Mirman ; — mon ancien camarade de Clamecy,
Boidot, en polytechnicien, toujours le même ton sûr de lui-
même, décidé, tranchant.

Lettres très intimes, écrites à mon oncle, au Tonkin, — et
que mon oncle a déchirées (par indifférence).

En terminant ce cahier, je me reproche de n'avoir pas parlé
des miens, que j'aime pourtant de tout mon cœur. Mais à vrai-

dire, je n'ose pas bien écrire tout ce que je pense. Si ces lignes leur tombaient un jour sous les yeux, ils pourraient s'en affliger.

Février 1888.

Horoscopes, pris par l'un de nous :

Romain Rolland :

Fera un roman réaliste, sans idéalisme, sans philosophie, mais rempli d'amertume. Ce sera « l'œuvre ». — Conservera sa foi panthéiste. — Aura une grande passion, en souffrira beaucoup, ne s'en consolera pas. — Ne fera pas de critique. — Ecrira des Mémoires psychologiques. — Navrera les bourgeois par son œuvre. Les attendrira par ses Mémoires. Aura une grande influence sur les contemporains. Se chargera de défendre la mémoire de Suarès. — S'assombrira de jour en jour. Atteindra à une sorte de nirvâna, par la passion, et plus encore par la raison. — Ne conservera pas le même amour pour la musique. Peut-être pour Wagner. Moins pour Beethoven. Moins surtout pour Schumann. Mourra vers 51 ans. (?)

Suarès :

Ne se mariera pas. N'aura pas de grande passion, et en mourra. — Ecrira un drame lyrique, un *Faust* grandiose. — Deviendra fou, à 27 ans. — Mourra, à 39 ans.

(Le plus étrange de ces horoscopes annonçait que des cinq compagnons : Suarès, Mille, Dalmeyda, Dumas, Rolland, le premier qui mourrait serait Mille, — qui nous semblait alors le mieux fait pour vivre — et nous survivre.)

Mardi gras 14 février.

Rencontré, à l'inauguration de la salle des Portraits, au Louvre, le président Carnot. Taille ordinaire, figure ordinaire, extérieur ordinaire, teint un peu jaune, bilieux ; très grave, très froid.

Fait visite à Gabriel Monod, — à Versailles, 18 *bis* rue du Parc de Clagny. — Il parle de Wagner qu'il a connu intimement. Il assistait aux 24 représentations de 1876, à Bayreuth. Il dit que Wagner y a bien montré comme il était au-dessus des succès bruyants et faciles. Rien n'était plus aisé que d'intéresser le chauvinisme allemand à sa victoire. Il s'en est bien gardé. Au banquet après les fêtes, il a exigé qu'aucun toast ne fût porté à la santé de l'Empereur. Plus que les œuvres mêmes, Monod admire la révolution artistique, accomplie par Wagner. Ce qu'il y avait d'incomparable chez lui, dit-il, c'était la volonté, — « une volonté napoléonienne ». — En revanche, un respect outré de ses théories, qui le rendait implacable, même pour ses œuvres. Sa femme eut beaucoup de peine à l'empêcher de détruire le chœur de la *Gœtterdaemmerung*.

Copie d'un long discours en allemand, de Bismarck, au Reichstag, le 6 février 1888.

22 février. — Un fait curieux de suggestion mentale.

A la fin de l'étude du soir, vers 8 heures, Renel entre dans notre turne, sans aucune raison. Il vit seul, depuis le commencement de l'année, dans une turne à part ; et bien qu'il soit égoïste et peu bavard, cette solitude lui pèse, à la longue, le surexcite. Il est à la fois très robuste et très nerveux. C'est un gros jouisseur ; et l'abstinence à laquelle il s'est condamné depuis quelque temps, le détraque un peu.

Je travaille, ainsi que Mille. L'unique interlocuteur est Dalmeyda. Renel, debout à côté de lui, de l'autre côté de la table, s'adresse à lui seul. Ils parlent de choses indifférentes. Quelques mots les amusent. Renel éclate de rire, sans raison, gambade, s'appuie des deux pattes de devant sur la table, pour faire des bonds énormes ; il est extrêmement nerveux. « Je ne sais pas ce que j'ai », dit-il.

A ce moment précis où, appuyé sur la table de Dalmeyda,

le corps penché vers lui, il vient d'exécuter une grosse gambade, Dalmeyda dit, au hasard, et sans attacher aucun sens à ce qu'il croit une plaisanterie :

— « Dis donc, Renel, connais-tu une jeune fille... (Il cherche des détails ; et, au lieu de prendre les plus simples, il s'amuse à en chercher d'assez rares)... une jeune fille avec une robe jaune, des yeux bleus tirant sur le gris, et forte d'épaules ? »

Renel, sans réfléchir, éclate de rire :

— « Tu aurais dû mieux choisir tes nuances... Une robe jaune... »

Puis brusquement, il devint sérieux :

— « Attends... attends... Mais c'est vrai... mais je me rappelle parfaitement... une jeune fille qui avait une robe jaune, ...des yeux bleus un peu gris... et très forte d'épaules... »

Nous éclatons de rire. Renel rit aussi, mais nerveusement ; et cela finit presque par des larmes.

— « Oh ! laissez-moi, laissez-moi, j'ai une crise de nerfs... »

En y réfléchissant ensuite avec lui, quand il était calmé, nous avons remarqué les faits suivants :

1° Il dansait devant la table.

2° Il avait dansé avec la jeune fille en jaune.

3° A l'instant où, par association d'idées inconscientes, l'image de la jeune fille lui réapparaissait, penché sur Dalmeyda, il la lui communiquait.

4° Renel se trouvait dans un état de surexcitation aiguë, où ses images devaient être très vives (bien qu'inconscientes). Dalmeyda était dans la passivité absolue, — un rire sans pensée, guettant chaque mot de Renel pour le happer et s'en moquer. Donc, les meilleures dispositions pour donner et recevoir.

Hier soir, m'habillant dans ma turne de dortoir, j'entendais, dans une chambre voisine, Colardeau siffler la valse de *Faust*. Je sors, je passe la journée du lendemain chez moi. J'ai tout oublié. Je reviens, je monte au dortoir, je m'approche de ma cuvette. Mon cerveau chante aussitôt la valse de *Faust*.

Même Tolstoy m'abandonne. C'est-à-dire que je l'abandonne. C'est un homme comme les autres. Et sa réforme de l'art est une réédition de celle de Rousseau, plus sincère, et faite par une nature qui y était mieux préparée. Les préoccupations morales l'emportent trop, chez lui, sur les préoccupations artistiques ; je ne puis adopter sa pensée intégrale. — En ce moment, je n'ai plus personne de qui vivre. Je n'ai plus que mon Idée à moi. Elle m'absorbe. Je la redoute. — Chez moi, on attribue à des boutades, à des caprices, à de la méchanceté peut-être, ce qui est de l'angoisse et de la maladie.

Malgré tout, je suis sûr de ma vérité. Oui, Dieu est bien comme je sens qu'Il Est. Vous tous (l'Etre), vous n'êtes qu'une même âme avec moi. Rien n'existe que Dieu, — ce Dieu que chacun de vous, comme moi, porte au fond du cœur.

23 février. — Exposition de la rue Volney.

Ribot, nommé au collège de France. Dumas va le féliciter. Ribot lui débite un tas de petits potins sur ses confrères. Il lui raconte son élection et le blackboulage de Joly. Ravaisson, disant : « Ribot est matérialiste ; mais Joly est trop vide. » — Nourrisson, disant : « Qu'est-ce qu'il a fait, Joly ? *L'intelligence des animaux.* C'est donc un matérialiste. Ribot est aussi matérialiste. Autant l'un que l'autre. » — Je ne sais quel autre, votant pour Joly, pour obéir, disait-il, à mademoiselle Damizon. — Janet, Durny ont voté pour Ribot. — Celui qui a le plus fait pour lui, est Renan. Ribot montre à Dumas une lettre de félicitations absurdes, exorbitantes, que lui envoie Renan : « Maintenant, je puis entonner le psaume : *Nunc dimittis, Domine...* »

La tour Eiffel atteint à la hauteur de Notre-Dame ; et pourtant, on n'en est qu'à la jonction des quatre piliers de base. De loin, on dirait un mètre gigantesque, comme ceux dont se servent les cantonniers, pour dresser leurs tas de pierres, sur les chemins.

Le Kronprinz est sympathique, en France. Nous lisons, avec intérêt, les nouvelles de sa santé, chaque matin. Nous voudrions qu'il devînt empereur, au lieu de son fils, ce uhlan pommadé, qui s'annonce comme un Charles XII attardé. Ses souffrances font pitié. Et beaucoup de légendes courent sur lui ; on lui prête de grands projets. — Nous regardons en silence la Némésis qui fait survivre le vieil empereur à sa femme, à sa sœur, au fils de sa fille, — qui le fait assister depuis deux ans à l'agonie de son grand Dauphin, — avec la crainte secrète que sa race tout entière ne soit pourrie du même mal héréditaire.

Ce n'est sûrement pas à mes professeurs que je devrai de connaître et de comprendre la pensée étrangère.

Extrait du cours de Brunetière :

« C'est une duperie insigne de vouloir comparer la littérature allemande avec ses quatre bonshommes, Gœthe, Schiller, Lessing et Heine, Heine, Lessing, Schiller et Gœthe, de vouloir les comparer non seulement avec la littérature française, mais avec la littérature anglaise, mais avec l'italienne, mais avec l'espagnole. Au XVIIe siècle, les poètes allemands s'appellent Opitz, et au XVIIIe Gessner, pour ne nommer que le plus illustre d'entre eux. C'est une des pilules les plus exorbitantes qu'on ait voulu faire avaler à la critique de tous les temps. »

Projets d'œuvres.

Si je vis, voici ce que j'écrirai d'abord :

J'écrirai les *Guerres de Religion*.

J'ai choisi cette période, pour réaliser ma conception de l'histoire et de la vie. — Il me faudra de longues années de préparation. Je ne veux aborder l'histoire de l'ensemble de cette époque qu'après avoir vécu des mois avec chacun des principaux acteurs. J'ai pris un des moments les plus tourmentés, les plus brûlants de haine, mais aussi les plus vivants, afin d'avoir plus à aimer. Je crois que l'égoïsme le plus forcené est bon, si on le regarde, non plus de notre égoïsme à nous, comme point de vue, mais du sien. Vous serez injuste pour Catherine de Médicis, si vous la regardez avec les yeux de Coligny ; et réciproquement. Il faut voir Catherine, avec les yeux de Catherine ; Coligny, avec les yeux de Coligny. Je veux donc être tour à tour chacun de mes personnages, m'enfermer dans leur vie, seul à seul avec eux, jusqu'à ce que je me sois fait leur âme et leur substance. Je serai un homme du peuple, un parlementaire, un reître..., etc. Et quand j'aurai vécu toutes ces vies, alors je les fondrai en une œuvre « symphonique », qui n'aura pas la prétention de démontrer une thèse, mais de vivre pleinement, de ressaisir l'Etre divin dans un de ses plus puissants moments.

Il n'y a sans doute pas de raison absolue pour que j'aie fait choix de cette époque. Voici pourtant les motifs qui m'ont décidé : — c'est d'abord le déchaînement des personnalités, des passions de toutes sortes, égoïstes, religieuses, artistiques. — C'est aussi l'abondance extraordinaire des Mémoires, Histoires et Correspondances du temps, qui permettent de se mettre dans la peau de ces myriades d'âmes. Peu d'œuvres de seconde main et, en général, ratées. Mais une quantité de documents immédiats, dont beaucoup, de première importance, comme la correspondance de Catherine de Médicis, sont en voie de publication.

Je veux faire une Histoire réaliste et psychologique — une histoire des âmes. Ce sera une œuvre longue : car je ne sais pas voir une âme, en un moment précis, isolé, de son existence ; je ne la vois que dans la suite de son évolution ; si l'on saute quelques chaînons, on risque de ne plus comprendre. — Naturellement, dans ce long développement d'une vie, il y aura des scènes, capitales ou secondaires (en apparence), qui seront très largement traitées. Telles secondes de la vie d'un homme veulent une page d'analyse ; tels mois, une ligne.

Un modèle, pour moi, c'est *Guerre et Paix*, avec cette différence que les scènes historiques de Tolstoy ne sont pas les plus vraies et les mieux traitées. Or, je voudrais faire l'essai de travailler sur de la matière réelle ; de revivre la vie non d'êtres de fantaisie, mais de ceux qui ont été, il y a trois siècles. Il me semble que l'impression en sera encore plus forte. — J'ai déjà plusieurs scènes devant les yeux ; je m'en occuperai, dès le mois de mai, quand j'en aurai fini avec mes travaux de seconde année : Poltrot de Méré devant Coligny ; et Henri de Guise, quelques minutes avant que le roi le fasse demander... Des scènes, presque tout entières en regards, en suggestions muettes, en tissu impalpable. — Comme les dialogues de Porphyre et de Raskolnikoff.

Suarès prend un sujet encore plus beau : la fin du XVe siècle, la splendeur artistique de l'Italie et des Flandres, Memling, Léonard, les podestats, les condottieri, les tyrans. — Ainsi, nous serons, comme toujours, voisins. — Il verra les sources de la Réforme, et j'en verrai le déchaînement. Il sera plus Italien, et moi plus Français. Son sujet a plus de couleur et d'éclat : le mien, plus de gravité jusque dans la violence des passions.

Je ne pense point d'ailleurs à m'éterniser dans l'histoire. Il est probable que *les Guerres de Religion* seront mon premier et unique essai en ce genre. J'ai d'autres œuvres plus grandes, que je couve.

4 mars.

Avec Suarès, au concert dirigé par Tchaïkowsky, au Châtelet.

Une tête de diplomate ou d'officier russe. Favoris et barbe carrée. Front dégarni, osseux, fendu au milieu par une grande ride transversale ; de fortes arcades sourcilières ; les yeux très fixes, sans mobilité, regardant bien en face, mais comme en dedans tout ensemble. Grand et maigre. D'une correction irréprochable ; ganté et cravaté de blanc. Quand il conduit l'orchestre, sa haute taille ne bronche pas, tandis que le bras droit, sec, dur, raide, frappe la mesure dans l'air, parfois (dans le finale de la *troisième suite*), accentue les rythmes lourdement,

violemment rebondissants, avec une énergie saccadée qui secoue son épaule droite, sans que le reste du corps fasse un
mouvement. Véritable automate, quand il salue, de tout le
corps, rapidement, sèchement, trois fois de suite.

Le concert m'a fait plaisir. J'aime peu Tchaïkowsky, comme mélodiste. Il y a dans cette partie de son œuvre beaucoup
de convention, ou de raideur. — La *Fantaisie de concert,* pour
piano, exécutée par Diémer, est un amas de difficultés acroba-
tiques, avec un vague sentiment schumanesque. — Mais j'ai
été frappé par la *Sérénade pour instruments à cordes.* Le premier morceau surtout, avec son titre modeste, (*pezzo in forma
di sonatina*), est d'une simplicité pleine de grandeur, quoique
toujours un peu raide. Le finale est une fugue sur un thème
russe. — Même style dans les fragments de la 3ᵉ *Suite* (thème
et variations), dont la fin est puissamment rythmée. — On
voudrait entendre de lui un oratorio, ou un grand prélude et
fugue. Il a un vigoureux orchestre moderne, avec une forme
hændelienne.

J'ai plaisir à me dire qu'il y a donc un homme encore, de
l'âge classique, presque scolastique, — un homme qui trouve
un plaisir puissant à entendre vibrer un grand accord parfait,
et qui vous le fait entendre, tout simplement, sans essayer de
le relever par quelque piment harmonique.

(N. B. — Quand on joue du Tchaïkowsky, se rappeler que
la première chose à observer est le rythme d'une rigueur implacable.)

11 mars.

Nouveau concert Tchaïkowsky. On redonne le thème et
variations de la 3ᵉ *Suite,* — un poème symphonique : *Fran-
cesca da Rimini,* d'une orchestration plus moderne, avec le même rythme lourd et rebondissant ; — et un joli concerto pour
violon, bien joué par Marsick.

Mi-Carême.

Conférence de Brunetière, à l'Odéon. — Burlesque mise
en scène. Le rideau se lève. Décor de comédie classique. Au
fond, une table avec carafe et verre. Par les portes de droite
et de gauche, entrent deux laquais de Molière, qui portent la
table près du trou du souffleur. Ils disparaissent. La grande
porte du milieu s'ouvre à deux battants et Brunetière paraît.
Petit crapaud étique, encore plus maigriot dans son habit noir.
Il s'avance drôlement, ne sachant que faire de ses mains, ne
sachant où placer ses pieds. Sa voix, qui nous casse les oreilles,
en conférence, s'entend bien ici, mais ne remplit pas la salle.
Il fait la bouche en cœur, il essaie de dire de jolies choses, au
commencement et à la fin de sa conférence. Le reste, un tas
de découpures du cours qu'il nous a fait sur le XVIIᵉ siècle.
Sujet : *Iphigénie*. Il dit que Racine a été un psychologue, comme notre siècle n'en peut nommer, sauf peut-être Balzac, — et
un poète, comme notre siècle n'en a pas eu, sauf peut-être
Lamartine... etc. — Quelques mots de déclamation patriotique
(peu de chose) et religieuse. C'est la concession qu'il a voulu
faire à son auditoire de théâtre. Pour le reste, il a fait son
cours. On l'a beaucoup applaudi, — rappelé à la fin ; il ne
sait pas saluer.

Après quoi, on a joué *Iphigénie,* d'une façon si grotesque
que la salle éclatait de rire, aux derniers actes. Tout a raté, —
jusqu'au tonnerre.

Frédéric Iᵉʳ, empereur.

Je n'ai rien vu de plus beau dans l'histoire que l'heure présente de l'empire d'Allemagne. Sincèrement, je voudrais de
toutes mes forces être Frédéric empereur, vivre ses derniers
jours. Jamais pareilles émotions n'ont pu remplir une âme humaine. Après avoir résisté aux obsessions de ceux qui voulaient
lui arracher son abdication provisoire, — « parce que, disait-il,
il est de l'intérêt de l'Europe que je règne, ne serait-ce que

quelques mois », — le voici aujourd'hui empereur. Il n'est pas sûr de l'être encore demain. Il a mille projets à exécuter ; et tout à l'heure, l'agonie peut commencer pour lui : il faut qu'il se hâte ; c'est une course de vitesse entre lui et la mort. Il est assuré de mourir ; mais en quelques semaines, il peut tout changer. On sait la haine de sa femme pour Bismarck, son aversion pour le parti de la guerre, les projets chimériques et grandioses qu'on lui prête. Sans doute l'hypothèse que fait Lavisse est un rêve irréel et absurde, dans le monde des vivants ; mais lui, Frédéric, est-il encore vivant ? Dans deux mois, il sait qu'il ne sera plus rien. Est-ce que les calculs de la politique ne doivent pas lui paraître misérables, en face de la mort ? Quand on est isolé du monde des vivants par la maladie mortelle, on ne songe plus à l'opinion des autres, et l'on ne rougit plus des idées chimériques de justice et de bonté.

— Empereur Frédéric, je sens, je souffre avec toi. J'aime que tu aies eu, ne fût-ce qu'un instant, la réalisation de tes rêves dans ta main. De quel regard vois-tu venir les vanités et les ambitions de ceux qui t'ont précédé ou t'entourent, sur le trône d'Allemagne ! Que ne puis-je être toi !

Le drame de toutes les pensées, à Berlin, en ce moment : le kronprinz Guillaume, Bismarck, les princesses...

Et le vieil empereur agonisant, que l'on croit mort, et qui se réveille, et qui entend le canon qui annonce au peuple de Berlin qu'il est mort.

15 février.

Amitié, d'une tendresse pénétrante. Oubli de soi. Union d'esprit et de cœur.

Mon ami a une sensibilité merveilleuse. Il ne fera jamais une foi nouvelle, ni un art nouveau ; mais nul ne sentira jamais d'une façon plus vive et plus profonde. Puisse-t-il renoncer à tout public ! Quel homme il serait, s'il pouvait jeter dans une personnalité forte et originale le torrent de ses émotions et de ses tendresses !

Curieux amour qu'inspire Boutroux à son public de la Sorbonne. — « Nous avons été aujourd'hui dans le sein de Dieu, » déclare gravement Mélinand, au sortir d'un de ses cours. Cependant, il est capable de discuter son Dieu : il ne croit pas que les idées exposées par lui soient toujours vraies. Mais c'est pour lui la plus belle œuvre d'art. — Plusieurs des dames qui viennent écouter, sans comprendre, ses leçons sur Leibnitz, sont certainement amoureuses de lui ; sa voix pénétrante, sa pâleur, sa mauvaise santé, ses paroles qui sont un bruit harmonieux, au milieu duquel rayonnent des mots sublimes : Dieu, l'Infini, l'Eternité, — tout cet ensemble agit sur elles avec autant plus de force qu'il se présente enveloppé d'un vague poétique.

Plus j'écoute Brunetière, plus je sens de dégoût pour la tâche que nous faisons, lui et nous, — pour ce métier de critique, avec tous les sophismes dont nous cherchons à nous abuser, afin de nous prouver notre propre utilité. Métier de cuisiniers ! Et encore, un cuisinier fait-il chose utile : il nourrit le corps. Mais nous, qui passons notre vie à discuter si un plat est bien ou mal fait ! Et ce mensonge impudent, par lequel nous voulons nous persuader, à nous et aux autres, de la nécessité de notre tâche ! Comme si les autres avaient besoin que nous leur disions ce qui est bon à manger ! Nous jouons un rôle dégoûtant : gros esclaves fainéants, qui rendent à un maître apathique et stupide des services bas, comme de le moucher ou de le faire manger...

J'ai honte, quand la bonne de ma mère me voit assis à ma table et lisant. J'ai honte, quand je rencontre un ouvrier qui se tue à un gros travail. Je ne puis prendre au sérieux le rôle qu'une civilisation d'exploiteurs, anémique et pourrie, veut nous faire jouer.

Ne jamais écrire de critiques d'art que pour moi, pour sentir avec plus de précision.

21 mars.

1. Note sur Jehan Alleaume.[1]

« Il me semble qu'on ne pouvait laisser de côté un homme
d'un caractère aussi pur. On n'a pas assez montré le côté héroïque de certains « modérés ». Il faut parfois un vrai courage
pour se refuser à être original, pour n'être ni routinier, ni ex-
centrique, pour être soi, simplement, sans bruit. Il en faut
encore davantage pour consacrer sa vie à la cause la moins
brillante, parce qu'elle est la plus sensée ; surtout à une époque,
où la modération n'est pas seulement sans gloire, où elle n'est
pas sans péril, — où elle trouve sa récompense en elle seule,
dans la conscience qu'elle est l'expression de la raison et de
l'humanité. »

2. « On ne trouvera pas ici une Histoire des Guerres de
Religion, au sens ordinaire ; mais on en aura l'âme. C'est le
grand souffle qui remplit les milliers de petites vies, qui font
le peuple catholique ; c'est l'atmosphère qui enveloppe tous
les hommes d'un même temps et qui les pénètre, qu'ils le sa-
chent ou non. C'est la masse impalpable des volontés obscures,
puissante bien qu'ignorée, le flot des désirs et des instincts
constamment agités, qui n'agit pas moins sur les affaires pu-
bliques que les affaires n'agissent sur lui, au point qu'on con-
naîtrait mal les unes, si on ne connaissait pas l'autre, — *qui est
l'essentiel.* »

*(Deux extraits de l'étude historique, que j'écrivais alors
sur* Claude Haton, *curé de Provins, au temps de guerres de
Religion. — Le choix de ces deux fragments a sans doute des
raisons intimes. Il répond à certains sentiments essentiels de
l'homme et de l'historien. (Note très postérieure au cahier.)*

Legras, enfin reçu à la licence. Nous avons bien plaint le
pauvre garçon. Il a beaucoup souffert, depuis six mois. Il y a

---

1. Je pensais, en l'écrivant, à Gabriel Monod. Et celui-ci aima cette
chose, sans savoir que je l'y peignais.

trois jours encore, il se croyait refusé. Refusé, c'est-à-dire mis
à la porte de l'Ecole. Ce n'était que par indulgence qu'il y
avait été gardé, depuis son second échec, son père le croyant
reçu. Comme il est très malade, Legras lui avait caché son insuccès. Aussi par quelles transes a-t-il passé !

Malgré tout, je pense à la conduite cruelle qu'il eut, il y a
un an, à l'égard de Suarès. Il y a un an, sans quelques amis,
Legras et son parti eussent forcé Suarès à partir de l'Ecole.
Il l'a expié, depuis.

Nous n'avons plus d'encre dans la section. Mille s'ouvre
une veine et écrit à l'économe :

« Monsieur, — nous n'avons plus d'encre. Réduit à en tirer
de mes veines, je proteste contre votre cruelle administration.
Vous excuserez la brièveté de ma lettre. »

« Ce qui donne vraiment la vie à l'histoire, c'est la connaissance des mobiles derniers qui font agir les hommes ; et
voilà peut-être la principale utilité des documents, si même ce
n'en est pas la seule. »

(Brunetière).

Moi, je dis que la connaissance des mobiles d'action ne
peut donner de vie qu'à vous. Il ne suffit pas de comprendre
les autres ; il faut les sentir, il faut être eux.

Lilia de Montille, qui a six ans, écrit un roman. On y voit
des phrases comme celle-ci :
— « Oui, répondit-elle silencieusement. »

Jeudi 22 mars.

Avec Suarès, à Saint-Eustache, pour entendre la *Messe solennelle* de César Franck. — Elle ne me paraît pas valoir les
Béatitudes. Le sentiment en est plutôt joyeux, ou serein, que

mélancolique. (De même, chez Bach, qui souffre quand il retrace la mort du Christ, mais est presque guilleret, lorsque, sa conscience à l'aise, il dit la messe.) — De beaux rythmes, un souffle assez puissant par endroits, *(Credo, Gloria),* quelques phrases pénétrantes ; quelques autres qui sont banales (comme dans *les Béatitudes*). Des locutions belges en français.

Franck dirigeait, avec assez de feu, plus d'ampleur dans le geste qu'au concert où je l'avais vu. Une bonne tête de magistrat, un peu grimaçante.

Conversations entendues : « Oh ! mon Dieu, c'est une de mes amies qui quête, qui m'a envoyé des billets. Je n'ai pas pu refuser... C'est une si belle œuvre ! » (Les Ecoles Chrétiennes.)

Après le *Credo :* « Il y a trop de cacophonie. »

Je ne connaissais pas encore la note comique chez Beethoven. Je l'ai trouvée dans *le Christ aux Oliviers.* Singulière surprise ! Qu'avait-il dans la tête, quand il a composé cette œuvre ? Non seulement le sentiment religieux est nul ; (le Christ est un homme que des gendarmes vont arrêter) ; mais l'émotion humaine est nulle. De la finesse, de la gaieté, de la bouffonnerie : c'est tout. Jésus s'écoute chanter ; il fait des roulades et chante des duos avec le Séraphin. Dans le terzetto saint Pierre, Jésus, le Séraphin, — saint Pierre qui veut tirer l'épée rappelle la basse comique de l'*Enlèvement au Sérail.* Jésus et le Séraphin jouent les amoureux. Le chœur lointain, piqué, des soldats qui cherchent Jésus, est du gentil genre bouffe. Enfin, les extraordinaires roulades du : « Tout est consommé, » et le chœur des anges qui suit : du Rossini tout pur.

Rossini me plaît, décidément. C'est un beau coloriste, vivant et chaud. J'étais heureux, en jouant son *Otello.* Mais quel sceptique et quel farceur ! Avoir été chercher son air bouffe de la Calomnie dans l'accompagnement de la mort de Desdémone !

Il me semble (et je ne suis pas le seul) qu'une nouvelle période s'est ouverte dans l'humanité. C'est l'époque de la

science. Même ceux qui, comme moi, sont réfractaires à la
science et se donnent tout à l'art, ouvrent la voie joyeusement
à ce triomphe universel et eux-mêmes portent dans l'art et
dans la foi un esprit scientifique. — Qu'est-ce que j'admire,
qu'est-ce que je veux en art ? — Tolstoy, Wagner. C'est-à-dire,
le réalisme littéraire le plus exact, l'impressionnisme musical
le plus hallucinant. — Quel est le Français que je préfère, en
France ? — Renan, l'homme de science artiste raffiné. — Que
veulent faire ceux d'entre nous qui valent le plus ? — De l'histoire. La philosophie est une nourriture fade. Les lettres sont
un métier puéril et vieillot. Ceux qui en font, comme Colardeau, ne se prennent pas au sérieux. La grammaire historique,
c'est-à-dire l'histoire la plus scientifique, recrute nombre d'esprits distingués. — Et comment Suarès et moi, voulons-nous
faire de l'histoire ? Non pas d'après les vieux procédés de la
critique des textes, en discutant, raisonnant, classant des documents. Mais en nous repaissant des écrits, dits, faits du
passé ; en faisant d'eux notre substance ; en épousant les âmes,
et, avec ces âmes nouvelles, en devinant les pensées qu'on
n'avoue pas aux autres, ni même à soi, parfois. Nous voulons
revivre parfaitement les êtres qui furent. — Or, ce qui nous
semble à nous, passionnément artistes, le plus haut point de
l'art, n'est-ce pas de la science encore, — la recherche ardente
de la vérité, — de la vérité la plus vraie, la plus secrète, la plus
vivante ? Nous comprenons enfin que tout ce qui vit est beau,
tout a droit à notre amour. C'est la lune de miel de la Science.

Ceux qui font l'histoire avec des textes historiques ramassés
de toutes parts et ressoudés ensemble par la raison, me semblent dans le faux.

J'estime que peu de jeunes gens auront pris sur eux-mêmes
des notes aussi patientes et aussi minutieuses. Eh bien, celui
qui, sans me connaître à l'avance, s'aviserait de me refaire,
avec mes notes classées et cataloguées, ferait un Romain Rolland bien différent de celui que je suis. Puis-je écrire toutes
mes pensées ? Les plus importantes peut-être ne sont pas dans

mes cahiers. Les unes me traversent le cerveau, tandis que je me promène, et sont perdues, au retour. Les autres, quand je veux les noter, sont déjà flétries ; je ne les veux plus assez pour essayer de les revivre. Ou bien, la paresse m'empêche de prendre mon petit cahier et de chercher les mots qui rendront mon idée. Ou bien, je ne veux pas inscrire ce qui, dans mes secrets, est trop profondément lié aux secrets d'un autre, — d'une autre. Ou bien, c'est le vieux : « A quoi bon ?... » — Quand je pense à tout ce que je n'ai pas mis dans mes notes, et à tout ce que j'y ai mis, je vois l'ineptie, l'insuffisance du procédé historique, qui veut refaire la vie avec les mots écrits. La plupart du temps, les mots écrits sont un masque. Je le sais bien, moi qui ne montre pas aisément mon visage. — Il faut, par l'intuition poétique, sévèrement appuyée sur les documents dont on dispose, devenir ceux qu'on veut peindre, s'emparer de leur corps, s'habiller d'eux.

Je vois venir une époque, où le mot d'*intuition* aura un sens singulièrement plus large, plus précis, plus scientifique qu'aujourd'hui. — Un des derniers contes d'Edgar Poë me revient à l'esprit : une page jetée d'un ballon électrique, dans un siècle futur. Poë suppose qu'en ce temps, de merveilleuses découvertes seront accomplies, et que la science les aura dues à une grande et féconde méthode : *l'Intuition.* Je suis convaincu qu'elle a déjà rendu au monde les plus glorieux services, et que l'avenir sortira d'elle.

Je rencontre, sous les galeries de l'Odéon, Leconte de Lisle, le monocle à l'œil, gras, réjoui, bien portant ; il est au bras de quelqu'un, pose et blague très fort.

On ne saurait croire combien cela m'a vexé.

C'est une chose curieuse que je me sois aperçu si tard que Tolstoy exprimait en art une personnalité assez exceptionnelle. J'en faisais le type de l'impersonnalité même. Comme il réfléchissait profondément mon âme (par certains côtés), j'en concluais que mon âme étant une moyenne des âmes. Tolstoy pénétrait complètement la nature humaine. Mais c'était moi seul qu'il pénétrait ainsi, ce n'était pas Mille, Dalmeyda, etc. Ainsi, cette obsession de la mort. Elle m'avait oppressé, pendant des années d'enfance, sans que j'eusse osé en parler aux autres. Tolstoy me tombe sous la main. J'y lis mon cœur, mieux senti que par moi-même. Pour qu'un Russe de Toula éprouve les mêmes angoisses qu'un Français de Clamecy, il faut donc que la nature humaine soit partout la même ? Je l'ai cru, pendant un certain temps. Ce n'est qu'ensuite que j'ai reconnu combien de gens sont indifférents au sort d'Ivan Iliitch, et n'y voient pas celui qui les attend. Je ne parle pas des croyants catholiques, qui voient le paradis, en mourant. Mais voilà Mille, Mélinand, qui affirment ne pas croire à la mort, et ne pouvoir même concevoir ce que serait la cessation de leur moi. Quelle impression peut donc leur faire Tolstoy ? Celle d'un esprit malade, qui n'a pas de bon sens. Que dire de la masse des sceptiques, qui, fatigués de ne rien savoir, mourront avec autant d'indifférence qu'ils ont vécu ! Et les gens engagés dans la vie pratique, qui, se sentant mourir, continueront de penser à ce qu'ils peuvent faire encore, et à ce que feront leurs enfants... Et cela, jusqu'au dernier moment !... — Non, pour souffrir de ces pensées, il faut être comme moi, tout ensemble aussi passionnément réaliste (convaincu de la réalité relative, de la vie et de la mort), et aussi passionnément pénétré par la présence immédiate de l'Etre infini, épris du divin, aussi artiste. La mort s'impose à moi, comme un fait ; — et je n'en veux pas. — J'ai à peu près réussi à harmoniser cette tragique antinomie par la foi que je me construis, et qui n'est pas plus celle de Tolstoy que celle de Renan, mais qui, comme moi, tient des deux.

Fragments de lettres à Suarès, — l'une relative à la question précédente, — l'autre :

« Qui crois-tu qui me comprenne, même parmi ceux qui m'aiment et que j'aime le plus ? Lorsqu'on n'est plus l'écolier de quelqu'un, lorsqu'on ne peut plus se contenter des pensées d'autrui, lorsqu'on veut être soi, librement, complètement, il ne faut pas se plaindre, si l'on n'est pas compris ; il faut attendre d'être devenu un maître, un Wagner, un Tolstoy, pour trouver les harmoniques des accords de son âme. — *Agis, réalise le monde qui dort en toi ; ce que tu sens puissamment, fais-le sentir aux autres : et tu feras autour de toi comme un brasier d'amour.* »

Mercredi saint, 28 mars.

Je me décide enfin à faire visite à César Franck. Sans savoir son adresse exactement, je trouve, du premier coup : 95, boulevard Saint-Michel, en face de l'Ecole des Mines. Au fond, à gauche, au rez-de-chaussée, qui donne sur un jardin. Très calme. Les bruits du boulevard ne viennent pas jusque-là.

Franck donne une leçon de piano. J'attends dans le vestibule, une petite pièce longue, avec quelques photographies, notamment du château de Chambord. — Hélas ! moi qui disais à maman que jamais je ne demanderais à Franck de me donner des leçons de piano ou d'orgue, car je trouve inconvenant d'abuser du talent d'un artiste, en l'obligeant à de tels métiers ! Les élèves de Franck sont pourtant loin de ma force musicale, si j'en juge par ce que j'entends, dans le salon à côté. Un pianotage ânonnant : un enfant qui déchiffre mal du Mozart... L'élève est arrivé sans doute au bas de la page. La porte s'ouvre. Franck paraît.

J'ai une courte conversation avec lui. Il ne me fait pas très bonne impression. Il me semble d'un orgueil démesuré. Très aimable, d'ailleurs. Un grand vieillard sec, vif, alerte, souriant de toute sa grande bouche, en montrant toutes ses dents petites et séparées les unes des autres ; de petits yeux vifs ; une petite tête un peu grimaçante avec des favoris gris ; une parole rapide, un peu nasillarde, assez sonore. — Il me fait songer à Wagner, ce vieillard alerte, agité, orgueilleux naïvement et avec bonne humeur. J'imagine que Wagner devait parler ainsi :

— « Vous aimez ma musique. Vous faites bien, c'est bien de votre part ; je vous fais mes compliments. »

...« Vous avez entendu ma messe ? Vous avez été content ? L'exécution était bonne. Cela a dû vous faire plaisir... Oui... Et la connaissiez-vous déjà ?... Non ?... Vous ferez bien de la jouer... Vous savez, elle est bonne à lire, elle est bonne à lire... »

— ...« Et vous n'êtes pas le seul, à l'Ecole Normale, à admirer ma musique ?... Allons, j'espère qu'elle se répandra... »

Et puis, un geste qui en disait beaucoup.

Et tout cela, en souriant, en montrant ses dents menues et pointues, sans éclat de voix, sans hésitation, comme si ce qu'il disait était l'évidence même.

Il me demande mon adresse ; et, pour me la faire écrire, me fait entrer dans le salon. Une dame assise, près du piano. Au piano, une grande jeune fille, dont la haute chevelure rousse émerge comme une cime, au-dessus de la tablette du clavier qui est levée. Franck continue, sur le même ton :

— « Quand êtes-vous libre ?... Vous êtes libre, cette semaine ?... Eh bien, je vous enverrai un billet de concert, pour samedi. On jouera deux œuvres de moi : *le Chasseur maudit,* que vous connaissez sans doute... il est admirablement arrangé par un de mes élèves, Vincent d'Indy, et... (je ne me souviens plus du titre)... qui sera supérieurement exécuté par Ysaye... Et le 5 avril, serez-vous encore en congé ?... Eh bien, je vous enverrai un billet... On joue un *quintette* de moi... etc. »

Jusqu'à la porte, en me reconduisant, c'est le même ton :
— « Allons, j'aurai au moins fait cela... »

Il avait l'air d'un homme convaincu de la beauté des œuvres du grand artiste César Franck, assuré du triomphe prochain du Beau, du Bien, et du Vrai, et en tout cas, dévoué à la cause de ce Franck, content s'il a pu lui rendre quelque service :

« Allons, j'aurai au moins fait cela... »

Entrevu madame Franck : par une porte qui s'entrebâille, une tête sèche, sur un grand cou, sous un bonnet.

Franck m'a parlé de son fils, professeur d'histoire, comme moi, non sorti de l'Ecole Normale, qui va probablement être nommé à Paris, cette année.

Je me prends de passion pour la géographie telle que me l'ont révélée les admirables leçons de Vidal de Lablache. On voit la Terre comme un grand animal, un organisme vivant. On en aperçoit les parties malades, en décomposition, — les parties saines, au contraire, en développement. La vie (végétale, animale, humaine) apparaît comme un rayonnement périphérique, qui peut bien s'éteindre, mais qui ne saurait être séparé de son foyer. C'est la Terre qui vit, qui pense, qui agit, en nous et par nous. — Voilà encore une façon d'être Dieu. S'identifier avec cet organisme du monde, où se mêlent des milliards d'existences passagères. La géographie, ainsi conçue, devient un poème panthéistique. — Et pourtant, dans ces leçons, pas une phrase vague, pas une idée philosophique ; des formules courtes et nettes, condensant avec intensité la vie individuelle de chaque partie de la Terre. La foi, qui n'est nulle part énoncée, se dégage puissamment de l'ensemble.

Samedi saint, 31 mars.

Je vais avec ma mère à un des concerts pour lesquels Franck m'a envoyé des billets. Salle Pleyel, rue Rochechouart. C'est à une *Société Nationale de Musique,* qui s'intitule : Ars Gallica. — Pas d'orchestre.

Les morceaux que l'on joue ont au moins le mérite de n'être pas banals. Ce semblent des essais, pas très bien réussis, mais curieux.

Un *quatuor symphonique* de Chevillard, (joué par Rémy, van Waefelg, Delsart et Chevillard). — Peu d'unité, peu de pensée ; mais (surtout dans le premier morceau) une recherche de combinaisons nouvelles, de sensations non encore usées.

Un très singulier morceau, pour piano et chant, de Magnard : *A Elle.* — Auguez n'a pas eu à chanter 20 mesures, dans une composition qui avait bien dix pages. Une musique de piano tourmentée, travaillée, heurtée, comme l'orchestre de Wagner. Un effort curieux pour transformer la mélodie même en une page de drame wagnérien.

Sept canons pour piano à quatre mains, du général Parmentier, — qui ont ceci de particulier que les deux exécutants jouent la même page, — l'un, Chevillard, en la lisant en clé de sol, — l'autre, Vincent d'Indy, en clé de fa.

Deux morceaux de César Franck :

Thème, fugue et variation, pour harmonium et piano (1re audition), joué par Vincent d'Indy et mademoiselle Pierpont.

Le Chasseur maudit, transcrit pour la 1re fois pour 2 pianos, — joué par Cesarino Galeotti, le petit prix d'orgue et de fugue au Conservatoire, et par mademoiselle Cécile Mouvel.

Le thème, fugue et variation, est joli, gracieux : une pointe d'émotion ; une couleur un peu archaïque, dans le genre de *l'Enfance du Christ.*

Le Chasseur maudit, je le connaissais à l'orchestre. C'est un poème symphonique, qui est beau, si on ne lui demande que ce qu'il peut donner : de la couleur, du mouvement ; pas l'ombre d'émotion. La transcription, qui est bonne, a été bien exécutée par Galeotti — (le drôle de petit bonhomme, avec sa bonne grosse figure de collégien un peu bêta, son nez retroussé, — un petit cochon, à l'air décidé), — et par mademoiselle Mouvel, une demoiselle élégante, qui a de beaux bras et une attaque vigoureuse, virile. — Malgré tout, on regrettait l'orchestre, nécessaire à de telles compositions.

César Franck avait l'air de présider, sur l'estrade, au fond de la scène, au milieu de ses élèves. Il rayonnait. — C'est curieux comme il me rappelle, toujours plus, Wagner (surtout de profil). Et pourtant, ce ne sont pas du tout les mêmes traits ; mais c'est le même air, l'œil à la prunelle petite et perçante, la bouche fermée, le sourire, la bienveillance un peu affectée : quelqu'un qui n'est pas du monde, mais qui croit en être, qui est parfaitement convaincu de sa supériorité sur vous, tout en vous aimant. Les gestes brusques, la vivacité, la coupe même des cheveux et des favoris, rappellent aussi Wagner. (Y songeait-il lui-même ?) — Il était amusant à voir, entre les deux pianos, assis entre ses deux élèves, et surveillant l'exécution de son *Chasseur,* intéressé, passionné par son œuvre, — heureux : tantôt jouissant béatement, accoudé sur le piano, tantôt agitant sa grande main rouge, tantôt faisant entendre un sifflement désagréable, comme certains chefs d'orchestre, pour faire rentrer dans le calme leurs éléments déchaînés.

Dans la salle, des partisans enthousiastes, qui applaudissaient avec frénésie.

4 avril.

A l'Opéra, avec ma mère et ma sœur : *Guillaume Tell.* — Ma mère a été une Rossiniste fervente. La dernière fois qu'elle avait entendu *Guillaume Tell,* elle était revenue, pleine d'admiration. Elle a été toute désappointée, hier :

— « Ah ! mon Dieu, m'a-t-elle dit en souriant ; mais je suis Wagnérienne ! »

Le fait est qu'à force de l'avoir nourrie de Wagner, depuis trois ans, je suis arrivé à ce beau résultat, qu'elle n'aime pas beaucoup Wagner, mais qu'elle ne peut plus supporter d'autre musique dramatique ! — On a beau dire, tout le monde y vient : nous voulons la vérité et la vie, dans l'art musical, comme dans les autres.

Guillaume Tell est une partition démodée, mais des pages admirables. Ainsi la première scène du premier acte. Je donnerais pour elle tous les *Huguenots.* Ainsi, encore, l'acte II, depuis le trio jusqu'à la fin. Une largeur d'âme. La nature entre, par toutes les portes. On respire à pleins poumons. — Avant l'air : « Sois immobile », le petit dessin d'orchestre, dont Wagner a fait une des plus belles phrases de sa *Walküre.* — Les dernières pages du dernier acte.

Ce diable de Rossini m'est incompréhensible : un vrai artiste, un grand, très supérieur à Meyerbeer, Mendelssohn, Auber, Halévy, toute la séquelle. Une nature richement douée,

un cœur capable de sentir les émotions les plus pures, les plus hautes ; un cerveau capable de les exprimer, et qui l'a fait souvent, avec un talent admirable... Et cet homme, qui se moque de son public et de lui-même, de ses héros et de son art !...
On le voit, après une page d'une envolée superbe, qui se dit :
— « Assez pour aujourd'hui ! Nous allons nous reposer... »
Et alors, n'importe quoi, une banalité quelconque, un mouvement à trois temps, des triolets qui se tournent et retournent comme des toupies, des accords parfaits plaqués pendant trois pages, du bruit pour étourdir. Ou bien, des récitatifs insipides. — Un livret absurde (surtout comme style). — Des ballets médiocres, même un peu ridicules. — Une orchestration qui a vieilli.

Mais je pardonne tout, en faveur d'une soixantaine de pages, qui sont ce qu'on a senti de plus profond, ce qu'on a écrit de plus beau, en musique dramatique, depuis 1800 jusqu'à l'arrivée, sur notre scène, des novateurs et des révolutionnaires. C'est le chef-d'œuvre de l'ancien Opéra.

Lassalle joue et chante admirablement le rôle de Guillaume Tell. C'est notre plus grand tragédien lyrique. Je voudrais lui voir jouer un héros de Wagner.

Ah ! ce misérable Rossini ! s'il avait un peu moins aimé son repos et le macaroni !... Mais il n'eût pas été, sans doute, Rossini, — le sensuel, le railleur.

Surtout ce que j'aime dans *Guillaume Tell* c'est qu'on y respire. Il y passe un grand souffle d'air. On n'étouffe pas, comme dans la plupart des opéras.

5 avril.

Exposition Vassili Vereschagin, au cercle Volney.
Peu d'originalité artistique. Son intérêt est « humain ». On ne peut séparer ses tableaux et ses notes. Les uns et les autres sont dominés par une conception humanitaire. (Les trois scènes d'exécution. — Les prisonniers de Plewna.) Vereschagin aime

l'homme, et non pas l'art. Il ne se contente pas de peindre ses modèles, il note leurs pensées, leur caractère (nᵒˢ 30, 32, 33 du catalogue.) J'ai vu rire, j'ai souri moi-même, en lisant, sur le catal. nᵒ 62 : « Chaudronnier de Smolensk, 62 ans, a travaillé toute sa vie dans les cocardes en métal, pour coiffures militaires. » Quand on aura observé ces prunelles dilatées, mortes, tuées par la besogne idiote, etc., on comprendra la valeur de ces renseignements. (Voir toute la série des types russes, notamment le vieux valet de chambre.) — Cet amour de toute la vie s'étend à toutes les sensations, et non plus seulement à celles de ligne et de couleur. Vereschagin perçoit une symphonie de tous les sens ; mais son instrument est insuffisant à la reproduire. Wagner réalisait mieux la même conception. Nᵒ 37 du catal. : « Pendant que je peignais l'étude, j'entendais à tout instant les voix perçantes des femmes, mêlées aux cris des nombreux enfants... Pour achever le tableau, l'atmosphère est chargée de mauvaises odeurs... etc. »

D'autre part, une étude curieuse, réaliste, de la Bible. Un Russe, même croyant, n'idéalisera jamais Jésus et les apôtres, comme un Français, même incroyant, — un Renan, — qui recherche les lignes fuyantes et les contours indécis. Tolstoy, Vereschagin, réalisent Jésus dans sa vie, dessinent exactement le corps, mais laissent sentir l'âme. — La moitié des tableaux de Vereschagin est consacrée à des vues de la Terre Sainte. Il s'efforce de revivre la vie du Christ, dans tous ses détails. Il n'y a pas très bien réussi. Au reste, il est très rare qu'il présente le Christ de face. Il n'ose pas. Il le montre de dos, ou de très loin, ou la tête penchée : on ne voit jamais les yeux. Evidemment, *il n'a pas pu le vivre.* Et il a eu l'honnêteté de ne pas vouloir faire illusion à son public.

Avant d'établir un système philosophique qui tâche d'expliquer la vie et la mort, il faut étudier l'esprit humain des autres races que la nôtre. Nous autres, (des milliers d'hommes de ma sorte), nous consacrons notre vie à nous prouver qu'elle sera éternelle, que la mort n'est pas. Et des millions d'hommes (Mongolie, Thibet, Chine, Siam, Birmanie, Ceylan, Japon) éprouvent pour l'idée de la vie éternelle (ou de la transmigration) une horreur invincible ; leurs religions sont faites pour chasser ce cauchemar, en leur assurant la réalité de la mort éternelle. — Nulle philosophie n'aura de valeur vraiment humaine que si elle concilie ces deux besoins opposés, ces deux nécessités contradictoires de l'âme humaine.

Abel Rémusat dit que les Chinois, Tartares et Mongols n'ont pas de mot dans leur langue pour exprimer l'idée de Dieu.

Rencontré Loti, sortant du *Moniteur illustré*. En uniforme. Petit homme très brun, barbu, un peu rechigné, pas beau, moins laid pourtant qu'on ne me l'avait dit.

12 avril.

Exposition Willette, rue de Provence. — Avec Suarès. — Nous y trouvons tant de plaisir que nous restons, sans nous en douter, trois heures, jusqu'à ce qu'on allume les lampes. — Charme de fantaisie et de vérité mêlées. Joie et tristesse. Le choléra, la mort, la destruction de la patrie, de la société, de la religion, enveloppent de leurs grandes ombres toutes les danses des pierrots et des pierrettes, et leur communiquent même leur vertige. Religiosité sans croyance, tristesse sans désespoir, grâce instinctive, naturel exquis. Une âme d'artiste délicate, corrompue, poétique, élevée et malsaine. Toute la tendresse et la fantaisie de l'amour, de la poésie, de la foi, et un âcre parfum macabre, qui pénètre tout. Et que de haines ! (Contre les Juifs, contre les Anglais, contre la République, contre Ferry, contre l'Allemagne, etc.)... — Il faudra connaître Willette, plus tard, pour revivre dans sa fleur l'âme décadente du XIXe siècle mourant.

La femme, de Willette : non pas nue, mais déshabillée, maigre, efflanquée, chatte en chaleur, à la prunelle dilatée, avec des contorsions et des frôlements lascifs, — à mi-chemin entre l'hystérie et le mysticisme.

Le Pierrot maladif, tendre et triste, délicat, corrompu, amoureux de la vie et écœuré par elle.

Jeudi 19 avril. — Mouvements populaires.

Pour la première fois, Boulanger va siéger à la Chambre. Les vrais républicains (ils sont rares) sont inquiets. Nous nous voyons isolés, abandonnés par la foule, qui tient à l'égalité, bien plus qu'à la liberté. — Le vieux Madier de Mondjau a voulu que le mur de défense de la Chambre fût achevé hier ; et il l'est en effet, dressant ses chevaux de frise, au-dessus de la chaussée. Pour répondre aux manifestations boulangistes, le quartier latin dans la journée, les socialistes de Joffrin ce soir, doivent organiser des manifestations contraires. Je ne sais ce qui en est advenu ; je ne veux que noter ce que j'ai vu moi-même.

1 h. 1/2. De la terrasse des Tuileries. — Trois rangées de spectateurs qui attendent en causant. J'entends une discussion entre un anarchiste et un monsieur en redingote. Discussion polie, plus polie sans aucun doute que celles qui s'engagent entre nous, à l'Ecole. L'anarchiste, un petit homme maigre, souffreteux, en blouse bleue, se plaint d'une voix calme et affligée. Le monsieur, à la barbe blonde, répond avec bonté : « Oui, tout est malade. Il faut chercher le remède, ...il faut chercher le remède... Mais vous ne le trouverez pas dans l'anéantissement, dans le bouleversement... »

2 h. 1/4. Devant l'hôtel du Louvre. — Des badauds, surtout des blouses bleues, attendent en blaguant. On vend : « Le Programme officiel du général Boulanger : Boulanger, c'est l'Honnêteté ; Boulanger, c'est le Droit ; Boulanger, c'est la Paix... etc. » — Je l'achète.

3 h. moins 10. — Je reviens de chez mon dentiste. En arrivant sur la place du Palais-Royal ; j'entends des cris ; je cours vers l'Hôtel du Louvre. La rue de Rivoli est remplie de gens

très gais, qui hurlent, en agitant leurs bras, leur drapeau, leur casquette ou leur canne : « Vive Boulanger !... » J'aperçois une voiture, après laquelle on court. Je cours comme les autres. Je passe, au milieu des fiacres et des omnibus immobilisés. Les cochers aussi sont très gais et crient, avec les autres.

3 h. — J'arrive de nouveau à la Terrasse des Tuileries, au moment précis où la voiture s'engage sur le pont de la Concorde. La place est noire de monde, surtout du côté du pont, qui semble pomper la foule dans son orifice. Les cordons épais de la police ont été rompus, en un instant ; et il faut un quart d'heure, pour que les gardiens de la paix reprennent position.

— « Où était-y, Boulange ? De ce côté-ci ?

— Non, à droite. T'as bien vu. Y saluait.

— Mais y saluait, celui de ce côté-ci.

— Ah ! oui, c'était Daguerre.

— Vous avez vu Boulanger de près ? On ne lui donnerait même pas son âge.

— On dirait qu'il a 45 ans.

— Oui.

— Il avait le droit, n'est-ce pas, de mettre l'uniforme ?... etc. »

Cette foule de la Terrasse est étonnante. Bons Parisiens, bien tranquilles : aucune charge de cavalerie ne pourra monter jusqu'à leur plateforme. Ils sont au spectacle, à l'affût d'émotions nouvelles. J'entends des mots monstrueux (et tout simples) :

— « On va charger. »

— « Ah ! ça va être amusant. »

Et, l'imagination se mettant de la partie :

— « Ah ! voici les baïonnettes ! »

(C'étaient des cannes levées, qui luisaient au soleil). La foule, sur la place, continue de hurler, gaiement, pendant un quart d'heure. De vastes groupes tourbillonnent, à droite, à gauche, comme des maëlstroms. Je vois des cannes qui se lèvent et retombent, des chapeaux jetés au loin. Sans doute un protestataire...

» ...On va le foute à l'eau... »

Heureusement, on a eu la précaution de vider les bassins des fontaines. Mais la foule en effet accule, à plusieurs reprises, l'opposition, contre les fontaines. — La barrière de la police s'est reformée. Six ou sept cavaliers se placent, à l'entrée du pont.

4 h. 20. — De la terrasse des Tuileries. — Même foule. La place est noire. Toujours le même entrain inouï. Ce peuple boulangiste fait des polissonneries, que des antiboulangistes seuls sembleraient pouvoir faire. (Signe des dévotions fortes : quand on peut tirer la barbe au bon Dieu, et lui taper sur le ventre, sans cesser d'y croire, et même de l'adorer.) Des groupes se forment autour d'un mitron ; on le fait monter sur les épaules d'un individu en veston noir ; l'individu galope, le boulanger salue, à droite et à gauche, en se retenant avec peine à la tête de sa monture qui rue. La foule chante :

> « *C'est Boulange, Boulange, Boulange,*
> *C'est Boulange qu'il nous faut !* »

Après plusieurs alertes, causées par l'arrivée de voitures, qui ne sont pas celle du futur Empereur, on aperçoit enfin sur le pont les deux beaux alezans de Boulanger. Derrière la voiture, une foule qui court. En quelques secondes, la cohue de la place de la Concorde se rue au-devant, brise les barrières de police, se jette sous la voiture. Deux ou trois adorateurs sont à demi écrasés sous les roues de Jaggernaut. Une foule noire, compacte, court, roule, devant, derrière, autour. La terrasse des Tuileries s'est vidée. Les cinq rangées de spectateurs déboulent, au triple galop, vers la rue de Rivoli et l'hôtel du Louvre.

Les journaux m'apprennent ce qui se passait, pendant ce temps, à la Chambre. Discours retentissant de Floquet, parlant du « manteau troué du plébiscite ». Grand silence, à l'entrée de Boulanger. Personne ne lui tend la main. Toute la gauche vote un ordre du jour de confiance au gouvernement. Parmi les opposants, toute la droite et quatre républicains, dont Waldeck-Rousseau.

A l'Ecole, à tous les repas, manifestations tumultueuses, provoquées par les boulangistes : Padovani, Levrault, Parturier, Lahillonne, Strowski, etc.

Fragment d'une lettre, écrite de Clermont-Ferrand, le 17 avril, par une sœur de mon grand-père, madame Paupert.
(Un document pour la psychologie du Boulangisme.)
« ...Je ne sais, mon bon frère, si tu te souviens des plaisanteries que tu m'adressais au sujet de celui que tu appelles *mon cher général.* Tu le croyais un infortuné, et c'était un triomphateur, même à cette heure. C'était *par modestie pour lui* que je t'en avais rien écrit. Son départ de Clermont a été une ovation inouïe. Aucun journal n'a bien exprimé ce délire de dix mille personnes. Ces vivats, cette pluie de fleurs répandues sur sa fille et sur lui. A la gare, les hommes se couchaient sur les rails ; et il y a eu haie jusqu'à Riom. — Cet homme est évidemment un envoyé pour faire je ne sais trop quoi. Il doit être étonné lui-même d'une popularité que rien ne justifie. Il faut être bien aveugle pour ne pas comprendre de quelle force cet homme dispose. Nous l'avons vu acclamé dans les villages les plus ignorés de l'Auvergne. Nous ne nous permettons pas de le juger ; nous constatons des faits, voilà tout. »

Vendredi soir, 11 heures.

Je commence à m'assoupir. Je suis réveillé par des cris. Dans la rue Gay-Lussac, monte un chœur tumultueux, une grande voix heurtée, comme un flot : « Conspuez Boulange, conspuez ! » — C'est la manifestation annoncée des étudiants. On les entend, un bon quart d'heure. Puis, cela s'éteint.

Il y a eu 2,000 étudiants. Ils sont partis, à 8 h. 1/2 de l'Ecole de Médecine. Ils ont hué Boulanger, devant l'hôtel du

Louvre : « A bas le César ! A bas le Dictateur ! » — De même,
devant le Cercle Militaire, et les bureaux de *la France*. A partir
de là, sérieuses bagarres avec les boulangistes, 500 environ,
mais armés de gourdins et de cannes plombées. Batailles, rue
de Richelieu, et place du Théâtre Français. Les étudiants sont
battus, plusieurs blessés. Notre camarade Magrou est jeté sous
une voiture, et légèrement blessé à la jambe. La police (qui
est boulangiste) n'intervient pas. Les soldats du poste du ministère des finances refusent de défendre les étudiants, qui
demandent leur secours.

Samedi, 2 heures.

Une nouvelle manifestation des étudiants doit avoir lieu,
en ce moment, devant la Chambre ; et, cette fois, ils seront armés. Les scientifiques de l'Ecole, qui ont permission de sortie,
ce soir, sont partis avec des cannes et des chapeaux mous enfoncés jusqu'aux oreilles. Les étudiants se proposent d'aller
démolir les bureaux de *la France*.

Samedi soir.

La manifestation a dû se renfermer dans le quartier. Une
voiture de *la Lanterne* a été renversée, brisée, le cheval jeté
par terre avec ses conducteurs ; toutes les brochures brûlées.
Cris antiboulangistes, sous les fenêtres du Sénat. Les sénateurs
applaudissent.

Nos camarades sergents, qui ont permission de sortie, prennent des cannes et les plus vieux chapeaux à haute forme qu'ils
peuvent trouver.

Dimanche matin, 8 heures.

Renel, Wartel, Bouchard, me donnent quelques détails.
Les agents ont arrêté les manifestants, aux ponts. Six charges
très violentes contre les étudiants, à coups de pied et de poing.

Le voisin de Renel a reçu un tel coup dans la poitrine qu'il est tombé à la renverse ; et il s'est relevé en crachant le sang. Renel dit que la première charge l'a suffoqué : il a été rejeté, en une seconde aplati contre le mur. Puis, il s'y est fait. — Les agents, très montés contre les étudiants, laissaient faire les boulangistes, massés sur l'autre trottoir. — Mes camarades disent que les étudiants ne peuvent pas se décider à faire le coup de poing avec ces dégoûtants adversaires. Il faudrait que les bandes de Joffrin se décidassent enfin. Elle ne feraient pas la petite bouche !

Dimanche, midi.

Rencontre, devant l'Odéon, et boulevard Saint-Germain, des manifestations antiboulangistes, en grande partie composées de lycéens.

Ce qui me plaît, c'est qu'en cas de révolution, Boulanger aura contre lui toute l'Ecole polytechnique. Ce seront des chefs, pour l'émeute.

Dimanche soir.

Manifestation d'étudiants. Dumas observe l'air consterné des Boulangistes sincères, — des petits commerçants, des ouvriers. Un d'eux, en veste bleue, crie, en montrant le poing :

— « Ce sont tous des fils de garces, ceux qui crient : « A bas Boulanger ! »

Et des larmes coulent sur ses joues.

Lundi soir.

On fait une souscription, parmi les étudiants, pour le Parti Ouvrier, qui promet son alliance momentanée. Allemagne et les siens s'engagent à ne plus crier, de quelque temps : « Vive la Sociale ! » — Tous unis, dans le cri : « A bas Boulanger ! » — Nous souscrivons.

La souscription n'a donné que 30 francs, à l'Ecole.

On fait passer, parmi les étudiants, des listes de protestation contre Boulanger. Elles se couvrent de signatures. A l'Ecole, honteuse lâcheté. La section de nos conscrits se montre particulièrement poltrons. Ils se disent antiboulangistes, et refusent de signer. Dans notre section, Colardeau donne, comme excuse, qu'il ne veut pas se mêler avec les Sorbonnards. Ses camarades de turne (Barthe, Cury, etc.) veulent bien, à la rigueur, laisser mettre leurs noms, mais non pas apposer leurs signatures. (Afin de pouvoir démentir ?) Seul d'entre eux, Joubin signe. Wartel veut bien signer, mais demande qu'on supprime, à la suite des noms, la mention : « Elève de l'Ecole Normale » (afin qu'ils se perdent dans la foule). Pagès, de Bévotte, Legras, s'abstiennent. — A force d'être injuriés, nos conscrits, qui étaient 7 à 6 h. 1/2, sont 19, à 6 h. 3/4, qui consentent à signer.

Chanson de l'Ecole contre les Boulangistes.

(Elle est sotte, sans esprit ; mais c'est un petit document) :

> « *Quand Boulange sera par terre,*
> *Ils sront pas fiers*
> *Dans le camp des boulangeards*
> *ça sra trop tard.*
> *Qui prendra le train pour Bayonne ?*
> *C'est Lahillonne.*
> *Qui qui s'ra sec comme un pieu ?*
> *C'est l'vieux monsieur.*[1]
>
> *Qui dira : J'ai fait une gaffe ?*
> *Paléographe.*[2]
>
> *Qui qui f'ra son malin ?*
> *Ça s'ra l'lapin.*[3]

1. Padovani.
2. Sollier.
3. Parturier.

> *Qui qui dira : J'ai pas d'veine ?*
> *Ça s'ra Eugène.*
> *Qui qui nous f'ra les yeux doux ?*
> *C'est Barbapoux.*[4]
>
> *Qui tremble comme un'vieille ?*
> *Ça s'ra la vieille.*[5]
>
> *Qui est-ce qui s'ra foutu dedans ?*
> *C'est l'adjudant.*[6]
>
> *Qui est-ce qui reniera l'bon Dieu ?*
> *Ça s'ra Bondieu.*
> *De tous qui s'ra l'plus foirard ?*
> *Le critique d'art !* »

Ont voté pour que l'Ecole prît part aux mouvements anti-boulangistes des Etudiants :

	83.
Contre :	20.
Abstentionnistes :	24.

Hauser, cacique général des lettres, et antiboulangiste, (comme Bourlet, cacique général des sciences), écrit au Comité des Etudiants le résultat du vote, — afin de parer à l'effet produit par la démarche de Padovani, Levrault, etc., qui ont aujourd'hui audience de Boulanger.

Gay, orléaniste clérical, mais honnête, de Ridder, ont voté contre Boulanger. Lorin pour ; tout gâchis lui semblant de nature à hâter le retour du comte de Paris. Padovani essaie d'effrayer ses camarades, en les menaçant de la suppression de l'Ecole, de leur mise à pied, etc.

---

4. Levrault.
5. Gautier.
6. ? ?

Le plus enragé des antiboulangistes est certainement Georges Dumas. Jamais je ne l'ai vu ainsi, ce fumiste à froid.

— « Si j'avais Boulanger sous la main, dit-il, je le tuerais. »
D'ailleurs, je ne pense pas autrement. Ni Suarès.

Sont nommés délégués de l'Ecole :
(Lettres) Toutain 87 voix.
(Sciences) Bourlet 54 voix.

Padovani porte à *la Cocarde* une lettre de protestation contre la manifestation des 83 antiboulangistes de l'Ecole. Sa lettre est signée d' « un groupe de Normaliens », et suivie d'un entrefilet injurieux pour Hauser, qu'il accuse d'avoir faussement engagé l'Ecole. — « Cette lettre, dit le journaliste, nous a été apportée par plusieurs élèves ; nous ne publierons pas les noms de nos jeunes amis, pour ne pas les exposer à la vengeance du gouvernement ; il est évident que le sieur Hauser a bien travaillé pour son avenir, en signant sa lettre bruyante. » — Indignation générale à l'Ecole. Padovani est rédacteur, à *la Cocarde ;* s'il n'a pas écrit l'article, il l'a inspiré ; et sinon lui, son alter ego, Lahillonne. L'opinion est très excitée contre cette lâcheté de Padovani. Chavannes et Toutain quittent sa table, au réfectoire, en manifestant leur mépris ; et les places restent vides : aucun conscrit ne veut les occuper. Hauser oblige Padovani à une rectification publique, signée de son nom, et le menace d'un duel. 109 élèves sur 127 signent une adresse aux journaux, flétrissant « la lettre anonyme et de mauvaise foi ». 100 exigent de Padovani qu'il se démette de son grade d'adjudant. Il refuse ; et l'Ecole signe en masse une lettre au commandant Bonvoust, pour obliger son sous-officier à démissionner. Certains (Sirven, Chavannes) ont même parlé de chasser Padovani de l'Ecole, et d'y obliger l'administration, en menaçant de démissionner nous-mêmes. Enfin, une dernière lettre, signée d'environ une centaine de noms, déclare à Padovani que nous ne le considérons plus comme notre camarade.

La violence de ces luttes intérieures est soudainement arrêtée

par la mort de Blerzy, enlevé en huit jours par une fièvre cérébrale. — Au reste, à aucun moment, Padovani ne se départ de
son attitude arrogante et cynique.

Brunetière me rend un travail que j'ai fait sur Stendhal. Il
n'y comprend pas grand'chose. Mais il est assez aimable, il
essaie de comprendre, il me fait parler, il écoute. Il me pousse
surtout, sur la question des romanciers russes ; mon amour pour
eux l'offusque ; il critique particulièrement Dostoïewsky, et
m'oppose toujours Georges Elliot. Je n'en démords pas, et il
ne s'en fâche point. Au contraire. En somme, il est assez large,
dans la discussion, — en ce que, s'il comprend peu de chose,
il veut bien convenir du moins qu'il ne comprend pas.

22 avril.

A la seconde représentation de *la Marchande de sourires,*
drame japonais de Juliette Gautier, à l'Odéon. — Peu de monde. Un écho des agitations boulangistes. Une vingtaine de gamins, juchés au poulailler, veulent, pendant les entr'actes,
chanter ou siffler : « En r'venant d' la r'vue », « les pioupious
d'Auvergne », etc. On les fait taire.
Pièce nulle, mise en scène d'une façon charmante. Porel a
fait les choses comme pour *le Songe d'une nuit d'été.* Tout
s'est japonisé chez lui. Les décors, les costumes sont un vrai
ravissement. Sans trop écouter la langue pesante de madame
Gautier, j'ai revécu délicieusement, dans cette atmosphère, quelques pages des *Deux Cousines,* le joli roman chinois que j'ai
lu, en septembre dernier. — (De bons acteurs, Paul Monet,
Laroche, Amaury, mesdames Tessandier, Antonia Laurent.)

Canulard trimestriel.

(C'est-à-dire, séance où le directeur Perrot et le sous-
directeur Vidal de Lablache viennent nous lire nos notes) :
Il n'y a d'éloges que pour Barthe et Colardeau. — C'est

justice. Si on ne les admirait ici, où les admirerait-on jamais ?

Brunetière m'a fait le grave tort de donner sa note sur mon travail, avant de l'avoir discuté avec moi. Ainsi, son appréciation contient des reproches, que j'ai refutés : comme celui-ci, que j'avais été assez personnel, mais que je l'avais cherché, par une critique de parti-pris des Stendhalistes. (Ils me sont si indifférents !) — Il me loue égoïstement, de ce qu'il croit une erreur et une injustice : « Enfin, j'ai trouvé un jeune homme, qui ose être injuste pour Stendhal ! » [1] Il est tout entier dans cette boutade d'intolérance consciente.

Monod critique ma double conférence orale et loue sans restrictions mon travail sur Claude Haton. Il dit que je promets (d'être) un historien pénétrant des âmes et que j'ai un style personnel. — Analogues sont les observations de Vidal de Lablache, qui remarque justement, même dans ma leçon de géographie, ma prédilection pour les vraisemblances psychologiques.

Monod loue, chez Suarès, « une sincérité sympathique, sous une apparente prétention ». (Réponse très utile aux critiques des autres professeurs.)

Lecture de *Terres Vierges* et de *Dmitri Roudine* de Tourguenieff.

Le moindre petit malheur prend, aux yeux de Suarès, des proportions démesurées. Il a vite fait de généraliser. Il hait les sergents de ville, depuis que, sur la place de la Concorde, ils lui ont dit un peu brusquement : « Circulez, Monsieur, circulez ! »

— « Oh ! ces cognes !... Je me suis tenu à quatre, pour ne pas leur sauter à la tête. »

Qu'il éprouve un échec, qu'il essuie un reproche d'un maître

---

1. (J'ai bien changé, depuis ! J'aime Stendhal, par-dessus tous les romanciers français.)

de conférences, que le surveillant général Dupuy refuse de le dispenser de l'exercice militaire...

— « Ça n'arrive qu'à moi, ces choses-là... J'ai tort de m'étonner. Ça m'arrive, parce que c'est moi. Tout est contre moi. Il y a une fatalité. »

Jamais il ne plaisante, en parlant ainsi. Il dit peut-être plus qu'il ne pense ; mais il croit ce qu'il dit ; et alors, il rebondit avec plus de violence sur les mots qu'il s'entend dire, comme sur des preuves certaines de son malheur immérité. — Son imagination grossit tout. La moindre sensation douloureuse lui est un supplice. Il a un rhume... « C'est une ataxie de la gorge... » etc. Son moi remplit l'univers, même quand, grisé par Tolstoy, il parle de le supprimer ; et tout ce qui n'est pas pour lui est contre lui. Or il se donne peu la peine d'aider les choses à lui être douces et bienveillantes.

SUARÈS (très sérieusement) : « En somme, ce n'est pas étonnant que je ne sois pas Méridional... »

LE MÊME (à Dalmeyda) : « Qui te dit qu'une certaine indifférence ne m'est pas plus sensible que de la malveillance ? »

Comme ses longs cheveux ont été, pour lui, une cause perpétuelle de sarcasmes de la part de ses camarades et de ses professeurs, depuis son entrée à l'Ecole, j'ai pu l'amener tout doucement, d'une façon affectueuse, à les couper. Mais voici qu'à l'Exposition Willette, je le vois, avec stupeur, qui arrive, cheveux ras, joues et mentons rasés, tout rond. Il me dit, joyeusement : « Oui, j'ai trouvé que pendant que j'y étais, c'était mieux ainsi, cela me fait plus jeune... » Je me garde bien de le chagriner, en lui disant mon impression. — Mais le soir, à la rentrée rue d'Ulm, tous les camarades s'esclaffent. Dumas le traite de gros moine ; Dalmeyda l'appelle : « Mon révérend père. » — Il en est si affecté qu'il ne veut plus descendre au réfectoire, de plusieurs jours, et que, dans les couloirs, il se cache le menton dans un mouchoir comme s'il avait mal aux dents. — Et les cheveux repoussèrent, plus longs qu'avant.

Lu *les Ames mortes* de Gogol, et pris copie d'une page, qui revendique pour l'art le devoir d'être réaliste.

Les animaux peints par eux-mêmes :
SUARÈS : « La psychologie de Mille ? Elle ressemble à un de ces vieux temples grecs, dont il y a de beaux restes. Ça a l'air de quelque chose ; il y a des architraves superbes ; mais de près... »
BOUCHARD : « Et la psychologie de Mélinand ? Un cent d'épingles. C'est très fin, et ça vaut deux sous. »

GASTON BOISSIER (à Rolland) : « Mettez-vous bien dans l'esprit qu'il n'y a de paysage vraiment beau qu'un paysage fertile, parce que c'est raisonnable. »

Il faut qu'à 35 ans, j'aie fait l'essentiel de ma vie et de mon œuvre. Il faut qu'à 35 ans, je puisse mourir sans regretter de n'avoir pas extrait de ma vie le feu qu'elle couve en elle.

Mai.

Dimanche.

Grande fatigue nerveuse et cérébrale. On me permet à l'Ecole, avec beaucoup d'amabilité, de rester chez moi, tout le temps que je voudrais, pour me bien reposer. Comme j'ai des douleurs de tête et de ventre, et que plusieurs de mes camarades ont été gravement atteints, (Blerzy, mort d'une fièvre cérébrale ; Mélinand, malade d'une fièvre typhoïde), je crains d'être aussi touché ; et, bien que cela me soit une fatigue extrême, je me mets, avec un acharnement désespéré, à la construction de ma pauvre Foi religieuse. Je voudrais qu'il restât au moins de moi quelque chose, qui pût servir à ceux que j'aime. Mais mon cerveau malade ne se prête guère à ma volonté.[1]

Lundi matin, 8 h. 1/2.

Je reçois une carte-télégramme désespérée de Suarès : « Rolland, mon cher Rolland, qu'as-tu ?... »
— 9 h. Visite de Dalmeyda.
— 9 h. 1/2. Visite de Suarès, qui a fini par arracher une permission de sortie à Dupuy. Le pauvre garçon est tout ému.
Le père Coffin, que je vais consulter, m'ordonne quelques jours de grand air, à la campagne.

Mardi.

A Chaville, avec maman. Il n'y a pas encore beaucoup de feuilles aux arbres, et le soleil est lourd ; mais des fleurettes charmantes, surtout des violettes pâles ou foncées ; des chants d'oiseaux coulent en gouttelettes fraîches et brillantes. Au loin, un coucou bavard. Un petit souffle de vent secoue l'odeur des violettes et baigne ma tête qui me fait mal. Je ferme les yeux, étendu le long d'une pente, sur un lit d'herbe nouvelle. Mon Dieu, que je mourrais sans peine, ici ! Qu'il ferait bon se fondre dans cette brise légère, tendre et parfumée !
Suarès revient prendre de mes nouvelles, pendant que je ne suis pas chez moi.

Mercredi. Jeudi.

Deux nouvelles journées, au bois de Chaville, — la seconde avec Suarès.
Quand je suis seul, je n'ai plus qu'une sensation dans cette nature : la sensation de *l'Un*.

---

1. La préface de mon *Credo quia verum* est datée du Vendredi soir 4 mai 1888.

Mai 1888.

Citation de Fromentin : « Il y a dans l'extrême jeunesse des années entières, de longues années, dont toute la cendre, hélas ! tiendrait dans un médaillon de femme ; ce sont les années légères. *Les nôtres ont une autre mesure, un poids différent, et doivent laisser après elles quelque chose de mieux que des cendres et des parfums.* » (souligné)
(Une année dans le Sahel.)

12 mai.

Au Salon. — Jamais il n'y a eu tant de scènes militaires. C'est la note du jour. (Entre autres, le Rêve de Bataille.) L'an dernier, c'était le général Boulanger. — Un bon portrait de César Franck, à l'orgue (par Rougier) : le nez allongé, aminci, l'expression volontaire des yeux et de la bouche, l'expression wagnérienne que contredit le menton bonnasse. — Le Jules Ferry et le Lavigerie de Bonnat.

13 mai.

On vient d'inaugurer, au Champ-de-Mars, une restauration de l'ancienne rue Saint-Antoine, avec la Bastille, au XVIIIᵉ siècle. Boutiques, échoppes. La musique des garde-françaises joue des airs de Rameau, Collasse, Grétry. Nicolet et Janot font la parade. Des vendeurs de journaux crient la première lettre du père Duchesne. Un carleux d'souliers distribue des annonces du temps. Dans un théâtre, on représente des pièces de l'époque : *Les Battus paient l'amende ;* — *Enée et Lavinie*, ballet de Collasse. — Près de l'entrée de la Bastille, l'hôtel de Mayenne commande la porte.

Conversations sur le magnétisme, hypnotisme, catalepsie, suggestion, avec Renel qui a suivi des cours de Richer et des expériences d'internes, à la Salpêtrière. — Cette anecdote, prétendue authentique : un pasteur d'Epinal s'amusait à hypnotiser sa fille ; il lui demandait ce que faisait son frère, alors en Amérique. La jeune fille, parfaitement innocente, racontait, (sans trouver les termes exacts), une scène ignoble dans une maison de prostitution. Le père aussitôt arrêtait l'enquête ; mais le mal était fait.

18 mai, 8 h. du soir. (De ma turne.)

Cette admirable impression, vague, pénétrante, extatique, que font les bruits fondus d'une belle journée de printemps. (Que de fois je l'ai ressentie !) Les cloches dans le lointain, mesurées, calmes, mélancoliques. Les cris des hirondelles qui se poursuivent, très haut, comme suivant le soleil, dont les rayons s'élèvent à mesure qu'il disparaît. Je me sens anéanti dans ces bruits vagues et doux. Mon être s'est fondu dans ces tintements et ces cris. Je plane, au-dessus de mon corps, dans la musique de l'air.

Comment pourrait-on juger de l'effet qu'une de vos œuvres produira sur une autre ? Quand le même fait produit des impressions si différentes sur vous-même, selon l'instant. Ainsi, le son de la cloche de l'Ecole.

Rêvé qu'on m'étranglait. En même temps, je pensais que je rêvais ; et, me sentant étouffer, je raisonnais que cela devait correspondre à quelque chose de réel, — un anévrisme ; — je cherchais à me réveiller ; et mon premier mouvement, à mon réveil, a été de constater que je n'étais pas mort.

19 mai.

Le Roi d'Ys de Lalo, à l'Opéra-Comique. (6e audition). — Le public parisien, le plus sot des publics, a laissé Lalo vieillir, jusqu'à sa 65e année, sans faire attention à lui. Et puis, sur un mot d'ordre, dès avant la première du *Roi d'Ys,* on ne parle

plus que de Lalo ; gloire, argent, tout lui vient en même temps,
quand il va mourir, — jusqu'à des prix d'Académie. Mépris
indicible que j'ai pour ce public badaud et bruyant, que mènent quelques sots prétentieux.

Le Roi d'Ys ne méritait pas de rester si longtemps en porte-
feuille, ni d'avoir un triomphe si bruyant. Quelques belles pages ; mais l'œuvre est hybride, (comme presque toutes les œuvres musicales françaises, depuis dix ans : *Sigurd, Proserpine,*
etc.) — J'avais espéré, un moment, après *Henry VIII,* que
Saint-Saëns réaliserait le drame lyrique français. Mais Saint-
Saëns, comme Lalo, comme tous nos musiciens, manque de
psychologie. Il suffit de se rappeler son idée grotesque d'opposer au théâtre wagnérien de Bayreuth un théâtre Victor Hugo.
C'est avoir une singulière idée de Wagner que lui chercher ce
rival. Je ne doute pas que Saint-Saëns ne sente mieux que moi
les beautés orchestrales, harmoniques de Wagner ; mais je suis
bien sûr d'être plus près que lui de l'âme de Wagner, en ad-
mirant en celui-ci un des trois plus merveilleux artistes de vie
du XIXe siècle, un de ceux qui ont senti jusqu'au fond de l'âme
humaine. C'est pour ce génie d'expression que je l'aime, bien
plus encore que pour ses inventions harmoniques. Saint-Saëns
ne prend à Wagner que son matériel sonore, à Gluck et à
Berlioz que l'habitude de la notation juste. Pour l'âme, il ne
s'en occupe pas, il en laisse le soin aux librettistes ; il travaille
sur les mots, et non sur les personnages. — Ainsi, fait Lalo.
Le livret du *Roi d'Ys* est stupide ; l'auteur l'a broché, avec
une négligence malhonnête. Nos musiciens sont des sots d'as-
pirer au drame lyrique. Ils manquent d'éducation générale,
large, vivante, littéraire. Le Conservatoire devrait être pour
eux une école, non seulement de musique, mais de style, de
lettres, d'histoire, de philosophie, où la connaissance de Racine,
de Shakespeare, de Tolstoy, ne serait pas moins exigée que celle
de Gluck, de Beethoven et de Wagner.

Pour les raisons que je viens de dire, nos musiciens wagnériens de France ne feront de chef-d'œuvre (j'en suis convaincu)
que dans le genre symphonique. Ici en effet, il n'est besoin que

d'un, ou deux, ou trois sentiments très généraux ; pas de psychologie ; du mouvement ; la jouissance sensuelle d'une harmonie chaude, souple et vivante, qui se tord comme une vague éblouissante. Je ne comprends pas qu'ils n'en prennent pas leur parti. Ils devraient soutenir mordicus que la symphonie est la vraie musique, et que l'art dramatique est un art inférieur : au moins, ce serait logique... Certainement, ce que Lalo et Saint-Saëns font de mieux, pour leur gloire, ce sont leurs symphonies, rapsodies, etc. — Ainsi, l'ouverture du *Roi d'Ys,* qui est peut-être la meilleure page de l'œuvre.

Dans le reste, des chœurs bien traités, des pages d'une douceur émue et voluptueuse, non sans préciosité, des harmonies très fines qui rappellent certains *lieder* de Schumann, — quelque force passionnée, même, à de rares instants. — Mais cela ne se tient pas. Les scènes de douceur et de demi-caractère semblent surajoutées, et les scènes de passion ne sont pas vraies.

Personnages sans réalité. Combien peu change un peuple ! Ce sont toujours les « adorables furies » de Corneille, les amoureuses pâles et résignées, les amoureux galants et chevaleresques, le traître, le père noble... Race économe. Elle vit sur le même fonds, depuis des siècles.

21 mai.

Dîner chez Bret, avenue du Bois de Boulogne. (Une connaissance de Suisse.) — Vieux avocats artistes, qui ont entendu Tamburini, Rubini, etc., et qui décrètent « ce qui sera joué éternellement ».

— « Ecoutez bien, Marcel, voilà ce qui sera toujours jeune : *Guillaume Tell, les Huguenots,* pas *le Prophète,* peut-être *Rigoletto, Lucie, Faust,* pas *Aïda* par exemple ! Oh ! la marche, les trompettes !... Quant à vos Saint-Saëns, Massenet, dans trente ans d'ici, ils seront oubliés. »

Pour se venger, un des jeunes gens éreinte *Don Juan*. Réponse :

— « Moi, quand même je n'aimerais pas *Don Juan,* je n'oserais pas le critiquer, rien que parce que Gounod en a fait un tel éloge. »

Critique de la musique difficile.

— « Moi, je n'admets pas la musique qu'il y a besoin d'étudier pour comprendre. Il n'y a que ce qui plaît et ce qui ne plaît pas. »

...etc...

24 mai.

Promenade avec Suarès, à Chaville. Le ciel, d'une pureté admirable, bleu blanc au sommet, foncé sur les bords. Tous les arbres, ombreux, d'un vert tout jeune encore. Mais, çà et là, les feuilles sont dentelées par les chenilles, qu'on voit pendre, petites et vertes, au bout d'un mince fil. Plus de fleurs : les violettes ont disparu, et aussi les muguets. Mais les oiseaux sont plus charmants que jamais. Nous marchons en silence, étouffant nos pas sur l'herbe, dans la grande allée du milieu qui fait face au cèdre. Les oiseaux se répondent, de droite à gauche du chemin. On entend des sons étrangers : crécelles (de faisans), gémissements plaintifs (de chouette) ; des notes d'une intensité, d'un timbre extraordinaires, pour un petit gosier. On pense à un magicien chanteur qui s'est couvert du fin duvet d'un petit oiseau. Un peu plus loin, des rossignols filent leurs belles notes tendres. Tous ces chants sont fondus dans un bourdonnement d'insectes, — guêpes, cousins, mouches brillantes, — ces poussières de vie, qui étincellent au soleil. — Nous nommons la belle allée ombreuse, entre deux rangées de grands arbres qui font voûte et rideau, derrière lequel sont nos petits chanteurs : *Siegfried-Allee.* Et, dans le lointain, le canon d'un fort qui s'ébroue, avec des écroulements sourds, nous fait penser, — tous deux à la fois, en souriant, — à Fafner.

Hier (23 mai), voyant Suarès de plus en plus lugubre, j'ai sollicité ses confidences, et nous avons été entièrement francs,

comme il nous arrive souvent. Il se tourmente, il ne sait pas
où il en est ; suspendu entre Tolstoy et Wagner, pratiquant un
peu de l'un, un peu de l'autre, parlant de la beauté divine de
l'art, et puis de son égoïsme, disant qu'il veut s'annihiler par
le travail, et puis disant son désespoir à ne pouvoir se réaliser.
J'essaie d'aller au fond de sa pensée et de démêler la loi de sa
véritable nature. Mais ce n'est pas aisé. Il n'a pas la patience
de regarder au fond ; il voudrait agir tout de suite.

Nous causons aussi de nos années passées. Il me dit sa douleur d'avoir été ce qu'il a été. Il me raconte avec dégoût ses
années à Sainte-Barbe, après le départ de son frère ; seul, méprisant ses camarades, par suite, détesté ; à des moments,
souffrant du vide qu'il avait fait autour de lui, voulant à tout
prix se faire aimer, et, pour plaire aux autres, disant (faisant)
des ignominies. Il est navré. — Et je n'ai pas moins de honte,
quand je regarde, à une dizaine d'années derrière moi, ou même à mon arrivée à Paris. Quelle pitié douloureuse et humiliée
j'éprouve pour le pauvre petit innocent, dépourvu d'énergie
morale, que j'ai été, moi ! Je ne m'indigne pas ; mais j'ai autant de commisération pour lui, quand j'oublie que c'était moi,
que de honte, quand j'y songe. La vie m'eût été intolérable,
si j'avais eu seulement le plus petit grain de conscience. Tout
change pour moi, du jour où j'entre à Louis-le-Grand (1883) :
c'est un phénomène curieux. Du jour au lendemain. Ç'a été
un bouleversement joyeux, dont la profondeur m'a échappé à
moi-même. D'ailleurs, qu'est-ce qui ne m'aurait pas échappé,
puisque je ne pensais pas à me mépriser ? — Tout ce qu'il y a
d'un peu vil dans mon enfance vient de ma timidité. Mais je
ne puis oublier non plus qu'elle m'a sauvé. Ma nature d'alors
(ma santé, les crises par où elle passait) était trop débile ; sa
faiblesse même, son manque de ressort, en l'empêchant d'agir,
l'a empêché de mal faire. Grâce à Dieu, je n'ai à me reprocher
aucun acte grave, dont je puisse rougir. Mais peut-être en
aurais-je, si, plus livré à moi-même, dans ce milieu infâme de
gamins vicieux, j'avais eu un peu de force pour bien ou pour
mal faire. Jusqu'en janvier 1884 — (c'était hier !) — j'ai été

agi. Depuis, je peux me rendre cette justice, que j'ai toujours
tendu mon être vers le beau, vers le bien, vers mon Dieu, de
toutes les forces que j'ai trouvées au fond de moi, et que j'ai
centuplées, en quatre ans. Depuis quatre ans que j'ai ma pleine
et entière conscience, je suis fier de moi : j'ai fait beaucoup,
de peu de chose.

J'aime mieux encore Suarès, de m'avoir avoué les dégoûts
de ses années de crise. Vraiment, je l'aime bien.

Depuis un mois et demi, nous sommes plongés, Suarès et
moi, dans la collection Michaëlis (Opéras français du XVIIe
siècle et du XVIIIe siècles), qui se trouve, je ne sais comment,
dans la bibliothèque de l'Ecole. Nous éprouvons le double ravissement de trouver des choses exquises, et d'être les premiers,
ici, à nous en douter. Personne n'a jamais eu l'idée d'ouvrir
ces partitions ; pas une page n'est coupée. Huit jours après,
nous rapportons les volumes démolis, mais entièrement joués.
— Je suis dans l'admiration de ces vieux maîtres. J'ai beau
être (et de plus en plus) Tolstoyen, Wagnérien, Shakespearien,
— j'ai toujours au fond de moi un sentiment de respect et
d'orgueil pour ma France. Elle n'a rien à envier à personne.
C'est un peuple grand entre les grands. Dans aucun genre,
elle n'a été inférieure ; dans presque tous, elle a produit des
chefs-d'œuvre.

Des vieux maîtres de l'Opéra français, Lully me plaît le
moins. L'opéra est trop, alors, une tragédie de salon ; le musicien n'est là que pour colorier la déclamation du poète, et
pour intercaler quelques divertissements. Il faut se faire à ces
interminables conversations, sur de fades paroles. Mais d'admirables scènes, dans *Armide, Alceste, Isis, Proserpine.*

Campra est bien plus moderne. De tous ceux de son temps,
ce Provençal a le plus de sang dans les veines. Ses airs de
danse de l'*Europe galante* et des *Festes vénitiennes* sont d'une
verve franche, facile, populaire, qui ne semble pas de son
siècle.

Destouches note certains sentiments modernes dans une

langue qui est en avance sur l'époque. *(Les Eléments.)* J'aime la fine mélancolie de Iphis dans *Omphale,* et la scène dramatique de l'Hespéride dans *Issé.*

Le plus grand, c'est Rameau. A la vérité, son élégance est maniérée, ses révérences ne vont pas sans quelques contorsions ; le ton de ses compliments est un peu franc parfois, et ses danses souvent mièvres. Mais quel superbe trésor d'émotions dramatiques ! Comme il comprend ses personnages tragiques, et comme il sent aussi la nature qui les entoure ! L'acte des Enfers, dans *Hippolyte et Aricie,* est aussi beau que ce qu'il y a de plus beau dans Gluck. Enlevez d'*Orphée* le fameux air de flûte des Champs-Elysées, et je n'hésite pas à préférer l'acte de Rameau. J'ai rarement entendu une déclamation qui m'émut, comme celle de Thésée ; le trio des Parques sans accompagnement m'a rappelé les chœurs sublimes de *la Flûte enchantée.* Que dire des flots de l'enfer, qui roulent sous le chant de Pluton et des Parques, ou du frémissement des vagues, qui enveloppe les malédictions de Thésée ! La nature est partout, dans cet opéra ; mais elle est surtout dans le cœur des personnages. Rameau est plus qu'un grand musicien ; il est un observateur et un créateur de vie. — *Dardanus :* les airs de basse ; le duo-imprécation et prière avec chœur des guerriers ; le trio et chœur des songes, ...un pleur qui brille dans les yeux, sans couler, un sourire intérieur, à fleur des lèvres. — *Zoroastre* me plaît beaucoup moins, malgré quelques beaux chœurs. — De ravissants petits airs, coquets et maniérés dans *les Indes Galantes* et *les Festes d'Hébé.* — Ce que je trouve exceptionnel, dans l'œuvre de Rameau, c'est son début : *Hippolyte et Aricie,* vraiment unique chez lui, par la complexité toute moderne du sentiment et de l'harmonie. Et c'est (mais à un degré moindre) le chef-d'œuvre consacré : *Castor et Pollux.* Le chœur : « Que tout gémisse » débute par des impressions toutes Berlioziennes. L'air de Télaïre : « sombres apprêts », d'une facture classique, a des accents de Schumann et de Weber. L'acte des Champs-Elysées est digne de Gluck. Le délicieux prélude lent et l'air de l'ombre me fait venir les larmes aux yeux.

C'est là ma musique. Si j'aime violemment Wagner, c'est par passion du vrai, ou bien par enivrement sensuel. Mais la musique qui me reflète à moi-même mon âme cachée, dans ce qu'elle a de meilleur et de plus pur, — c'est ce bonheur calme et mélancolique, cette joie aux yeux humides, qui rarement déborde, mais toujours me gonfle le cœur, ce tendre demi-sourire et ces larmes intérieures, — que je retrouve dans l'air des Champs-Elysées de Gluck, dans le prélude de Rameau, dans quelques phrases de Haydn et de Mozart.

« Le clou » (Georges Perrot) a dit de la section cubique de grammaire :

— « Trois fous et un imbécile. »

Depuis ce temps, Strowsky et Parturier font ostensiblement les fous.

Rarement, j'ai souffert davantage, intellectuellement et nerveusement, que cette année. Mais rarement aussi, j'ai joui davantage. J'ai des heures de joie profonde, calme, extatique, en regardant, de ma fenêtre de turne, le charmant jardin du directeur. De ma table de travail, quand je lève la tête, je ne vois qu'un lac de verdure, une surface plane de sommets d'arbres régulièrement coupés, d'où jaillissent à l'aventure une multitude de petites branches aux feuilles rouges, qui ont poussé depuis le printemps. Cette allée d'arbres, qui tourne brusquement à droite, enferme dans son angle droit des arbres plus hauts, — un surtout, où jouent les oiseaux, et qui est le premier et le dernier illuminé par le soleil. Les couleurs ne sont pas très variées, mais infiniment nuancées. Toutes les nuances du vert, qui changent, d'une heure à l'autre. Lumière fine du lever, enveloppée d'une gaze de brouillard ; lumière limpide du jour, sous le ciel bleu ténu ; lumière dorée du couchant, avec les oiseaux piaillants ; lumière froide, électrique, de la lune, sur l'immobilité glacée des cimes d'arbres. Je bois avec délices les moindres instants de calme.

6 juin, 9 h. 1/2 du soir.

Mon pauvre Mille, nous sommes depuis six mois, huit heures par jour, à trois pas l'un de l'autre. Nous ne nous sommes pas dit un mot de ce que nous pensions. J'entends : de ce qu'il y a de plus vrai, de plus vivant en nous. Le reste, les scories de surface, les plaisanteries de femmes ou d'école, nous les ressassons sans cesse ; quand nous avons fini, nous recommençons. Voilà pourquoi j'en suis réduit, moi qui sens du moins que nous cachons le plus sérieux de nos pensées, et qui devine une partie des tiennes, — à m'entretenir avec toi, d'âme à âme, par intuition, et comme en Dieu. Tu ne me réponds pas, tu n'as pas conscience que je te parle ; et pourtant, tu es plus près de moi que lorsque nous causons.

Tu as une grave maladie ; tu en souffres durement ; tu en es humilié, autant que torturé ; tu vis tout entier dans ton ambition, et tu peux mourir, d'un instant à l'autre. Tu souffres, de toutes façons, dans ton corps, dans ton orgueil, dans ta volonté. Et tu mets ta fierté à n'en rien montrer aux autres, à tes meilleurs amis : Rolland, Dumas... Crois-tu qu'il ne vaudrait pas mieux me confier tes déchirements et tes dégoûts que de les renfermer derrière la muraille de ton orgueil ? Cela ne serait pas viril, penses-tu. Il faut garder ses maux pour soi. — Oui. Enfin, il faut mentir, toujours mentir, mentir aux autres, mentir à soi-même, ne vouloir ni faire voir, ni voir ce qu'il y a de lamentablement sincère, au fond de soi. On ne serait pas viril, si l'on ne cachait la vérité... — Moi, je crois le contraire. Je crois que l'on n'est homme qu'autant qu'on a le courage d'être soi tout entier, tout haut, devant tous. Je crois que l'on n'est homme qu'autant qu'on a l'amour des autres et qu'on croit à l'amour... As-tu confiance en moi ? Crois-tu que je puisse t'aimer ? Si tu me juges capable de quelque sérieux, de quelque abnégation, de quelque communion avec toi dans la mort, pourquoi n'ouvres-tu pas la bouche ? — Cela ne sert à rien, dis-tu ? Cela ne nous avancera à rien, ni l'un, ni l'autre ? — Qu'en sais-tu ? Peux-tu nier, je ne dis pas la vérité (tu n'y

crois pas), mais la sympathie, qui est douce et bienfaisante
aux deux êtres qu'elle unit ?... Surtout, pourquoi mentir ?
Pourquoi s'entêter dans son isolement hermétique, étouffant,
lorsqu'on a peur et qu'on souffre ? Les moutons, les oiseaux,
sont plus intelligents. Ils serrent leurs petites toisons les uns
contre les autres, pour avoir plus chaud. Toi, tu gèles, Mais
cela t'est égal, tu es fier, tu n'as besoin de personne : tu gèles,
seul.

— « Ce n'est pas étonnant que je ne sois pas méridional »,
disait Suarès.

Rien de plus plaisant, comme ce mot : car il est impossible
d'être plus méridional que Suarès. Il lui est aussi naturel d'exagérer tout ce qu'il sent, veut, et fait, que de respirer. Je l'ai
souvent mal jugé, parce que je me faisais du Méridional une
idée fausse, comme la plupart des gens. Je n'en voyais que le
côté superficiel, la hâblerie bruyante, la fougue irréfléchie, convaincue et inconstante, la personnalité qui s'étale, la sensualité
qui déborde. Ce qu'il faut voir, par-dessous, ce qui purifie,
élève et sanctifie presque tout le reste, c'est la flamme intérieure, la passion ardente. On la taxe souvent d'égoïsme. C'est
là une vue étroite. Certes, cette passion n'a pas grand'chose
de commun avec celle d'un homme du Nord, cette longue
flamme blanche, qui monte d'un jet irrésistible et droit, comme
un arbre, et qui ne s'interrompt point. L'amour, pour l'homme
du Midi, ne peut se passer des sens ; et, comme les sens sont
changeants, avec eux change trop souvent l'objet de l'amour.
Mais l'amour demeure, dans sa violence indestructible, cherchant sans cesse un aliment à dévorer, le voulant, le créant,
et, s'il n'en peut trouver, s'attachant avec la même ardeur à
la négation, au suicide. Quand je me désole en constatant que
Suarès varie, qu'il dit, un jour : « J'aimerai toujours ceci, ceci
sera toujours beau, » — et, un mois après : « Ceci est absurde,
il est ridicule de l'aimer » ; — quand je vois qu'on peut même
l'amener à aimer (ou haïr) ce qu'on veut qu'il aime (ou qu'il
haïsse), — je raisonne comme s'il était un homme de ma na-

ture, pour qui cette inconstance serait vile : car elle prouverait ou bien un manque de sincérité, ou bien un manque d'intelligence. Nous autres, en effet, nous gardons toujours, même dans la passion, une partie de notre pensée, lucide, presque froide. Si j'abandonnais brusquement ce que j'ai une fois aimé, c'est que je ne serais pas capable de voir clair dans mon cœur, ou que mon cœur ne serait pas franc. Etre inconstants serait pour nous un vice radical, atteignant les sources mêmes de notre être : la pensée ; il prouverait que nous ne pouvons être nous. — Mais pour un homme du Midi, l'amour étant sa fin en soi, étant tout, qu'importe que l'objet change ? Il ne changera pas au fond, lui.

Voilà ce que je suis arrivé à sentir, assez tard, chez mon ami Suarès. Il a cessé d'aimer bien des hommes et des choses, depuis que je le connais : Meyerbeer, Mendelssohn, Flaubert, Shakespeare, César Borgia, etc., tant d'autres, morts ou vivants. Peut-être cessera-t-il de m'aimer, un jour. Mais il aimera toujours, avec la même intensité et la même conviction, celui-ci, celui-là, qu'importe ? Le temps passe. Sans remords, avec le plus parfait oubli, il ne sait plus aujourd'hui ce qu'il a aimé, hier ; il nie qu'il l'ait aimé ; il peut aimer le contraire. Qu'importe ? Il aime, il est sincère. Tant pis pour nous, peut-être, qui sommes aimés par lui ! Mais tant mieux pour lui !

Pour l'instant, César Borgia s'est fait ascète, mais ascète à la façon de saint Antoine. Son renoncement est passionné, furieux, comme il y a un an, son sensualisme de la Renaissance. Borgia est devenu Tolstoy. Non seulement il ne parlerait plus de la suppression d'un homme, comme d'un accident utile ; non seulement il ne tuerait plus le mandarin, afin d'en hériter ; mais il ne mange plus de viande, parce que le bœuf et le mouton sont ses frères. Un moment, — quelques jours, — il a été sur le point de ne plus manger du tout. Il méridionalise la religion du prophète de Toula.

Je ne cache pas que cela m'a souvent agacé ; cela m'agace encore : il y a toujours une pointe de pose dans son outrance de tous les sentiments, quels qu'ils soient ; et cette pointe,

quand elle me pique, je suis nécessairement enclin à en exagérer l'importance. — Je devrais être plus raisonnable, en ma
qualité d'homme du Nord. Pourquoi vouloir que ce qui est et
doit être ne soit pas ? Suarès est ainsi. Voyons la beauté de sa
nature, et acceptons-en la rançon inévitable. N'eût-il que cette
supériorité : avoir une conviction absolue, quoi qu'il sente,
quoi qu'il aime, — c'est une grande force.

Il ne discute pas. Quand il croit (ou veut croire), il commence par pratiquer, avant d'être sûr de sa foi. C'est l'action
qui l'intéresse. Moi, si j'ai passé des années d'angoisse à la recherche du mot de vie, c'était pour me connaître, et pour connaître Dieu. Suarès veut savoir ce qu'il doit faire, d'abord,
tout de suite, parce qu'il a besoin d'agir. Je suis une raison
passionnée. Lui, des sens intelligents. Et brûlants, tous les
deux. Nous nous rencontrons à mi-chemin, dans la zone du feu.

9 juin, 4 h. 1/2.

Par un accord singulier, Mille et moi nous nous rappro-
chons, ce soir, nous causons plus franchement que nous ne
l'avons fait depuis le commencement de l'année. Je ne me rappelle plus comment la conversation a commencé. Sans doute,
une question de Mille : « Qu'est-ce que je faisais de mon
temps, maintenant qu'ayant fini mes travaux, j'avais deux mois
libres ? » — Puis après diverses répliques, des silences, des in-
terruptions, la question qui me brûlait les lèvres, depuis longtemps : « Que pensait-il faire plus tard ? » — Alors, il m'a dit
qu'il ne pouvait pas le savoir, qu'il était fort ennuyé, ne pouvant rien décider, à cause de sa santé : s'il allait bien, (ce qu'il
ne croyait pas,) il se jetterait dans la vie active, non pas la
sotte politique, impossible aujourd'hui, mais les missions en
Asie. Si sa santé restait aussi mauvaise, « alors, la Patrologie,
et les mystiques du moyen-âge offraient de précieuses ressour-
ces... » — Quelques deux heures plus tard, au retour de la
conférence de Got, nous recommençons à causer, (le courant
d'intimité est établi). Mille, qui ne parle d'habitude que lors-

qu'on l'interroge, me questionne sur mon voyage en Hollande et Belgique. Je réponds. — Un silence. — Puis, l'entretien de tout à l'heure continuant de me hanter, je demande pourquoi il a formé deux plans d'avenir aussi différents l'un de l'autre, selon l'état de sa santé. (Action d'un côté, immobilité complète, de l'autre.) Mille me dit ses rêves : — que la vie renfermait en elle tout le bien, et qu'on pouvait être heureux en agissant vigoureusement ; — qu'il avait bien vu son incapacité à agir par la pensée : il ne pouvait pas pénétrer les sentiments des autres, ni faire passer les siens en eux : il concevait mieux, pour lui, l'action directe sur les hommes que celle des écrits. — Je demande la raison de son incapacité à avoir par ses écrits une influence morale. — Réponse : l'impossibilité où il est d'exprimer bien ce qu'il sent. L'impossibilité, plus grave, de sentir les autres. Il dit ce mot terrible : « En dehors d'une trentaine d'individus, tous les hommes n'ont pas plus de valeur pour moi qu'un arbre ou une pierre. Impossible de me rendre compte de ce qu'ils sentent. Donc pas de sympathie possible. » Je réponds que, pour communiquer une foi, il n'est pas indispensable de sentir la pensée des autres, il s'agit d'avoir une âme forte, qui entre, comme une lame, dans les âmes molles ; — que, pour arriver à la maîtrise complète de l'expression, le remède est l'étude et la volonté : dix ans d'analyse intime (comme, pour moi, il faudra dix ans de pénétration du monde). — Mais il est découragé. Il dit : « Tu sais, j'ai toujours été chimérique, j'avais toutes sortes de projets... et je pensais... vaguement... que je... tâcherais de les réaliser... »

Comme j'ai été long à voir ce qu'il y avait de chimérique, en Mille ! Je le prenais au tragique et, par suite, je portais sur lui des jugements très durs. C'est un honnête homme, mais dont toute l'imagination, chimérique comme la nôtre à tous, (à tous ceux de notre âge), s'est portée presque exclusivement vers l'action. Il formait des projets pratiques, qui étaient dans l'ensemble quelquefois beaux, souvent déplaisants dans le détail — (il manque de psychologie, donc de tact dans les petites

choses) ; — et il les exécutait rigoureusement, avec une ponc-
tualité qui lui faisait nécessairement commettre des gaffes. —
Je ne devais pas le juger avec une autre mesure que je jugeais
Suarès, quand il faisait l'éloge de César Borgia... Jeunesse...
Seulement, en plus, chez Mille, une volonté peu ordinaire.

Un dialogue entre deux camarades :
— Tu sais, je l'ai vue, la petite...
— Ah ! Et alors ?
— Et j'ai perpétré la chose. Voilà... Je l'ai emmenée d'abord
poter, au restaurant à 25 sous ; (faut pas donner de mauvaises
habitudes aux femmes) ; et puis je l'ai emmenée.
— Et l'ombre de Par. n'est pas sortie du sommier ?
— C'était pas sur son lit.
— Ah !
— Une chambre à côté, une chambre d'ami.
— Et ça s'est bien passé ?
— Oui. Elle s'est bien fait prier, un peu... (Ils rient.)
— Alors, elle a fait des manières ?
— Ah ! oui... « Oh ! monsieur !... »
— Elle était avec son amie la pimbêche ?
— Oui. Pas mal. Mais mal habillée, la pauv' p'tite... Elle
croyait que j'allais l'inviter. A la porte du restaurant, je lui ai
tiré ma révérence : « Bonsoir, mademoiselle. Enchanté d'avoir
fait votre connaissance. » Je lui ai seulement donné son para-
pluie...

Les exquises musettes d'*Hippolyte et Aricie,* et des *Festes
d'Hébé.*

11 juin.

Nous causons, Suarès et moi, de notre avenir. Suarès est
très hésitant. Il ne veut pas rester dans le professorat ; et je
l'approuve : ce serait sa mort intellectuelle. Il ne lui reste donc
qu'à se jeter dans la mêlée, — à écrire. Mais il n'est pas seul,
il a charge d'âmes. Je l'engage à s'essayer, dès cette année, à

finir une œuvre et à la publier le plus tôt possible. Il ne manque pas de relations artistiques, grâce à son oncle Cohen. — Il se juge avec claivoyance :

— « Jamais je ne pourrai être journaliste, dit-il. Parce que j'ai en horreur ce métier ; et puis, parce je n'ai pas d'esprit. Je n'en ai aucun. Tu vois bien dans les discussions... Ce n'est pas jamais de mon côté que sont les rieurs. Or, ne pas avoir d'esprit dans le journalisme, c'est mortel. »

Cependant, quand on n'a pas le sou et qu'on veut vivre par les lettres, il faut passer par le journalisme.

Pour moi, je suis fixé. Ma mère me disait, l'autre jour, comme je lui parlais de ce que je voudrais être et des obstacles qui s'y opposent :

— « Si tu ne peux pas obtenir de rester un an de plus à l'Ecole, prends un congé ; qu'est-ce que cela fait ? C'est un sacrifice dont tu nous dédommageras plus tard. »

Mais je ne veux plus, à présent, ajouter à mon risque propre celui de ne pouvoir payer les miens de nouveaux sacrifices. Il me faudra donc accepter le professorat. J'ai un engagement décennal qui me lie ; j'y satisferai strictement. Ce sera donc sept ans à professer, depuis la sortie de l'Ecole. Pas un jour de plus. Pendant ce temps, j'écrirai ma grande histoire réaliste : *les guerres de religion,* où je veux donner un exemple de ce que peut, de ce que doit faire maintenant l'Histoire : ressusciter, au sens propre, faire revivre le passé, recréer les âmes, dans leur réalité intégrale et palpitante, en s'aidant non seulement de la critique des textes, mais de l'intuition artistique. — Ce sera mon seul livre d'histoire. — Tout en y travaillant, je verrai le monde, je me nourrirai d'âmes vivantes.

A trente ans, j'abandonne à la fois l'Université et l'histoire ; et je donne mon premier roman. — Si je ne le fais point, c'est que je suis un impuissant ; — et ma vie est finie. — Si je le fais alors, il faut qu'à trente-cinq ans, je puisse mourir, ayant donné la mesure de mes forces.

Mais, pour employer ces huit ans, comme je l'ai décidé, il me faut être entièrement libre. Je ne veux me lier les mains par rien. Le mariage serait la mort ; je serais obligé de continuer, à trente ans, le métier que je fais à vingt, et je resterais dans la machine professorale jusqu'à ce que j'arrive à Paris, peut-être à la Sorbonne. Ce dont je n'ai cure ; et j'y perdrais ma vie intérieure, la liberté de mon âme, qui de tout ce qui est au monde m'est la chose la plus précieuse. Je trouverai mon âme. J'en remplirai celle des autres. Je veux les rendre immortelles. Je veux faire passer en elles ce qui a soufflé en moi : Dieu vivant.

Les chefs de l'anticléricalisme, à l'Ecole :
Dans notre section : Dumas, Renel, Gauckler, Pagès, — les quatre seuls protestants.
Chez nos cubes : le luthérien Molbert, et le calviniste Siwen.
Chez nos archicubes : Andler, protestant.

14 juin.

Au Louvre, pour voir la nouvelle salle des Perses (Dieulafoy), inaugurée la semaine dernière. — Etudié les dessins de Watteau, les crayons XVIᵉ siècle, les tableaux de Poussin. — Me retrempe aux sources de vie mystiques de mes préraphaélites : Botticelli, Angelico. Je n'ai pas perdu mon cœur, je le sens qui se fond au contact intérieur de leurs yeux amoureux.

15 juin.

Mort de l'empereur Frédéric, ce matin, — d'épuisement autant que de son mal. Il a régné trois mois. Il n'a pas fait ce que j'attendais de lui, ce que nous attendions tous ; il n'a pas fait tout le bien qu'on pouvait faire en trois mois, et qu'il annonçait lui-même. Il a laissé gouverner son fils, il a rendu plus dures les conditions de l'Alsace-Lorraine. Dans un seul sens, il a agi : à l'intérieur, en faveur des libéraux (le renvoi de Puttkamer). Ce n'est guère. N'importe ! Sa mort nous afflige.

Nous le connaissions, ce courageux agonisant, qui, depuis deux ans qu'il meurt, n'a pas un instant fléchi sous le poids de la douleur. C'était une grande âme, compatissante aux autres, inflexible pour elle-même. Il rêvait d'admirables choses ; il n'en a réalisé aucune : la mort quotidienne l'en empêchait. Mais puisqu'il les a rêvées, je l'aime. Qu'il a dû souffrir de se voir mourir, et après lui tout ce qu'il voulait faire ! Tant pouvoir, et ne rien pouvoir !

16 juin.

Tous attendent la guerre. — Je voudrais qu'elle attendît jusqu'après les vacances. J'ai besoin de revoir mes montagnes adorées. Forêts de pins aux bruissements de mer, aux senteurs résineuses, aux ombres violettes ; sources fraîches qu'on voit tomber des crevasses neigeuses, comme un filet d'argent ; torrents troubles et sourds ; grandes cimes crénelées, vêtues d'une gaze transparente, bleu foncé le matin, rose et dorée le soir ; milliers de voix confuses et de bourdonnements d'insectes ; air qui lave et qui grise... J'ai besoin de sentir encore une fois en moi battre le cœur de la nature. Quatre mois de paix encore. Quatre mois d'éternité.

17 juin. — Sélina.

La vie ! voilà le fond de ma nature, ce qui la définit, et ce qui la rend inexplicable aux autres qui m'entourent, voilà ce qui me remplit ! Elle est ma foi, mon art, ma volonté. La beauté, la bonté, sont pour moi égales à la vie. C'est ce qui fait que mon amour va de suite à ceux dont la vie est riche, et qu'il grossit à mesure que chez eux la vie est plus puissante. Deux yeux noirs, pleins de flamme, me causent une sensation de brûlure et un remuement d'existence, jusqu'au fond de mon cœur. Deux doux yeux bleus aimants, où les miens ont plongé, m'absorbent et m'engloutissent. D'autres fois, c'est à la suite de conversations froides, de discussions abstraites, que l'âme m'apparaît à nu, et que par un coup de foudre, je l'étreins, elle m'étreint, nous nous mêlons ensemble.

Une chose m'a sauvé du danger que m'aurait fait courir l'excès presque maladif de ma sensibilité et mon idéalisme passionné — le bon sens nivernais de mon père, — même de ma mère, — le besoin de la raison, et l'action (subie malgré moi) du réalisme ambiant. Il est bon de commencer par avoir la haine du bourgeois, du trivial, du banal, de ce que tout le monde dit ou pense, parce que tout le monde l'a dit ou pensé déjà. Mais il faut sortir de là, il faut dépouiller cette haine et ce mépris, si l'on vaut quelque chose, — parce que ces sentiments-là ne vous coûtent pas plus d'efforts que ceux des bourgeois ; rien n'est plus aisé que de mépriser, de confiance, comme on admire, de confiance : ce n'est pas moins banal.

Pour la première fois, j'ai pleinement conscience d'un trait nouveau de mon caractère, qui m'explique mille pensées antérieures, et qui prendra sans doute un développement extrême, extrême en moi, si je vis : — la flamme évangélique, la volonté impérieuse de dominer pacifiquement les âmes, de les remplir de la mienne, de mon amour et de mon Dieu. Avoir ce pouvoir souverain de suggestion des âmes, qui a fait que sous chaque phrase musicale de Wagner, le grand créateur a mis la volonté, qui dure après sa mort éphémère, de soumettre l'esprit de l'auditeur au sentiment qui l'a rempli lui-même. — Sans doute, cette volonté semble s'opposer chez moi à mon amour de la vie des autres. (Mais comme c'est à les faire vivre davantage que tendent tous mes efforts, comme le pouvoir que je veux acquérir est mis au service d'un vouloir essentiellement humain, rien ne saurait me détourner de mon but.)

Ma sœur est arrivée naturellement à ce que je ne suis parvenu à atteindre qu'après bien du temps, et des crises, et des métamorphoses successives. Elle est très simple ; elle sent bien ce qu'elle sent, et elle est entièrement franche avec elle-même,

— ce qui est pour moi la première qualité. J'aime encore mieux quelqu'un qui sente, d'une façon imparfaite, mais qui ne se mente pas, à soi et aux autres. Il y a peu de temps qu'elle commence à aimer ce qui est vraiment beau. Par exemple, Wagner : elle ne le comprend pas, et elle ne cache pas que Wagner l'ennuie ; — ce qui n'empêche point qu'elle l'aimera mieux qu'une autre, quand l'éducation de son oreille sera faite, (cela ne tardera pas). Avec cela, un goût assez bon, assez réaliste ; du bon sens. Elle n'a pas peu de mérite d'avoir réussi à échapper à l'influence détestable de l'éducation tradition-nelle, et à l'esprit général de la jeune fille bourgeoise fran-çaise.

De toutes les femmes, ma mère est peut-être celle qui me « sent » le mieux. Non pas qu'elle me comprenne. Mais elle m'aime tant que, par moments, elle a l'intuition de ce que je sens.

Mercredi, 20 juin.

Mille, qui a été voir le docteur Guyon, nous apprend brus-quement ce matin qu'il part ce soir. Je savais, d'une façon vague, qu'il avait demandé et obtenu de quitter plus tôt l'Ecole ; mais je ne pensais pas que ce fût si tôt. Sa mère, effrayée par l'avis du médecin, est venue le réclamer à notre directeur. Il s'en va passer quinze jours à Choisy-le-Roi ; puis il ira je ne sais où. Le docteur lui a ordonné un repos absolu de corps et d'esprit, dans les pâturages, dans l'air frais. Mille semble toujours impassible et sourit même de sa maladie ; mais je le devine, au fond, inquiet, affecté, humilié surtout. Quel-ques mots qu'il nous dit, et qui le font rougir, malgré sa froi-deur, laissent percer sa honte : — quand nous l'avons prié de ne pas nous oublier et de nous écrire, il nous a demandé la permission embarrassée de ne pas nous envoyer de lettre, avant sa « résurrection ». Et comme nous ouvrions de grands yeux :

— « Non, vois-tu, je me sens trop inférieur, je ne peux

plus penser... C'est ce qui m'ennuie depuis quelques mois : c'est
de me sentir si inférieur à vous, de ne pouvoir prendre part à
votre vie. »

Ce regret, il l'a exprimé à deux ou trois reprises. Il va dans
toutes les turnes serrer la main à tous, leur dire un mot d'adieu.
Il a quelques paroles aimables pour nous ; puis, disparaît.

J'ai de la peine. Mille a trop changé, depuis quelque temps.
Ses joues se sont creusées ; sa taille s'est un peu courbée ; on
voit le battement de sa respiration sur son visage ascétique ; il
a beaucoup souffert ; sa maladie est bien grave. Quatre mois
sont fort longs. J'ai une peur douloureuse de celui que je
retrouverai, dans quatre mois [1].

Je cours après lui. Il monte au dortoir. Je veux l'appeler :
— « Mille ! »

Je ne peux pas, ma voix me reste dans la gorge. Je voulais
lui dire : « Mon cher Mille, je t'aime bien. Je n'ai jamais pu
te le dire. Je t'écrirai. Ecris-moi. » — Je n'ai pas osé. Il est
monté au dortoir. Alors, je l'ai attendu dans le couloir, espé-
rant qu'il allait redescendre. J'ai attendu jusqu'à six heures. Il
n'est pas passé. Sans doute, il est sorti, d'un autre côté. Et je
reste, avec le poids de mon affection sur le cœur.

Dimanche, 25 juin.

Je vais voir à Versailles Gabriel Monod, qui vient d'être
très malade (d'une hémorragie intestinale). — Il a une bienveillance aimable et froide. Sa sympathie est toute impersonn-
elle. D'une part, trop de politesse, de l'autre peut-être quelque chose de cet amour universel de Tolstoy qui, mettant de
l'affection dans nos rapports avec les indifférents, met aussi de
la froideur et une pointe d'indifférence dans nos rapports avec
ceux que nous aimons. Monod est, je crois, assez détaché de
tout, en aimant tout. Il est désintéressé, pour ce qui le concerne ; il l'est aussi, pour ce qui concerne les autres. Il parle

_____

1. Mille est mort, moins de trois mois après, — le 6 septembre 1888.

de sa dangereuse maladie, avec une simplicité souriante qui n'atténue ni n'exagère rien, — sans forfanterie ni peur.

Deux heures, au Parc de Versailles. Sa grande majesté, la tristesse sereine de ses hautes allées, de ses antiques ombrages, de ses dieux qui moisissent, de ses bosquets mythologiques, de ses eaux fastueuses, dont on entrevoit partout, à travers le feuillage marbré de taches de soleil, le bruissement et la blancheur d'écume.

26 juin.

Concert Chevé, à l'Ecole. Je joue avec Suarès l'andante et le menuet de la *symphonie en mi* de Mozart. Suarès joue seul quelques pages des Schumann, et moi un andante de Beethoven. Auditeurs : Perrot, Boutroux, Guiraud, G. Deschamps, etc.

29 juin.

Lockroy vient nous passer en revue. Nous sommes sous les armes, — des armes nettoyées (ainsi que nos habits) par nos sergents, — et que nous avons l'effronterie de ne pas trouver encore assez brillantes. Une musique militaire est venue, et nous attendons ensemble dans la cour longue, dont les grands arbres s'inclinent sur la rue Rateau. A une fenêtre du second étage, le buste du vieil Homère, coiffé d'un képi bleu, et vêtu d'une tunique militaire, regarde de ses yeux vides. — Après une heure d'attente, le ministre arrive. Il a l'air d'un moribond : maigre, d'une pâleur étrange, un visage livide où il n'y a de rouge que le bord des paupières saignant, des yeux mornes ; un sourire assez fin, mais éternel, et certainement sans pensée ; la tête inclinée de côté, ne regardant pas devant lui ; l'expression distraite d'un homme très fatigué, qui tâche de rassembler toutes ses minces forces pour écouter ce qu'on lui dit. Nous adresse quelques paroles assez justes : « Le peuple a besoin, en cas de guerre, de vous savoir à sa tête ; il est bon que vous

donniez l'exemple de l'abnégation, du sacrifice, vous qui avez
plus à sacrifier que lui, par votre situation dans le monde et
vos espérances plus grandes. » — L'accompagnent : son chef
de cabinet Dupuy ; Liard, grand, le front dégarni avec de
grands cheveux, la tête haute, vigoureux, sanguin, — (je le
vois en docteur de la Sorbonne, au moyen-âge) ; — le général
Jeanningros, qui ébauche quelques lambeaux d'un discours
héroïcobouffon, etc. — Nos deux camarades Chinois regardent,
avec de grands yeux et la bouche ouverte, le haut mandarin
des Français ; ils semblent avoir une vénération respectueuse et
idiote pour le petit bonhomme pâle qui semble près de s'éteindre (morphinomane, dit-on).

Dimanche, 1er juillet.

Le cardinal de Lavigerie, à Saint-Sulpice. — Je suis en face
de la chaire, à côté du banc d'œuvre, (avec sa mère), où sont
assis trois diacres africains, vêtus du burnous blanc, tous trois
jeunes, des yeux énergiques, immobiles, sans une distraction,
plongés dans la prière et la lecture du bréviaire ; un d'eux, d'un
noir d'ébène, a un type admirable, la pureté de traits d'un
Hindou, le nez fortement arqué, les lèvres à peine gonflées,
et des yeux splendides. Au milieu d'eux, un Père blanc des missions d'Afrique, fortement bruni, la barbe grise, la même expression de recueillement et d'énergie, illuminée de plus d'intelligence. — Quand le cardinal monte l'escalier de la chaire,
tout s'éclaire de sa robe rouge à la longue traîne ; dans cette
pourpre lustrée, sous sa mitre or et rouge, le cardinal, avec sa
vigueur, sa face pleine, qui rayonne d'un bon sourire, sa grande
barbe blanche, a l'air d'un prophète de Rubens.

Il n'est pas orateur ; son début surtout est faible ; mais il
parle d'abondance de cœur, et peu à peu il s'anime ; sa fin est
touchante. Il s'exprime lentement, articulant tous les mots,
d'une voix grave, qui chevrote un peu, surtout au commencement. Mais aucun artifice. Une grande sincérité, une entière
confiance, qui va, par moments, jusqu'à un abandon un peu

naïf. Discours mal composé. Son sujet est : *l'esclavage des africains.*

Il débute par l'éloge de l'Encyclique « immortelle » de Léon XIII, pour l'abolition de l'esclavage, au Brésil. Puis, il expose rapidement, mais avec une quantité de digressions, d'exclamations et d'apostrophes familières à son public, la différence de l'esclavage colonial et de l'esclavage africain, né dans ce siècle, et plus horrible encore, puisqu'il prend les femmes et les enfants, et que les hommes il les tue tous. En dix ans, un pays aussi vaste que le tiers de la France et aussi peuplé est devenu un désert. Tous les ans, on fait 400,000 esclaves ; et pour un esclave pris et vendu, on en tue cinq. Dans un siècle, l'intérieur de l'Afrique sera entièrement exterminé par les musulmans. « Dieu me garde d'en dire du mal ! Je vis au milieu d'eux et je les aime comme des fils égarés. Vous connaissez cela, mères chrétiennes... » — Le tout entremêlé de détails précis, de chiffres, (explication de la fertilité et de la richesse populeuse du centre de l'Afrique), de récits, d'anecdotes.

A la fin, il s'adresse plus directement encore à son public. — « Ce n'est pas votre argent que je veux ; véritablement je n'oserais pas vous tendre la main ; vous donnez tant de tous côtés, en ce moment, que je ne vous demande rien que vos prières et votre appui moral. Aidez-moi ! J'ai tant besoin d'être aidé ! Je ne puis rien, seul. J'ai surtout besoin de l'opinion publique. Ceux qui sont riches et qui voudront donner, donneront. Mais je ne vous demande que de retenir et de répéter mon appel à la miséricorde universelle. » Sans doute, la charité ne lui suffit pas, pour accomplir son œuvre. « Si nous étions en d'autres temps, ce serait bien aisé, au temps où se fondaient des ordres militaires pour défendre et répandre la religion, comme les chevaliers de Malte, et les ordres religieux d'Espagne... C'est d'ailleurs ce que j'essaie de rétablir, dans une certaine mesure. » Et il raconte qu'il a déjà réussi à rassembler une petite troupe de 600 hommes, sous la conduite d'un ancien capitaine de zouaves pontificaux. Il fait appel à ceux qui, dans les 36 mil-

lions de catholiques français, se sentent le courage de se sacrifier pour Dieu et pour le bonheur de leurs frères. « L'un de ces
jours, je prêcherai la croisade... J'ai trop attendu ; je ne laisserai
plus retomber le voile qui s'est ouvert devant vous. » — Il
termine, en s'adressant aux séminaristes. « Il y a un demi-siècle,
j'étais aussi sur vos bancs. Qui m'eût dit alors qu'un jour je par-
lerais, dans cette chaire, au nom du continent africain ? » —
Et il espère qu'à sa voix, plusieurs, parmi les jeunes prêtres qui
l'écoutent, s'offriront pour verser leur sang, comme mission-
naires d'Afrique, et peut-être pour continuer et pour achever
sa tâche.

J'aime la façon émue dont il a parlé de la liberté et de
l'égalité de tous les hommes, « parce qu'en tous est Jésus-Christ
vivant, qui ne peut être esclave ». — Et cette grande familiarité
paternelle, qui reste très simple sans déroger.

Tous mes camarades intriguent autour de moi, pour se faire
nommer, après l'Ecole, à Rome, à Athènes, à la Sorbonne. Pour
moi, je ne désire rien de plus que de rester un an de plus à
l'Ecole, afin d'avoir le temps de me recueillir et de me rendre
maître de moi, avant d'être pris par la vie. Je vais voir Vidal de
Lablache, pour lui exprimer mon vœu. Il paraît surpris, ne dit
ni oui, ni non, plutôt non, d'abord, me demande mes motifs
pour rester. Je lui expose mes projets, ma conception de l'histoire réaliste. Il m'écoute avec intérêt, ne me comprend pas très
bien, (mieux que Guiraud pourtant), me dit : « Alors, vous
voulez être le Goncourt du XVIe siècle ? » Ce à quoi, je me refuse. Il ne voit pas du tout l'importance que peut avoir l'analyse des âmes. Pour lui, rien n'existe que les intérêts généraux,
les habitudes... Vous êtes géographe, monsieur Jose...

10 juillet 1888.

Mes craintes étaient trop fondées. Notre surveillant général
Dupuy reçoit du beau-frère de Mille cette nouvelle : « Le pau-

vre garçon s'en va. » Il a la plus cruelle maladie et la plus impossible à guérir : la tuberculose de la prostate. Mille ne le sait pas. Il croit qu'il en a pour deux ou trois ans de soins ; et son plus grand ennui est de devoir renoncer à l'Ecole d'Athènes. Aussitôt, il a conçu un autre projet. Il veut étudier une langue, une religion asiatique. Jamais je ne l'ai vu (dans ses lettres) plus ardent, plus rempli d'espérances, plus vivant dans l'avenir. Cette fin est la plus lamentable qu'on puisse imaginer. Il y a un an, lorsque je n'étais pas fait à cette volonté toujours armée et tenacement attachée à un avenir logiquement construit, lorsque j'étais dépité par cette personnalité forte, incapable de comprendre les autres, ou de concevoir la mort, je ne pouvais rien imaginer de plus affreux qu'une mort précoce. Cette mauvaise pensée, qui m'avait parfois traversé l'esprit, alors que je ne connaissais Mille que du dehors, d'après son apparence froide, correcte et raide, alors que je ne l'aimais pas, — la voici devenue réalité menaçante, aujourd'hui que j'ai trouvé sous ce masque d'égoïsme mondain un cœur affectueux, jusqu'ici peu aimant parce qu'il a été peu aimé, une loyauté virile, une admirable puissance de volonté sur soi, une courageuse résistance au mal, à la souffrance. C'est une grande volonté qui se brise, la plus grande de nous tous. C'est celui qui de tous eût été le plus haut. Je crois sans aucun doute, qu'il en est d'autres plus larges, plus humains, plus intelligents, et qui dans le monde de l'esprit lui seront supérieurs. Mais nul n'aurait mieux réussi dans le monde de l'action. Nul n'avait plus le droit de compter sur l'avenir : c'était sa propriété ; il l'eût pétri, à son désir violent ; il avait jeté sa vie dans un plan étroit, mais fort et bien conçu. Il l'aurait forcée à être ce qu'il voulait qu'elle fût. Et voilà que le plan se brise et que la vie s'en va. C'est une vilenie, de la part de Dieu. Bon pour nous, artistes, qui pouvons mourir pour une minute d'extase, car elle tue la mort !... Mais lui, lui qui n'est qu'autant qu'il sera, — lui, qui n'aura pas été s'il n'est pas *complètement*... c'est une chose atroce que cette mort, qui le tue tout entier.

Lectures, de mai à juin 1888 :

Jocelyn (nombreux extraits).
Amour de Verlaine.
Fromentin : *Un été dans le Sahara.*
                Une année dans le Sahel.
Herder : *Idées sur la philosophie de l'histoire de l'humanité.*
L'Apollonide de Leconte de Lisle (écrit en 1888).
Shakespeare.
(Amusé par le paradoxe Baconien).
Berlioz. Wagner.

Juillet 1888.

Citations des *Conversations* avec Eckermann, notamment celle-ci :

« Les régions de l'amour, de la haine, de l'espérance, du désespoir, toutes les nuances de toutes les passions de l'âme, voilà ce dont la connaissance est innée chez le poète. Mais il ne sait pas d'avance comment on tient une cour de justice, quels sont les usages dans les parlements, ou au couronnement d'un empereur ; et, pour ne pas, en pareils sujets, blesser la vérité, il faut que le poète étudie ou voie par lui-même. Je pouvais bien, par pressentiment, avoir sous ma puissance pour Faust les sombres émotions de la fatigue de l'existence, pour Marguerite les émotions de l'amour ; mais avant d'écrire ce passage : « Avec quelle tristesse le cercle incomplet de la lune décroissante se lève dans une vapeur humide, » il me fallait observer la nature. »

13 juillet.

En passant sur la place du Carrousel, je me trouve au milieu d'une foule hurlante. On inaugure le monument de Gambetta ; et les deux tiers de la place sont fermés au peuple fiévreux et hostile. — Par la cour du Louvre, je me glisse jusqu'au pied de la tribune, où parlent successivement Spuller, Le Royer, Méline, et Floquet. — Hier, Floquet a soutenu, à la Chambre, un débat orageux contre Boulanger ; et le prétendant furieux l'a traité de « pion de collège mal élevé » et lui a dit qu'il « en avait par trois fois impudemment menti ». — Ce matin même, Floquet s'est battu à l'épée avec Boulanger, et lui a traversé la gorge. — Aussi, quand il paraît à la tribune, on l'applaudit, on l'acclame, on agite les chapeaux. De la foule, au loin, arrivent des vociférations, des clameurs confuses, qui ne cessent pas un instant pendant qu'il parle au nom du gouvernement. Je distingue dans les cris lointains : « C'est Boulange, Boulange..., etc. » et : « Vive Floquet ! » sur l'air des lampions. — Jusqu'à l'apparition de Floquet, il y avait, dans la foule, des sceptiques sur l'issue du duel. Mon père, qui est au milieu d'elle, me dit le soir qu'il entendait un vieux soldat crier que ce n'est pas possible qu'un général ait été blessé ainsi par un pékin ; au moins, il a dû transpercer son adversaire ; et il n'est convaincu que lorsqu'il voit Floquet. Moi-même, je n'étais pas très loin de cet état d'esprit ; en traversant le Carrousel, je n'eusse pas été surpris de voir arriver la voiture du général. — Floquet est, comme toujours, grave, compassé, sanglé dans sa redingote ; la figure grasse et rasée, il a l'air du barbu Scapin dans *la Tosca ;* il parle d'une voix cuivrée. — Après lui, le vieux petit Freycinet, ce souffle d'homme maigre et blanc, — puis Mounet-Sully, qui lit des vers de Sully-Prudhomme, avec la voix d'Hernani. — La foule, qui n'entend rien, chante la Marseillaise. — Après les discours défilent les troupes : infanterie, dragons, cuirassiers, artillerie, bataillons scolaires. Puis, les délégations, en tête l'Alsace et la Lorraine ; Polytechnique, Saint-Cyr, et les Etudiants de Paris.

Exemples de fiction artistique :

Laocoon : cuisses de longueur différente.
Apollon du Belvédère : bossu et boiteux.
Miracle de Bolsène : éclairé par deux jours.

Ecole d'Athènes : Deux points de vue pour la perspective.
Paysage de Rubens : Deux lumières.
(Voir Gœthe avec Eck. I.)
Shakespeare : Macbeth : « J'ai allaité des enfants... »
                          « Il n'a pas d'enfants... »
                          « Ne me donne pas de fille. »

Je comprends les autres, et je crois être un de ceux qui sentent le mieux ce qu'ils sentent : (c'est l'avis de beaucoup qui me connaissent) ; mais je ne sais pas causer avec eux. Ma sensibilité est assez fine pour vivre intimement leur vie ; mais ma personnalité est trop forte et trop à part des autres, ma vie et mes intérêts trop distincts, mes habitudes de sauvagerie trop invétérées, pour que je puisse jouer une scène de la pièce des autres, prendre part à une conversation que je ne dirige pas : si je ne puis me montrer tel que je suis tout entier, je suis gêné, mal à l'aise, contraint, affecté, étriqué. — C'est pourquoi tout en m'estimant pour mon caractère droit, tout en me sachant gré du bien que je pourrai faire, les autres se méprendront souvent sur mon compte et taxeront de dédain ou d'orgueil ce qui ne sera que le désir d'être moi-même et de vivre librement, ou mieux, l'impossibilité d'être ou d'agir autrement.

Avec ma violence de personnalité, mon fanatisme qui éclate encore par instants, j'aurais pu faire beaucoup de mal aux autres, sans mon intuition des cœurs et mon panthéisme artistique.

24 juillet.

Je vais avec Suarès voir le pauvre Mille, malade, à Choisy-le-Roi. — Nous le trouvons d'abord moins mal que nous n'avions craint. Son crâne maigre et étroit s'est encore creusé ; mais ses mains ne sont pas trop brûlantes et sa toux intermittente n'est pas plus accusée qu'il y a 4 ou 5 mois. Il est toujours aussi homme de société, quoiqu'il ne cesse de se lamenter sur la perte de ses facultés sociables ; sa conversation est

vive et gaie. Il est près d'un feu tout petit et silencieux, dans
un grand fauteuil à oreiller rembourré ; sur le manteau de la
cheminée, quelques livres ou brochures anglaises qu'il lit de
temps en temps, car son esprit qui travaille sans cesse, a bâti
son avenir sur un plan nouveau : comme il ne peut plus songer
à l'Ecole d'Athènes, il se tourne vers le bouddhisme. Je suis
convaincu que s'il vit, il s'y fera un nom éminent, car il trouvera là l'emploi de ses dons de logicien, de constructeur de
doctrines, et de la clarté incisive de son esprit. Et c'est un
terrain véritablement neuf pour les Français : (on ne peut
compter les Mary Summer, Foucault et Barth-Saint-Hilaire).
— Malgré ces plans d'avenir, je ne sais s'il ne connaît pas au
fond la vérité qui l'attend. Tout au moins, par éclairs. Son
nouveau médecin, après un examen attentif, l'a laissé inquiet.
Visions terribles, qu'on écarte aussitôt, d'une mort menaçante.
— Il se force pour que nous ne nous apercevions pas de la
gravité de son mal ; il rit, il plaisante, il marche, il nous reconduit à la gare. J'entends sa poitrine râler. — En nous quittant,
il montre de l'émotion. Il nous remercie affectueusement, et il
a une façon troublante de dire : « Nous ne savons pas quand
nous nous reverrons, car nous nous quittons pour longtemps...
pour trois mois. »

Sa mère a paru un instant. Elle avait une façon timide et
navrée de parler à son pauvre grand garçon : « Ne te fatigue
pas, mon ami ; je t'en prie... » Nous étions là comme si nous
n'existions pas. Elle n'avait d'yeux que pour lui. Et la supplication de ces yeux...

27 juillet.

Classement de fin d'année. Je n'y assiste pas. J'ai dit à mes
amis le dégoût et la colère que j'en éprouvais [1]. Je n'ai ai pu
dormir pendant deux nuits.

---

1. (Moins encore pour moi que pour Suarès et que pour Bouchard « précipité » dans la section de grammaire, quoiqu'il soit, après Mille, le plus distingué de la section des lettres.)

Lettres	Histoire	Philosophie	Grammaire
1. Colardeau	1. Barthe	1. Mélinand	1. Baucher
2. Cury	2. Gauckler	2. G. Dumas	2. Renel
3. *Mille*	3. Pagès	3. Gignoux	3. *Bouchard*
4. Dalmeyda	4. Gay		
5. De Bévotte	5. Wartel		
6. Joubin	6. *Rolland*		
7. Surer	7. Lorin		
8. De Ridder	8. *Suarès*		
9. Levrault			

Vacances en Suisse. — (1ᵉʳ août-20 septembre 1888). (6ᵉ
voyage en Suisse).

... Saisi le secret (paradoxal) de mon impression des montagnes : — le Mouvement. — On attribue le mouvement à la
mer, par opposition à la montagne immobile. Erreur : il y a
plus de mouvement dans la montagne. D'une part, l'élan de
bas en haut, — une aspiration plus puissante que celle des
cathédrales gothiques. De l'autre, la chute dans l'abîme, vertige, disparition, mort. — Près de l'hôtel, deux troupes de
sapins aux colonnes droites montent à l'assaut, s'envolent. Mais
une petite prairie en amphithéâtre s'affaisse et roule au-dessus
d'un précipice ; les arbres sont entraînés ; ceux du haut se lancent avec la prairie ; ceux du bas se rejettent en arrière, pour
échapper au gouffre. — Et ce qui rend cette impression plus
poignante, c'est qu'il est fixé pour des siècles. La force qui se
disperse dans la mer ici est concentrée et pèse éternellement
de toute sa violence pour déterminer l'achèvement définitif de
sa volonté. Le paroxysme de la crise, qui précède l'acte. Et qui
ne sait que la plus grande énergie est là, comme la plus grande
jouissance ! — La mer est peut-être plus expressive de la vie.
Mais la montagne a cet élément vivant : le nuage, l'air liquide,
et toute la série de ses métamorphoses, le torrent, la cascade,
la couleur changeante...

... Lettre de Suarès, d'un degré de plus dans le mysticisme...

... Un grand besoin d'amour. A défaut de lui, si je n'avais l'amitié, je me dessécherais.

... Deux lettres de Suarès, en un jour.

... Discussion avec D. sur l'art. Lui, conservateur, soutient que l'art doit être populaire, que le peuple est le meilleur juge. Moi, républicain, je dis que le peuple n'y entend rien, que l'art est pour une élite.

... Légende qui me fait passer, à cause de ma virtuosité, pour un lauréat du Conservatoire. J'ai beau rétablir les faits. On ne les croit qu'à demi.

... Je me promène dans ma montagne ombreuse. J'essaie de voir clair en moi, et de créer enfin. Mais je me heurte toujours à un : « A quoi bon ? » obstiné. Que je puisse écrire un roman, est-ce une raison pour que je le veuille ? Est-ce enviable, d'écrire ? Quelle raison d'écrire ? Amuser la foule ou les raffinés, en leur servant des plats à leur goût ? Jamais ! J'aimerais mieux être cuisinier : du moins, ce serait utile ! — Prêcher la morale ? C'est ne rien dire : les gens sont ou non convaincus d'avance ; et moi, d'ailleurs, je ne le suis point. — Non, je ne puis trouver le courage et la volonté d'écrire que dans l'espoir que je vivrai plus ainsi, et que je ferai plus vivre les autres : je ferai vivre Dieu davantage, en le faisant plus conscient de lui-même. A cette heure de révolutions sociales, où tous les égoïsmes et les mauvais instincts s'apprêtent à la lutte effroyable, d'où *le Bien, qui est la Vie,* sortira triomphant, mais en sang, j'accomplirai ma tâche, mon rôle dans l'histoire humaine : j'essaierai d'aplanir la voie à ce qui doit venir ; je préparerai les âmes à la venue prochaine d'idées inévitables, qui vaincront par des violences cruelles, d'autant plus douloureuses qu'on aura tenté d'y faire obstacle. Je ferai sentir à ceux de ma classe la vanité et l'erreur de ce qu'ils s'apprêtent à défendre désespérément, comme si c'était l'unique bien. Je tâcherai de leur faire sentir le destin inéluctable, et la Vie infinie, l'universelle sympathie. — Je travaille pour le peuple. Mais il ne me comprendra pas. Il aspire à la place des privilégiés ; il ne sait pas si la vie tient ou non les promesses de bonheur qu'elle semble faire aux riches. Quand le peuple sera à la place où nous sommes, alors il comprendra... Attendons ! Le monde n'est pas près de finir.

... Lettre de Mille. Le ton est sec et navré. Il sait maintenant qu'il est perdu. Il « travaille sans but », et « pense le moins possible à l'avenir ».

... Discussion irritée avec D. Je suis amené à défendre contre lui le talent incontestable de la littérature (que je n'aime guère) de notre fin de siècle français. Je le fais avec le plus de modération possible. Et lorsqu'il m'oppose cet argument : « En quoi servent-ils au développement de l'humanité ? » Je lui réponds en souriant : « Pardon ! Dites-moi seulement : vous croyez au Progrès ? » — « Comment ! si j'y crois ? » — « Très bien, cela suffit. » — « Comment ! si j'y crois ? Mais tout le monde y croit ! qui donc n'y croit pas ? » — « Moi, par exemple. » (Il lève les bras, puis les laisse retomber sur ses cuisses.) « Ah ! bien, mon cher... écoutez, je ne vous comprends plus... c'est de la démence !... » Là-dessus, grand tapage...

Vendredi. — (... septembre 1888). Mille est mort hier. (Dépêche de Suarès.)

Au premier moment, pas de tristesse. Une stupeur. Je n'y crois pas. Ce semble un mauvais rêve, et j'en aurais le vertige, si je ne m'étais habitué à vivre la vie comme un rêve...

Il y a six semaines, le cher Mille nous reconduisait à la gare de Choisy ; en nous serrant la main, il laissait tomber son masque d'impassibilité railleuse ; je vois sa tête amaigrie sous le

DE LA RUE D'ULM

chapeau trop large, ses pommettes perçant les joues creusées, ses yeux enfoncés et brillants, la maigreur du visage marquée plus durement par quelques poils de barbe ; après nous avoir remerciés, il dit, d'une voix un peu tremblante : « A la rentrée ! Il se passe bien des choses en trois mois. » — Il y a moins d'un mois, le 8 août, m'écrivant, il avait pleine confiance encore dans la guérison, et il s'oubliait pour nous consoler de notre échec de fin d'année. — Il y a dix jours, le 28 août, il m'envoyait une lettre, cette fois désespérée, s'efforçant de ne plus penser à l'avenir, et le voyant cependant, si noir ! et toujours correct. — Il y a trois jours, son père me remerciait de l'espoir de guérison que je leur ouvrais, en leur parlant de Weissenburg ; il me demandait des détails sur les moyens de transport : nulle trace d'une inquiétude plus vive... — Et il est mort hier ?

S'il a jamais existé, s'il a jamais été autre chose qu'un rêve, (comme moi et tout le reste,) il ne peut être mort ; il est aujourd'hui ce qu'il était hier. — Et s'il est vraiment mort... oh ! je crache sur Dieu, je le méprise, je le méprise. Cette mort est la plus vile sottise. Une grande force se perd, une admirable volonté. — Je suis pénétré de pitié pour le pauvre homme, — le pauvre enfant ! Il a souffert horriblement, du corps sans doute, mais de l'âme bien plus. Lui, l'Action, l'Ambition en personne, lui qui ne vivait que par ses longs espoirs, ses projets d'avenir et ses plans de victoires, — lui qui aurait vaincu s'il avait vécu, lui qui a combattu jusqu'à ce que ses forces fussent brisées, — lui qui, sans espoir, lisait assidûment de l'allemand, il y a huit jours, travaillait jusqu'à la fin à se faire ce qu'il voulait qu'il fût plus tard, — il s'est vu arracher peu à peu sa force, ses ambitions, ses espoirs, sa vie ; il s'est vu mourir ; et pour lui, mourir à son âge, c'était être un raté : ce qu'il méprisait le plus au monde ! Il a dû se mépriser lui-même de mourir ; et s'il a jusqu'au bout gardé sur son visage sa correcte et hautaine dignité, son cœur dut être tordu par la douleur...

Plus que jamais, à présent, je t'aime. — Si tu es où je pense,

frère, en Dieu vivant, tu n'as plus besoin qu'on te plaigne. Si
tu n'es plus rien, c'est moi que je dois plaindre d'avoir perdu
un de ceux qui m'ont aimé, une partie de moi-même. — Mais
que suis-je moi-même ? Illusion, tout ce qui est !

— Solennité lugubre de ses adieux, à l'Ecole. J'y repense
avec douleur. Il passe dans chaque turne, serre la main à chacun, amis et ennemis, parle une minute et s'en va. — Nous
nous regardons, Suarès et moi, le cœur gros, sans parler ; nous
nous comprenons, et lorsque nous parlons, nous tâchons de
nous cacher nos pensées...

— Samedi. — Le jour n'apporte pas la douleur. C'est toujours la même colère méprisante contre le non-sens de cette
mort ; et puis, la pitié profonde, qui me fait venir les larmes
aux yeux. Je goûte mieux que de son vivant la loyauté de cette
âme, sa bonté, sa délicatesse, sa naïveté même, et sa dignité.
Je pense à notre vie ensemble, à nos entretiens, à nos lettres, —
hélas ! à notre polémique de l'autre septembre, d'où notre
amitié est sortie plus intime et plus forte. Il était alors exalté
par l'air des montagnes d'Auvergne, et par une passion violente,
dont il ne m'a dit qu'un mot. Ce mois-là, j'ai conquis son affection, comme l'année d'avant, j'avais gagné son estime... Nul
ne m'inspirait autant de confiance que cet homme que j'avais
méconnu dans les premiers temps de nos relations. J'étais sûr
de lui, comme je ne le suis de personne, même pas de Suarès,
qui m'aime bien davantage, que j'aime bien davantage. Mais
l'amour est fragile, et se fane, tôt ou tard. Mille était une
grande personnalité, sûre d'elle-même, et n'offrant que ce
qu'elle pouvait donner : une volonté virile, sur le bras de laquelle je marchais appuyé. Il faisait bon être son ami ! On ne
l'était pas, d'un coup. Il s'interrogeait longtemps, et scrutait le
cœur de l'autre. Mais une fois qu'il avait donné son amitié, il
ne la retirait plus ; eût-on démérité, on serait demeuré son
ami, puisqu'il l'avait *voulu*. — Ainsi, je veux être moi-même.
Il a agi sur moi, depuis deux ans que je le connais. Personne
n'a eu plus d'influence sur moi que Georges Mille, — une influence presque égale à celle que j'ai eue sur Suarès. Il m'a

appris à vivre, comme à Suarès j'ai appris à mourir. — Qu'aurions-nous été, tous les trois ensemble ! Quand je regarde froidement la somme de vie qu'il y avait en nous trois, et l'Homme qui aurait pu être, de l'union de nos facultés si puissantes
et diverses, — je dis qu'il serait sorti de là une œuvre telle qu'il
en fut peu en France. — Nous avons perdu notre homme
d'action, notre unité de plan, notre puissance de volonté : rien
ne pourra le remplacer. Quand bien même nous accomplirions
ce que nous voulons être et réaliser, nous n'aurons plus la victoire, que Mille nous eût conquise. — Que je voudrais au
moins fixer son image, l'empêcher de mourir ! Mais il écrivait
peu. Il parlait peu. Il agissait ; et le meilleur, il l'a emporté
avec lui. Il n'aimait point ouvrir son âme jusqu'au fond. Surtout en ces derniers temps, où il se sentait finir, et où il éprou-
vait à dévoiler son cœur, la pudeur effrayée d'un malade qui
craint de montrer nue sa maigreur.

— Dimanche. — Promenade silencieuse à Plambuit. — La
douleur est venue. — Mon cher Mille est mort... mort... Je ne
puis pas le concevoir, je me le répète, pour me faire souffrir...
Je trouve épouvantable ce trait de plume, qui annihile en une
seconde... Ainsi, Mille n'est plus. Mille n'est pas. C'est une
illusion, qui a cessé de tromper. Tout est maintenant comme s'il
n'avait jamais été. — Je m'épuise à retourner cette pensée. Les
armes me gonflent la gorge. Et tout, autour de moi, s'accorde
à ma tristesse : le calme de la nature, la pureté sans éclat du
ciel, la terne limpidité de l'air. Mille souvenirs de notre amitié
me torturent. — J'ai beau faire, je ne puis admettre que notre
séparation sera éternelle. Même aux instants où je suis le plus
malheureux, je pense qu'il est parti pour un long voyage, qu'il
restera des années loin de moi, mais qu'il reviendra...

— Lundi. — Ciel gris, pesant et froid. Un temps de fin
d'automne, comme celui d'hier était commencement d'automne.
Douceur ou rigueur du ciel, c'est toujours la même mélancolie,
ramenant la même pensée dissolvante de la mort. — J'en serais
accablé, si je ne me forçais à agir. — De Vernayaz à Salvan,
par le chemin en lacets, — avec une rapidité excessive (1 h. 1/2

à la montée, 1/2 h. à la descente). — Salvan. Les paysans fanent. Le curé, tête nue, tient le râteau et retourne les foins.

— Mardi. Etrange, comme on prend vite l'habitude de la mort. Il y a 8 jours, il m'eût semblé impossible de concevoir que Mille pût disparaître. Aujourd'hui, je trouve simple (infiniment douloureux) qu'il ne soit plus. A-t-il jamais été ? — Mais je sais que lorsque je reviendrai en France, que je reverrai les objets qui s'attachent à son souvenir, je le reverrai vivant, et je pleurerai de nouveau. — Mon ami !

... Mélancolie de voir s'en aller peu à peu d'une maison ceux avec qui on s'est lié, — ceux même qu'on n'a fait qu'entrevoir au passage, pendant des semaines, sans leur parler. C'est une angoisse du même ordre (mais d'un degré différent) que celle qui me prend, lorsque je pense à un ami mort, que je ne reverrai plus. L'engloutissement pour jamais.

... Lettre touchante du frère de Mille. (Pierre.)

— Je vais de nouveau jouer de l'harmonium à l'église d'Aigle. Conversation avec le curé, un rude homme de 30 à 35 ans, les yeux bleus et durs, l'air d'un fils de paysan, une voix impérieuse, qui parle très bien en chaire, mais avec l'air de commander : quand il lit l'annonce des offices de la semaine, on dirait l'ordre du jour d'un général. Il parle brièvement des luttes qu'il a à soutenir dans cette ville, dont 1/10 au plus est catholique, et diminue d'année en année par les mariages. A Aigle, ville de 3,500 habitants, il y a dix églises différentes. — Maman lui demande s'il ne viendra pas à Paris, l'année prochaine. Il répond : « Non ! » et, d'un ton boudeur : « Encore si ce n'était pas l'anniversaire de la Révolution, peut-être ! S'il n'a pas le désir de voir Paris. « Le désir ? Oui, le désir, on l'a toujours, mais on en a tant, d'autres désirs ! » — Ce curé, qui n'est pas le maître chez lui, (comme il l'est dans nos pays,) ce paysan au front lourd et penché, à la mâchoire forte, intelligent et dur, à la carrure pesante, gros souliers, culotte et redingote, — prêt à retrousser ses manches et à lutter à coups de poings avec les ennemis de sa foi, — cela me change de mes curés paternes et douceâtres. J'aime mieux cela...

Octobre 1888.

A l'Odéon, *Crime et Châtiment*, — un arrangement odieux de Dostoïewsky par Le Roux et Ginisty.

— Trois ou quatre semaines, dans le monde de Thackeray, — à lire *Pendennis, la Foire aux Vanités*, et *Henry Esmond*. Elles sont des plus douces de ma vie. Il me semble avoir respiré moi-même la tendresse qui enveloppe ces charmantes âmes. Je sors de cette lecture plus aimé que je ne l'ai jamais été, plus aimant aussi. Ces chers hommes font aimer la vie. — Des hommes qui voient le monde comme il est, dans sa réalité égoïste, et qui l'aiment de toute leur sympathie ironique et tendre. Voilà le cœur d'ami qu'il me faudrait ! A chacun de ces romans qui finit, c'est une partie de ma vie qui s'en va. Mon cœur pleure en moi.

— Perfection raffinée de *Henry Esmond*. Ce sont des Mémoires. Comme il est désagréable d'entendre un narrateur parler constamment de soi, Esmond parle de lui à la 3e personne. Mais il oublie parfois la convention qu'il a posée ; et c'est justement là un raffinement de plus. Des analyses délicates vous font, depuis longtemps, pénétrer dans l'âme du héros. Vous finissez par la connaître si bien qu'elle ne vous est plus étrangère. Et soudain, un « je », comme oublié, au milieu du récit impersonnel, produit un frisson d'eau ; tels deux liquides distincts, dont un choc opère la fusion, l'âme d'Esmond se mêle avec la vôtre.

— Le seul défaut important des romanciers anglais : leur manque de composition, — cet art, qui, chez nous, est aux dépens du reste, — et qui se concilie, chez les Russes, avec la

psychologie la plus minutieuse. — Dickens se laisse entraîner
par une sensation, — un objet, une couleur, un son ; — et
Thackeray est jeté, par associations d'idées, dans d'interminables digressions.

1 novembre.

A la salle des Menus Plaisirs, par la troupe du Théâtre
Libre (Antoine), *La Puissance des Ténèbres* de Tolstoy. —
Antoine, admirable dans le rôle de Nikita. — Art prodigieux
de Tolstoy : au premier coup d'œil, on n'est sensible qu'au
réalisme de l'observation et à l'atrocité des faits. Mais quand
on laisse se dérouler le grand flot du drame, avec quelle sûre
puissance se dégage et s'impose la volonté morale de l'auteur ! — Misérable public parisien. La plupart étaient atterrés
de la tristesse continue de ce drame. Quelques-uns se montraient furieux de s'y être laissé prendre, et d'y avoir perdu une
belle après-midi. D'autres se fatiguaient la tête à chercher la
raison du titre. Et puis, à tous les mots crus, à toutes les violences de langage, de petits rires étouffés, polissons et choqués.
Parfois même, des mouvements de révolte. Toutefois, ce public
qui s'emmerde ou que cela scandalise, applaudit assez chaudement, à la fin de chaque acte, — parce que c'est du Russe, allié
de la France ! — Et ça se joue, boulevard Sébastopol !

Avant le drame de Tolstoy, on donnait une pièce évangélico-sensuelle en un acte, de Daryens : *l'Amante du Christ.*

— A l'Odéon, *Caligula,* de Dumas père. Une pièce idiote.
Un luxe de mise en scène invraisemblable. — Garnier, Monnet,
Tessandier, mademoiselle Weber. — Tout l'intérêt dans les
éclairs et le tonnerre merveilleusement imités, etc., etc.

6 novembre.

Commencé depuis trois jours ma dernière année d'Ecole.
En tout autre temps, elle m'accablerait. En celui-ci, elle m'écœu-

re. Je suffoque. Maintenant que je sais ce que je veux et que je
le puis, cette vie inhumaine m'étouffe. Comme les forçats dont
faisait partie Dostoïewsky, je souffre doublement, — triple-
ment, — de la dureté de ce travail, de son inutilité absolue, —
et de la satisfaction stupide qu'y trouvent mes compagnons de
chaîne qui n'ont pas, comme moi, de la musique dans le cœur
et des romans dans la tête. Si du moins je voyais dans ma peine
quelque profit pour les autres ! Si ce que nous faisons pouvait
servir aux hommes ! Je porterais plus aisément mon fardeau.
Mais je m'épuise sans profit pour personne. — L'agrégation
qu'il me faut préparer me répugne. Ou j'y serai refusé ; ou,
reçu, je n'en profiterai pas : *je ne peux plus* être professeur. —
Cela ne peut durer. Il faut que je prenne une décision.

Fin novembre.

Il m'est décidément impossible de rester dans le professorat.
Toute la question est de savoir si je romprai avec l'Université,
cette année, ou l'année prochaine. Si j'étais seul, ce serait im-
médiat. Mais la confiance que ma famille a en moi et l'amour
que j'ai pour elle ne me le permettent pas. Je ne puis démissionner, avant d'avoir trouvé une autre situation, des chances
au moins de vivre et d'arriver. « Arriver », j'en suis sûr, s'il
suffit pour cela de réaliser ce qu'on a dans le cerveau. Je veux.
Je veux. Et je ferai ce que je veux. — Mais il faut compter avec
les moyens d'existence. Je cherche autour de moi. — J'ai écrit
en octobre une petite nouvelle : *Amour d'Enfants.* Je l'ai portée 62, rue de Rome, chez Jules Lemaître, en le priant de vouloir bien me dire ce qu'il en pensait : bien ou mal, n'importe !
— (Je n'ai pas besoin de l'opinion de Lemaître, pour savoir
que j'ai quelque chose à dire, et que, si je vis, je ferai mieux
que tous les romanciers français d'aujourd'hui, à part Daudet
et Loti. Seulement Lemaître peut m'apprendre si l'essai que je
lui soumets est suffisamment au point, et si j'ai chance de réussir, dès maintenant. Si Lemaître me dit : non, je déciderai d'attendre et de mûrir. S'il me dit : oui, je le prierai de me pré-

senter à la Revue Bleue. Et sur ce commencement, je partirai de mon pied léger, — quels que soient les déboires qui m'attendent.

Mais Lemaître me retourne mon manuscrit, avec cette carte-lettre :

« Monsieur, — J'ai dû, hélas, (et pour des raisons tout à fait impérieuses, je vous assure), me faire une règle absolue de ne lire aucun manuscrit. *Il ne faut pas* m'en vouloir. J'ai cependant pu constater, en ouvrant le vôtre au hasard, que vous aviez de l'esprit et que vous saviez écrire. Je vous le renvoie avec chagrin, et vous prie de recevoir l'assurance de mes sentiments les plus distingués.

JULES LEMAÎTRE. »

J'aurais mieux aimé un *non* brutal, que cette indifférence polie.

Fin novembre.

Il y a une semaine, le préfet d'Inde-et-Loire, Gabriel Alapetite, nous parlait de l'inévitable révolution boulangiste, qui, assurait-il, s'accomplirait l'année prochaine. Il disait qu'il avait déjà pris ses mesures pour filer sur-le-champ à Lyon, qui sera le dernier boulevard de la République, puis en Italie. Un seul moyen d'empêcher la catastrophe : un moyen sûr, mais à condition de l'appliquer immédiatement : un coup d'Etat fait par Carnot ; Boulanger arrêté, fusillé. — Quelques jours plus tard, son frère, Emile Alapetite, nous disait que dans les milieux gouvernementaux on commençait à envisager sérieusement cette possibilité d'un coup d'Etat. — A présent, tous les journaux en sont pleins ; le secret s'est ébruité. On annonce que le jour de la manifestation sur la tombe de Baudin, Floquet fera conduire à Mazas et à Clairvaux les chefs boulangistes. On prévoit une bataille, pour le 2 décembre. Le Parti Ouvrier dit à ses hommes : « Préparez-vous ! » Des modérés comme Spuller et Ranc ne sont pas les moins violents, dans leurs appels à un coup d'Etat. Les officiers boulangistes de l'armée de Paris ont été envoyés au loin, dispersés. — J'étudie en ce moment le XVIe siècle français et les préliminaires de la Saint-Barthélemy. Je reconnais bien des prodromes analogues, dans ce qui m'entoure : — l'idée de l'attentat, germant d'abord timidement dans plusieurs cerveaux à la fois, puis s'avouant avec une certaine pudeur, et aussitôt enhardie par l'aveu réciproque, — devenant peu à peu naturelle à un grand nombre d'esprits, mais sans sortir encore du domaine des projets chimériques, des « si », qui ne se réaliseront pas, — puis, soudain, les hommes d'action s'emparent de l'idée, et étant violemment soutenus par les théoriciens, timides jusqu'à cette heure. L'idée passant par tout un peuple, comme une vague, avec des frémissements, et des remous. Les ennemis eux-mêmes la précisant par leurs soupçons bavards, leurs craintes, et leurs fanfaronnades. Le jour de l'exécution fixé à la fois par les deux partis. Et l'Idée, explosant brusquement, à la veille de ce jour !... — On sent l'influence magnétique du milieu. On n'est pas un être isolé, on est un fragment vivant d'un Etre tumultueux. Les mêmes émotions et les mêmes pensées tressaillent à la fois dans des milliers de têtes. — C'est l'Etre invisible, l'impalpable dont parle Tolstoy dans *Guerre et Paix.* C'est lui le personnage principal de tous les grands drames de l'histoire.

Nous jouons notre petit rôle dans cet immense drame. Dumas, Suarès et moi, lançons des lettres signées de groupes d'Etudiants, et envoyées à Floquet, où nous apportons à sa volonté hésitante le stimulant de la nôtre.

Retour de notre ami Bouchard convalescent d'une fièvre typhoïde, où il a failli rester. Il entre, sans que nous soyons avertis. Je n'en éprouve pas le moindre étonnement. Je trouve tout naturel de voir sur le seuil de cette bonne grosse figure carrée, qui a failli disparaître dans la terre où s'est fondu mon cher Mille. Mes sens et mon esprit ne peuvent pas plus admettre l'anéantissement de la forme que celui de l'esprit. Mille ouvrirait à l'instant ma porte, que je courrais sans hésiter, et presque sans surprise, serrer sa forte main, dont la mienne sent encore l'affectueuse étreinte.

Bouchard nous dit qu'un jour où il a failli passer, il avait une hyperesthésie extrême. Il entendit le médecin dire : « Si, dans huit minutes, l'hémorragie ne s'arrête pas, il est perdu. » — Et sa préoccupation angoissée, en ce moment, fut de savoir quand les huit minutes seraient écoulées. Il se mit à compter, à 80 par minute, et sans penser à rien d'autre qu'à arriver à 700 et à le dépasser. A 800, il eut une douleur lancinante dans la tête ; il pensa : « C'est la fin. » C'était au contraire l'hémorragie qui s'arrêtait. Il compta jusqu'à 1100. Il était tout heureux. Il aurait bien compté jusqu'à 2.000.

1er décembre.

A l'Académie des Sciences Morales, Gréard, président, lit les récompenses décernées : correction et froideur anglaise ; style terne ; voix insupportable, sans chaleur, sans vie, sans intelligence. Il finit ainsi : « Et maintenant, Messieurs, la séance — la vraie séance — va commencer. La parole est à M. Jules Simon. »

Aussitôt, tous ces vieux imbéciles se réveillent et se trémoussent sur leurs gradins, les yeux braqués sur la tribune, bouche bée, riant d'avance. Le vieil enfant gâté de l'Académie n'a pas dit trois mots : « Henri Martin est né à... » qu'un sourire de ravissement s'épanouit sur leurs faces ridées ; ils boivent les mots comme du lait. Bertrand surtout est immense de bêtise heureuse et expansive. Il souligne lourdement la plus mince intention, se retournant de tout son corps vers ses voisins de droite et de gauche pour leur faire part de sa grosse joie. — Jules Simon est d'ailleurs assez amusant ; mais le style ni l'esprit ne sont de qualité bien supérieure. Il se moque aimablement d'Henri Martin jeune homme, poète et romancier ; il fait de l'éloquence à propos de la Révolution de 93 et de la guerre de 70. Mais l'éloquence lui va beaucoup plus mal que l'esprit. Il a la voix cassée, et beaucoup d'entrain ; il s'amuse autant que son public, en parlant, plus exactement : en lisant ; mais lire ainsi, c'est parler.

Parmi les académiciens, Wallon, l'air d'un vieil ahuri, au sourire niais ; — Delaborde, vieille tête rasée, ferme, volontaire, un peu dure ; — Ravaisson, vieux singe aux longs favoris blancs ; — Duruy (Victor), grosse tête ronde d'empereur romain, figure rasée, grave, intelligente, impassible : il ne s'associe nullement à l'approbation bruyante de ses voisins, et semble se tenir à part. Avec une tête comme celle-là, il est impardonnable de n'avoir écrit que les *Histoires qu'il a écrites.*

Premiers jours de décembre.

Je me sens des ardeurs mystiques. Seul, dans les grands couloirs obscurs de l'Ecole, toute mon âme se jette vers Dieu (?) Ah ! que je voudrais l'atteindre, voir quelque apparence vivante de mon bien-aimé ! — Et pourtant, je ne crois pas plus en lui qu'il y a six mois. Dieu personnel est inconnu à ma raison. Le Dieu de ma raison — quand ma raison a besoin d'un Dieu ! — c'est le Dieu-Nature. Mais mon cœur en a toujours besoin, et toujours davantage. — Et quel que soit ce Dieu, je l'aime ! Je l'aime à travers l'éternité de l'Amour et de l'Art.

J'appelle en vain le mystère. Il ne me répond pas. J'aspire à la vision hallucinée. — Mais mon cerveau est trop sain, et s'y refuse obstinément.

Mille aussi, je l'aime tendrement : « Depuis un mois surtout, je l'appelle et je lui parle souvent. « Mon pauvre cher Mille ! » — Il me semble que je suis le seul qui l'aime encore. Je pense à lui presque constamment.

6 décembre.

Je propose à Suarès, qui accepte, d'écrire ensemble une féerie mystique. — Il y aurait trois parties, dont chacune serait presque une pièce :

1. La Montagne.
2. La Mer.
3. La Cathédrale.

Le héros se livre dans la 1ère partie à l'action égoïste et passionnée, dont il reconnaît, à la fin, le leurre. Et de même qu'il renonce à l'ambition, dans les dernières scènes de la Montagne, — il renonce à la passion d'amour, dans les dernières scènes de la Mer. Et il arrive enfin à la possession mystique du divin.

Je me charge de la Montagne, dont mes sens sont imprégnés, comme ceux de Suarès le sont du souffle et du sel de la Mer. Pour la Cathédrale, nous la ferons ensemble.

La scène sera placée dans un Morvan fantastique, au pied duquel la Mer étendra ses palpitations. La Cathédrale, perdue dans la Montagne, parmi les bois, très haut, dominant les flots.

Ce qui nous manque, c'est un musicien. Un ami, un jeune compositeur, qui fût un cœur intelligent. Le marquis de Breuilpont m'avait parlé de Max d'Ollone. Un artiste religieux, d'une passion intérieure. — Misère que nous ne puissions écrire nous-mêmes la musique que nous sentons !

Si je meurs avant le temps, — si je meurs avant d'*être*.

Mon désir serait que le fils de ma sœur, (si plus tard elle en a un), fût élevé pour être ce que j'ai voulu et ce que je n'aurais pu être, — un artiste, un musicien. Il ne s'agit pas, au rebours de ce qu'on a fait pour moi, de violenter son âme pour qu'il soit musicien. Il s'agit de lui permettre d'être librement et pleinement l'Artiste qui doit être la fleur de notre race, et qui n'aura pu s'épanouir en moi, malgré ma volonté. — On lui remettra mes notes. Et quand il arrivera à cette page, il lira que, sans l'avoir pu connaître, je sens sa petite âme, en Dieu vivant, et que je l'aime déjà.

Car je crois en Dieu qui est tout, en le soleil de vie qui

luit en nous tous, étincelles d'un moment. Je le pressens déjà
tel que je le serai, quand la mort m'aura libéré de mon âme
éphémère. Et j'y puis, dès à présent, pressentir les âmes qui
n'existent pas encore, et me mêler à elles, comme à celles qui
furent. De même que ma vue intérieure y a rencontré le clair
regard magnétique de Wagner, de même mes yeux y ont
touché les doux yeux incertains de quelque petite âme à venir,
qui sentira le contact de la mienne, quand je ne serai plus là
pour lui dire que je l'aime. — Et je souhaite que cette petite
âme soit celle du fils de ma sœur, presque moi-même.

Suarès se tourmentant de son avenir, je lui ai conseillé
d'écrire à Lapommeraye, pour lui demander s'il ne pourrait
avoir dans le journal *Paris* une place de critique musical. Lapommeraye ne répond pas. Après dix jours, Suarès lui envoie
une seconde lettre, très violente, disant « qu'il ne lui demandait
pas un sou, et que Lapommeraye l'avait traité comme un mendiant. Un homme bien élevé était tenu de répondre, ne fût-ce
que pour refuser. » — Lettre de Lapommeraye : « Tudieu,
Monsieur, si vous débutez dans la vie avec si peu d'indulgence
et tant de nerfs, je vous plains... La vérité, je consens à vous
la dire, malgré votre lettre. » — Il devait lui donner rendez-
vous, pour un jour prochain ; mais il ne le pouvait pas plus tôt,
à cause des premières représentations des cours du Conservatoire..., etc. « Je regrette que votre mécontentement ait été si
brusque et si dur. » — Troisième lettre de Suarès, s'excusant,
sans d'ailleurs essayer de le faire revenir sur sa décision. —
Deuxième réponse de Lapommeraye : « Point de rancune,
Monsieur, venez me voir... » — Remerciements confus de Suarès. — Lapommeraye : « Venez dimanche matin, aux bureaux
du *Paris*. J'y serai, sans indisposition ni malice. »

Conclusion : Lapommeraye, fort aimable, dit à Suarès qu'il
n'y a rien à faire : tout ce que le public du *Paris* peut supporter
de musique, c'est le plus qu'il en met, lui, Lapommeraye ; et
dans les autres journaux, il en est de même.

13 décembre.

A l'Académie Française, réception du comte d'Haussonville par Bertrand. Les tribunes combles. Un duc ! Et un duc,
qui fait l'oraison funèbre de Caro ! — D'Haussonville, très
jeune, plus jeune encore que son âge (45 ans), — l'air d'un
crevé intelligent. Une voix forte, nasillarde et zézayante, peu
variée en intonations et souvent emphatique. Le discours est
froid, sérieux, vaguement philosophique, très modéré de ton.
— Bertrand, ce grand vieux laid, face de barbet aux yeux pleu-
rards, répond avec assez de vivacité et d'agrément. — D'Haussonville avait pour parrain Ludovic Halévy, figure douce et
barbe noire, — et son oncle, le duc de Broglie, vieux gros
homme, au sourire hautain, méchamment spirituel, — un des
rares de l'Académie, qui porte bien l'habit et l'épée. Leconte
de Lisle trône au bureau, comme chancelier. — Vu aussi Jules
Simon, très inquiet de ne pas s'enrhumer, Garnier, Pasteur,
Boissier faisant plus de bruit à lui tout seul que toute l'Académie, papillonnant autour des ducs, marchant à reculons
pour ne rien perdre de leur rayonnement, voltigeant à la sortie,
de Broglie à d'Haussonville : « Cher duc... Cher conte... Vous
avez parfaitement parlé... Oh ! croyez-moi, c'était admirablement bien. » — Perrot, toujours grognon avec une redingote
poussiéreuse. Sarcey, affalé dans un coin, comme une grosse
boule de graisse, rouge de chaleur. — La cour de l'Institut
pleine d'équipages, et le parterre de belles infidèles à la mémoire de Caro, qui vont maintenant pâmer, le mercredi soir,
au cours de son successeur, le nouvel enchanteur, Boutroux.

14 décembre.

A l'Ecole Normale, dans la salle de billard, représentation
privée d'une Revue en 4 actes et 7 tableaux. Décors brossés
par les élèves. La pièce est l'œuvre anonyme des deux sections
de conscrits et de carrés. Cinquante Normaliens pour pères.

Peu d'esprit. Beaucoup de saletés. Un seul talent, réel : celui d'imitation ; singer les gens connus : — c'est assez Normalien.

Comme orchestre, un piano, trois violons, et des castagnettes. — Aristophane (joué par Couturat) arrive à l'Ecole par l'omnibus des Champs-Elysées-Panthéon. — Brunetière (joué par Marsan) disserte à l'Odéon sur l'utilité d'assortir les nuances de ses vêtements avec celles des sujets dont on parle. — Goumy préside le conseil municipal d'Orsay. — Un acte des théâtres (*Pepa, Caligula, Crime et Châtiment, Hamlet.*) — Perrot, le directeur, fais un « laïus » (un discours) ; mais il s'arrête inquiet, il lui manque quelque chose... « Mon plat !... Mes deux plats !... » On lui apporte deux plats, il y met les deux pieds ; et bien à son aise, il reprend son discours. — A la fin, apothéose de l'archicube Méga, aux feux de Bengale.

Je me sentais bien isolé, par instants, dans cette atmosphère de fumée de tabac et de rires bruyants. J'étais aussi loin de ces bons garçons que je pourrais l'être de Touaregs ou de Patagons. — Trop de saleté sans esprit. J'aime bien l'obscénité riche et grasse. Mais ces polissonneries chétives d'enfants malingres ne sont pas belles à voir, déculottées.

16 décembre.

Chez Colonne. Madame Kraus, admirable dans *le Roi des Aulnes.* Sa belle figure tragique. Sa voix passionnée, qui tremble un peu maintenant, fait frémir l'énorme public.

Les vœux de Suarès (par ordre d'importance) :

1. Etre le grand artiste.
2. La grande passion partagée.
3. Etre pape ou empereur. La plénitude d'action.

Les miens :

1. Etre le grand croyant.
2. Le grand amour partagé.
3. La liberté absolue de vie et de pensée.

22 décembre.

A l'Odéon, *Germinie Lacerteux.* (3ᵉ représentation.)

J'étais venu avec Suarès, pour protester contre l'arrêt indigne rendu par le public des deux premières. A la première,
les spectateurs de l'orchestre tournaient le dos à la scène,
criant : « Dégoûtant ! Infect ! » tandis que du balcon et des
galeries, pleuvaient les stupides plaisanteries. Les tableaux de
la Boule Noire et des petites filles ne purent être entendus. —
Mêmes rires à la seconde. — Nous venions pour contremanifester. Nous avons réussi dix fois plus que nous ne pensions,
car la pièce nous a réellement empoignés. — Nous étions là
trente Normaliens, aux fauteuils de balcon, — quinze de chaque côté. Suarès, Bouchard et moi, nous nous étions improvisés
chefs de claque. Au parterre quelques Sorbonnards. Aux premiers rangs de l'orchestre, quelques amis de l'auteur. Avec
ces éléments clairsemés, nous avons fait un gros succès d'abord,
et puis une ovation. — Ç'a été dur, au début. La salle était
visiblement hostile : (et c'est ce qui me fait mépriser de plus
en plus le public, en art. Tas de moutons ! Peureux ! Une
minorité violente les entraîne toujours)... On se préparait à
siffler la pièce, comme la veille et l'avant-veille. Quelques minutes avant le lever du rideau, s'entrecroisaient déjà des apostrophes gouailleuses, et un sifflet-flûte préludait. — La première scène marcha médiocrement : elle n'est pas fameuse,
et le Saint-Cyrien excita des rires. L'entrée de Réjane nous
ranima. Quelle admirable artiste ! Je ne l'avais jamais vue
encore. Il est impossible de jouer avec une vérité plus simple
et plus passionnée. Son entrée en robe de bal, les mouvements
gauches des bras et des mains, les petits soins donnés à la
lampe, au foyer, au fauteuil de sa maîtresse, son parler un
peu vulgaire, l'accent pas agréable, mais si vrai... Ç'a été une
révélation pour moi. Antoine et Réjane, voilà de bons combattants pour notre art de l'avenir !... — Le second tableau, le
talus des fortifications, a été plus mouvementé. Le réalisme
devenait plus trivial. Le public, mal disposé, étonné de nos

applaudissements, s'apprêtait à prendre sa revanche. A la fin, dans ce moment ironique et touchant, où l'orgue de barbarie au loin accompagne les paroles d'amour de Germinie, — les rires sont partis des fauteuils d'orchestre. Ce fut l'instant décisif. Nous avons éclaté en protestations indignées. Grand tumulte. Nos alliés du parterre nous ont fortement soutenus ; et nous avons réussi à faire relever le rideau et rappeler les acteurs. Ils étaient tous émus. Ils ne s'y attendaient guère ! — Suivait le tableau du Bal de la Boule Noire. Episodique, mais excellemment noté et joué. Il ne plaisait guère au public ; mais nous avions le verbe haut, et les moutons n'en menaient pas large. Dans le cours de la scène, il y a un mot raide, très raide, dit par une femme. Protestations à l'orchestre et au balcon. Parmi nous, explosion d'indignation. « Eh bien, quoi ?... C'est ça ! C'est ça ! » Et à la fin de la scène, boucan indescriptible. Chacun de nous faisait du bruit comme quatre. Bouchard et Suarès surtout, gueulaient, claquaient, trépignaient. Un nuage de poussière montait de dessous nos pieds. Quelques dames, au premier rang du balcon devant nous, — furieuses, vexées, indignées, se plaignaient assez fort ; et mes camarades, peu galants, surtout Suarès, répliquaient par des conversations à tue-tête sur le crétinisme des bourgeoises. « A Ohnet ! criait Bouchard. Les oies, qu'elles aillent à Ohnet ! » — De l'orchestre, nous étions le point de mire de tous les regards et de toutes les jumelles. Regards bienveillants, ironiques, furieux, surtout étonnés. La perruque noire et bouleversée de Suarès attirait la curiosité. J'en avais aussi ma part. Evidemment, je devais être assez drôle. Quant à Suarès, il n'est déjà pas ordinaire, à l'état normal ; et en ce moment, il renifle la poudre, il roule des yeux féroces. — A partir de ce vacarme, la bataille est gagnée pour la soirée. A nos applaudissements commencent à se mêler, dès lors, ceux d'une partie des moutons subjugués. Les autres ne se risquent plus guère. — Et pourtant les scènes qui suivent sont diantrement plus scabreuses. — Quelques notes seulement : ce sont des tableaux très courts. Les décors, excellents, sont tous entourés d'un grand cadre

simple aux larges bords dorés : ainsi, la volonté de tableau
est nettement indiquée. Chacun a été coupé dans la vie, avec
un talent supérieur, qui parfois atteint le plus haut pathétique,
sans le chercher. — Ainsi, à la fin de la pièce, le cimetière
Montparnasse, les croix serrées les unes contre les autres, comme pour se réchauffer contre la neige qui tombe ; et la vieille
maîtresse, ses lunettes d'or sur le nez, qui cherche la croix de
sa pauvre Germinie, et qui ne la trouve pas. Dans cette scène,
il ne se dit pas dix phrases ; mais ces phrases sont si vraies,
et l'idée si grande, si triste, si pleine de compassion, qu'on ne
peut imaginer un plus beau dénouement. « Pauvre Germinie,
dit la vieille en pleurant, pour son corps comme pour son cœur,
il n'y a pas eu sur la terre assez de place ! » — Une pareille
scène me fait aimer Goncourt. Cet homme qui m'était peu
sympathique, a versé dans cette douloureuse pièce une pitié
sobre et profonde. Et nulle concession au goût du public, nul
sacrifice au succès, nulle déclamation, nulle recherche d'effet,
pas un coup de théâtre. Tout est simple, mais choisi dans ce
que la vie a de plus angoissant. A ce réalisme, qui recherche
les scènes les plus désolées de la vie, je préfère, certes, celui
qui prend la réalité tout entière avec ses joies et ses douleurs.
Le réalisme de Goncourt n'est qu'une province du réalisme, —
la plus glaciale et la plus désespérée. Mais il y est un maître.
Germinie Lacerteux marquera une date dans l'histoire du théâtre réaliste en France.

Je note aussi comme réalisme simple et charmant de la vie
commune la scène des petites filles. C'est l'œuvre de Jules de
Goncourt, seul. Elle est délicieuse. Les quatre petites filles, le
petit garçon sur sa chaise haute, la jeune demoiselle de 16 ans,
qui déjeunent chez leur grand'mère, sont croqués avec un art
exquis. Le récit de Guignol par une des petites filles est une
petite merveille. La jeune demoiselle s'applique à bien parler,
à faire la dame tout en étant très enfant, au fond. Et tout cela
n'est qu'indiqué, comme dans la nature. Il faut, pour le saisir,
avoir des yeux et des oreilles. Et le gros public ne tient pas cet

article. Aussi la scène a-t-elle eu du mal à passer, malgré nos applaudissements.

Porel a eu du courage en prenant cette pièce à l'Odéon. Le réalisme de Goncourt est, en somme, un art pour les artistes. Son théâtre est ce qu'on appelle (par antiphrase, sans doute) le Théâtre Libre, — c'est-à-dire, le théâtre fermé à tous ceux qui ne sont pas de la maison, à tous ceux pour qui l'Art n'est qu'un amusement, et non l'essentiel de la vie, comme il l'est pour nous.

J'écris à Goncourt, le lendemain de la représentation. Il ne me répond pas ; mais Léon Daudet, ami de Georges Dumas, lui dit qu'il a été très touché. — Il en parle, un peu plus tard, dans une interview de *la Presse* (19 février) :

— « Si Germinie Lacerteux vous a valu quelques éreintements, elle a dû vous réserver aussi de chaleureuses protestations de sympathie. »

— « Elles ne m'ont pas manqué. Deux démarches m'ont surtout touché. Celle d'un élève de l'Ecole normale Supérieure, qui m'a exprimé en son nom et au nom de plusieurs de ses camarades qui avaient assisté avec lui à la troisième de ma pièce, la sympathie la plus vive et l'approbation la plus touchante... » [1]

(23 décembre 1888)

Monsieur,

Bien qu'il y ait de la hardiesse à adresser des félicitations à un homme tel que vous, je me risque à vous offrir les miennes, sûr que le témoignage de la jeunesse ne vous est pas indifférent, car il est sincère, et c'est un gage de l'avenir : ce que nous aimons nous le ferons triompher, quand nous serons des hommes.

Je suis élève de l'Ecole normale. J'imagine que vous ne l'aimez guère. Nous sommes donc moins suspects que qui que ce soit, nous qui avons combattu pour vous le bon combat, hier soir. C'est en mon seul nom que je vous écris, mais nous étions foule à vous acclamer à la troisième de Germinie. Nous étions venus pour protester contre l'indigne cabale, qui n'a cessé de s'attacher à vous, et pour forcer le respect dû à votre talent. Nous n'étions pas venus pour applaudir. Mais votre pièce nous a saisis, bouleversés, enthousiasmés, et des jeunes gens qui, comme moi, ne vous connaissaient guère, trois heures avant, et qui n'avaient pour votre art qu'une estime profonde, sont sortis pleins

---

1. Lettre à Goncourt, tome 7 du *Journal*, année 1888, éd. définitive.

*d'une admiration affectueuse pour vous. Oui, j'aime votre vue nette de la vie,
j'aime votre amour pitoyable de ceux qui aiment et qui souffrent, j'aime surtout la sobriété discrète et vraie de votre émotion, de vos peintures les plus
poignantes. Merci de ne point sacrifier au goût du gros public, de ne point lui
faire de concessions, ni même de demi-concessions.*

R...,
Elève de l'Ecole Normale.

Je profite d'assez bonnes notes trimestrielles, pour aller
voir le directeur Perrot, et lui demander, après l'agrégation,
une année de plus à l'Ecole. Il me reçoit favorablement et me
conseille de demander plutôt l'Ecole de Rome, où il y a des
places libres, et où j'aurai plus de temps pour penser à mes
travaux et pour les exécuter, qu'en un an de loisir à Paris, qui
ne me laisserait que des regrets de le voir si vite écoulé.

11 janvier 89.

Le Chevalier de Maison Rouge, de Dumas père. Ne parlons pas de la pièce. Mais les décors très réalistes : le club, le
tribunal révolutionnaire, la prison du Temple, la salle des condamnés à mort, — recréent l'atmosphère du temps. Pour la
première fois, j'ai réellement souffert pour les malheureux de
la Révolution.

27 janvier.

Au Conservatoire, *Roméo et Juliette* de Berlioz. — Emo-
tion profonde, surtout par la tristesse de Roméo.

Au retour, je rencontre Vidal de Lablache, qui me demande
d'où je viens. — « Du Conservatoire. » — « Vous avez tort...
Moi aussi, j'allais autrefois aux concerts. J'y ai renoncé. J'ai vu
que ce n'était pas un bon emploi de son dimanche. *On dépense
inutilement son fluide nerveux...* »

Le même jour, Boulanger est élu par la canaille de Paris,
les prêtres et la droite. 82.000 voix de majorité. 130.000 abs-
tentions.

Tous ceux d'entre nous qui ont un véritable amour pour la République (ils ne sont pas nombreux), Suarès, Georges Dumas, sont atterrés. Moi-même, malgré l'indifférence que je prétendais avoir à l'égard des choses politiques, je suis bouleversé. Je ne puis m'endormir qu'à 4 h. 1/2 du matin.

Mon père était allé au Pavillon de Flore, pour savoir le résultat. Il était certain d'avance que Jacques serait élu. Il craignait seulement que Boulanger n'eût une forte minorité. Nous étions beaucoup à penser ainsi.

Dans la journée de l'élection, très grand calme. Le soir, très grande joie du peuple qui est dans les rues ; mais joie calme, bourgeoise. Le désordre, quand il y en a, vient des antiboulangistes. Place Saint-Sulpice, un ancien officier, avec la médaille militaire, crie contre Boulanger. La foule l'injurie. Bouchard et G. Dumas, qui passent, avec Renel, prennent sa défense. La foule les hue et les menace ; ils sont longtemps poursuivis par une bande de voyous. — Suarès est sur les boulevards, devant les bureaux de la Presse. Toutes les dix minutes, Laguerre vient annoncer les résultats ; dans chaque arrondissement, Boulanger a la majorité. Les transparents disent : « Toujours Boulanger. Boulanger, tant. La Jacquette, tant. » — La foule très nombreuse acclame et rit de bon cœur : c'est pas une veste qu'il va remporter, c'est une jaquette !... Pauvre Jacques !... » — Ce caractère familial, bon enfant, des manifestations est surtout frappant. L'aveuglement est complet. — Au Pavillon de Flore, on était épouvanté. On n'osait plus parler.

28 janvier.

Je fais l'école buissonnière, je manque le cours de Gabriel Monod aux Hautes Etudes, pour aller à la Chambre. — Mais bien que je fasse queue devant le Palais Bourbon, de 2 h. à 3 h., je ne peux pas entrer. La salle est comble. — La foule, généralement boulangiste, est toujours très calme.

On s'attend pour le jeudi à une séance extraordinaire, peut-être à la chute du ministère, peut-être de la Chambre. Suarès et moi nous nous adressons à nos députés, pour avoir des places. Inutilement ; tout a été distribué.

Je passe une partie de l'après-midi du jeudi aux abords de la Chambre, sur la place de la Concorde, et la terrasse des Tuileries. — Foule nombreuse, moins cependant qu'après les élections du Nord. Le mot a été évidemment donné aux sections boulangistes qu'elles ne se dérangent pas : le général ne viendra point ; je l'entends annoncer par des individus en redingote râpée, alors que les journaux et la Chambre n'en sont pas encore informés. Très habile, la tactique du parti boulangiste : éviter l'initiative d'une agression. Cette foule boulangiste est toujours aussi remarquablement calme, et d'apparence saine, sensée. A peine quelques injures grossières, une engueulade ordurière de deux individus : encore est-ce l'antiboulangiste qui commence. — Bribes de conversations : — Un demi-monsieur : « C'est, comme l'autre jour, ces étudiants qui ont brûlé Boulanger en mannequin... Ils sont 150 à 200 m... Ce sont ceusses qu'ils sont les fils de ceusses qui ont le pouvoir ; mais ils font leurs manifestations chez eux ; il y a pas de danger qu'ils sortent de leur quartier. Qu'ils viennent voir un peu sur les boulevards !... » — Une jeune bonne dit que dans son pays, ils ne sont pas Boulangistes. — « Ah ! les Champenois ne sont pas Boulangistes ?... Ils sont amis des pots-de-vin, les Champenois, ça se comprend... Eh bien, vous leur direz à vos compatriotes qu'à Paris on l'est bien, boulangiste ; tout le monde est boulangiste... Ah ! les Champenois ne sont pas... ? Eh bien, nous nous chargeons de les rendre... nous..., etc. » — Saisi au passage des bribes d'un entretien à voix basse, entre un monsieur, qui a l'air d'un Déroulède en sous-ordre et un demi-monsieur à veston râpé et mains noires. L'un embauche des hommes, pour je ne sais quand. « Venez (suit une adresse) au siège du Comité. » Avec promesse d'une rémunération. — Parmi la foule de la terrasse des Tuileries, des domestiques, des ouvriers beaux parleurs, des curés, quelques bérets d'étudiants (ceux-ci ont de lourdes cannes). — Les abords de la

Chambre sont complètement nettoyés. Un déploiement considérable de forces de police.

Je crois la République perdue. J'ai eu confiance jusqu'à l'élection de dimanche ; je n'ai plus d'espoir, aujourd'hui ; je ne vois plus de moyen de salut. La force même serait inutile. Impossible de toucher à l'élu de Paris. Paris a pris conscience de l'étendue de son amour pour Boulanger, et il ne permettra pas qu'on touche à l'homme de son choix. Le Sénat parle de dissoudre la Ligue des Patriotes, qui est devenue, avec Déroulède, la garde prétorienne de Boulanger. Ce serait le signal d'un soulèvement terrible, où l'Allemagne pourrait être mêlée, — et sûrement la statue de Strasbourg. (Ah ! cette Alsace, nous aura-t-elle assez coûté ! Plus qu'elle ne nous a jamais été, si, dans cette crise nous perdons la Liberté !) — La tache honteuse du boulangisme aura bientôt gagné toute la France. Alors, je quitterai la France. Je n'y pourrais plus vivre. Elle ne peut être ma patrie, celle qui renie la Liberté.

(Note ajoutée, à la fin de 1889) :
Je persiste à trouver mes impressions vraies. Boulanger eût triomphé, s'il eût osé agir.

10 février.

A l'Odéon, *Macbeth.* Traduction insipide de Lacroix. Mounet, Garnier, mademoiselle Weber.

17 février.

Au Conservatoire, première audition d'une *Symphonie en ré mineur* de César Franck. Un style d'orgue. Un développement régulier, puissant, raidi. Les phrases durement hachées, criées par les cuivres. Parfois de la sécheresse. Des passages brusques, sans transition, du *fff. au ppp.* (comme dans *les Béatitudes*). Mais de la grandeur, de l'émotion, de très belles phrases qui rappellent la pensée des *Béatitudes*. Une personnalité.

— Comme toujours, dans la salle, trois publics : des applaudissements frénétiques, peu nombreux ; d'assez nombreux chut ! (ils sont rares d'habitude, au Conservatoire. Ils partent surtout des premières loges. Pendant l'exécution, je voyais des messieurs se boucher les oreilles, avec affectation). Enfin, la masse du public, indifférente.

18 février.

Au grand amphithéâtre de la Sorbonne, dans la séance de l'Alliance Française, — parle le général chinois *Tcheng-Ti-Kong*. En belle robe violette, noblement étendu sur sa chaise, il a la figure pleine, jeune et heureuse ; un sourire d'actrice, qui montre bien les dents. Mais l'homme est robuste, et la voix très forte, grave, lourde et claire. Un discours excellent, spirituel, très français, mais encore plus chinois, d'un homme et d'une race supérieure. Sous l'enveloppe des sourires et des compliments, je sentais une âme méprisante, qui se savait supérieure à nous et traitait le public français en enfant. Ce membre de l'Alliance Française, dans une séance de l'Alliance Française, a trouvé le moyen de se moquer des Français qui venaient en Chine, d'attaquer les missions religieuses en Chine, de persifler l'inutilité des résultats de l'Alliance Française en Chine, d'affirmer que jamais la France ne réussirait en Chine, par la force. « Votre langue est comme une belle femme, gracieuse et souriante, qui plaît à tout le monde sans efforts, mais qui ne doit pas dire qu'elle veut plaire. » Bref, faisant la leçon à tous, mais la faisant gober au moyen de quelques protestations d'amour pour la France, qu'il daignait élever — pas tout à fait — jusqu'à la hauteur de la Chine. Tous ses efforts ont toujours été, dit-il, « de raccourcir les distances et d'amincir les antipodes, entre les deux pays les plus civilisés du monde ». — Mais il a eu bien soin de marquer qu'entre les deux il y a des différences !... « Tout le monde sait que la Chine est le plus anciennement civilisé... Tout le monde sait que le chinois est la langue la plus universellement répandue... etc. »

Le public, enchanté, avale toutes les pilules, et applaudit frénétiquement.

Il n'acclame pas moins le gouverneur du Congo, Savorgan de Brazza. Brazza est très grand, le visage anguleux, noir, embroussaillé, de cheveux et de poils noirs, le nez volumineux, les yeux vastes et pleins d'une torpeur bovine, la tête inclinée sur la poitrine, les mains énormes et simiesques. Il prononce quelques mots pour remercier l'auditoire de sa sympathie. Il parle dix fois moins bien que Tcheng-Ti-Kong. Son accent italien est, il est vrai, moins lourd, mais plus agaçant. Les paroles sont banales, les gestes communs et inutiles. Il semble parler au président (Gréard), qui est à côté de lui ; il lui fait des gestes à l'italienne, il lui riboule des yeux pour dire qu' « actuellement nous avons dans chaque village un enfant indigène qui apprend le français », et que si l'on veut bien mettre la main à la bourse, « nous en aurons bientôt... sept... deux... trois... dix... deux cents... trois cents... etc. »

Des quatre orateurs de ce soir : Gréard, recteur de l'Académie de Paris ; Gaston Deschamps ; Tcheng-Ti-Kong ; et le gouverneur français du Congo, — c'est, sans aucun doute, le Chinois, que Voltaire eût trouvé le plus Français.

21 février.

Réception, à l'Académie Française, de Claretie par Renan.

La salle est comble. Je reste perché pendant trois heures sur deux barreaux de tabouret ; mais je vois et j'entends, bien que Renan n'ait pas beaucoup de souffle et ne lise pas très bien. — La grande attraction d'aujourd'hui est la Comédie-Française, venue pour assister à la réception de son directeur ; des toilettes ravissantes et de jolies figures. — Parmi les Académiciens, Mommsen, de passage à Paris : une tête extraordinaire, les cheveux à la Liszt, tombant au-dessous des épaules, comme de gros paquets d'étoupe ; dans ce cadre volumineux disparaît une petite figure maigre, mince et sèche, pointue comme un museau de furet, — avec des lunettes. Il suit les discours, avec une

fixité dure, les yeux sur les orateurs. (Il est au premier rang,
et Claretie au quatrième.) On dirait que Claretie a écrit une
partie de son discours, à l'intention de cet Allemand gallo-
phobe : car il a beaucoup parlé de l'Allemagne, et en des termes qui n'avaient rien de flatteur. — Le discours de Claretie
est d'ailleurs sans intérêt, comme la carrière de Cuvillier-
Fleury, à qui il succède à l'Académie, et qui est resté toute sa
vie (elle fut longue !) ce qu'il avait été au début : lauréat du
Concours général. — La grosse tête de Renan, cette énorme
caboche, plus volumineuse à elle seule que celles de Camille
Doucet et de Mazade réunies, ne bronche pas un moment tant
que parle Claretie ; pas un mot ; pas un sourire. Sans doute
qu'il n'écoute point. Il digère. — Mais il se réveille à point,
quand c'est son tour de parler. Incroyable discours, où il dit
15 lignes de Claretie, 10 mots de Cuvillier, et où, débarrassé
de cette ingrate corvée, le voilà parti dans un monologue satirique sur l'histoire humaine depuis deux siècles : — le XVIIIe
siècle, « où l'on avait la liberté de penser, mais où en vérité
l'on pensait si peu qu'il n'y avait pas grand profit » ; — la Révolution « moment unique, où l'humanité a fait servir à son
progrès tous les scélérats et les monstres accumulés en elle
par l'hérédité » ; — le Romantisme « qui a produit tant de
livres excellents, dont aucun ne sera probablement lu plus
tard », — la décadence des lettres, issue du progrès même des
hommes de lettres, leur orgueil encouragé par la niaiserie d'un
public qui manque d'une aristocratie pour lui apprendre ce
qu'il doit sentir, la puérilité de l'intelligence et du goût publics, qui conduit en politique à des catastrophes et de dures
expiations, non encore achevées aujourd'hui ; la fatuité risible
du Réalisme, qui prétend fournir sur la vie de la société de
son temps des documents à la postérité, qui sera trop occupée
d'elle-même pour s'occuper des autres ; — une définition curieuse de l'homme de génie (personne n'a remarqué que c'était
le portrait de Renan) ; — et puis une joyeuse profession de foi
épicurienne et sceptique, suivant immédiatement la prévision
de l'avenir le plus sombre pour la France. — Arrivé à ce point,

il s'arrête, laisse son discours, et dit, d'un ton bonhomme :
« Après tout, ça n'arrivera peut-être pas. Peut-être qu'il n'y a
rien de vrai dans tout ce que je vous ai dit... »

Conclusion (la mienne) : il n'y a qu'un seul homme en
France, qui soit capable d'exprimer, dans une assemblée officielle, toute sa pensée, sa pensée tout entière (et combien elle
est hardie !) — et non seulement de ne pas révolter, mais de
faire sourire en débitant tranquillement les pensées les plus
cruelles, les plus laides, les plus terribles parfois, qui peuplent
le cerveau d'un homme de génie. Le public croit qu'il se moque.
Et il se moque précisément en disant la vérité à des hommes
qu'il sait incapables de comprendre que c'est la vérité. — Il y a
du néronisme dans Renan.

Le duc de Broglie s'épanouit largement, en écoutant Renan.
Il rit, sourit, applaudit. — Dans l'assistance, Pailleron, Emile
Augier, lord Lytton, Lesseps, bien décati depuis la dernière fois
que je l'avais vu.

24 février.

A l'Odéon, *Fanny Lear,* de Meilhac et Halévy. — Mounet,
Dumétry, madame Tessandier, Raphaele Sisos (mon gentil
chérubin de naguère... Hélas ! Les roses d'antan s'effeuillent)...

3 mars.

Au Conservatoire, la *Messe en Ré* de Beethoven.
Deux impressions dominantes : — l'une surtout matérielle ;
l'autre, morale. — La première, c'est l'ex-*gloria,* avec ses rythmes haletants et tranchants, son tourbillon de fanfares, ses cris
d'enthousiasme, montant vers Dieu, comme un glaive : j'étais
épuisé en arrivant au bout ; mes dents claquaient ; il me semble que je n'aurais pu l'entendre une seconde fois sans convul-
sions. — L'autre impression, c'est le *Dona pacem.* Il la demande, mais il l'a déjà reçue et il la verse sur ceux qui l'ai-

ment. De toute l'œuvre, c'est la partie la plus chrétienne ; elle rayonne cette joie pacifique, cette flamme calme et brûlante, que seuls ont exprimée J.-S. Bach et le *Parsifal* de Wagner.

Les pages qui me frappaient le plus à la lecture m'ont fait le moins d'impression, au concert : ainsi le *Kyrie*, (sans doute par manque de plénitude chorale et orchestrale) ; ainsi, sauf la première page toute wagnérienne, le *Benedictus*, qui m'a été gâté par le solo de violon, d'un goût faux et prétentieux. Le *Credo* n'a pas été rendu comme je l'imaginais, — une affirmation dure de la foi, — mais dans un calme un peu froid.

D'une façon générale, l'exécution n'a pas été irréprochable. Dans la fin de la fugue à triple galop du *Credo*, — dans cet entrecroisement de jets de lances, — le chœur de femmes s'est tu, épuisé, et a repris une mesure plus loin.

Le public des fauteuils d'orchestre était idiot : morne, ahuri, abruti, pendant les foudres du *Gloria* et les rugissements du *Credo*. Combien il eût voulu que ce ne fût pas du Beethoven, mais du Franck, pour crier qu'ils n'y comprenaient rien ! Il ne sortait de son coma qu'au *Benedictus*, dont il troublait le solo par ses pâmoisons imbéciles. Il était si heureux de trouver enfin quelques phrases à comprendre dans « une œuvre à admirer », qu'il éclatait en transports ; il s'applaudissait lui-même autant que Beethoven. — Après la Messe, on jouait la Première Symphonie de Beethoven. Il fallait voir les visages s'épanouir. Enfin ! ils n'avaient plus à s'observer, à ravaler leurs bâillements ! Il échappait de demi-aveux : « Comme c'est joli !... C'est admirable !... Quelle différence avec l'autre, Madame, avec la Messe ! » — « Oh ! dit-il, la Messe, c'est effrayant... C'est épouvantable... Je ne comprends pas comment il en fût arrivé là !... » — Il s'arrête à temps...

Saint Snobisme ! On crevait d'ennui ; mais la salle était comble. Il ne restait que vingt places libres au bureau. J'ai pris un fauteuil d'orchestre, Claudel un couloir d'amphithéâtre, et Suarès un balcon. Et nous nous étions fait inscrire, dès jeudi.

— Nous sommes revenus à pied, du Conservatoire à la rue

Michelet, Claudel, Suarès, et moi, — pérorant et discutant tout
le long de la route. L'étrange garçon que ce Claudel — très
superficiel, très incohérent, mais d'une personnalité violente et
d'une sensibilité passionnée jusqu'à la boursouflure, gonflée
comme ses joues, lorsqu'il émet quelque énorme assertion : on
dirait un jeune Triton qui souffle dans sa conque. Son ennemi
personnel, c'est la Métaphysique. Aussi, ne se donne-t-il pas la
peine de raisonner : c'est absurde, selon lui ; — et puis, c'est
plus commode. Seuls existent la Nature, l'Instinct, la Sensation,
l'Amour, le Désir, la Passion, la Flamme, la Vie... etc., mais
nettoyés de la pensée, qui n'en est qu'un champignon. Il se dit
Wagnérien ; mais, pour lui, il n'y a pas de pensée dans
Wagner ; il n'y a qu'un jeune homme qui chevauche dans la
forêt à la recherche de femme aimée... etc. Il se dit aussi
Beethovenien ; mais pour lui, il n'y a pas de pensée dans
Beethoven ; il n'y a que la lumière éclatante opposée à la Nuit...
etc. — Cependant, il est du cénacle de Mallarmé et de Villiers
de l'Isle-Adam ; mais il dit franchement qu'il ne les admire
que pour la forme ; il fait bon marché de leur métaphysique.

Je l'ai fait un peu parler de ces deux princes de l'Art sym-
boliste, qu'il fréquente assidument. Voici ce que j'ai pu tirer
de l'incohérence de ses enthousiasmes : — Villiers de l'Isle-
Adam est petit, de grands cheveux qu'il fait frisoter, une tête
énorme. Il a de 50 à 55 ans, mais il paraît beaucoup plus ; il
est usé, fini, à la veille de la mort. Il est dans une gêne extrême,
il doit courir d'une salle de rédaction à l'autre, pour réussir à
placer, de très loin en très loin, quelque fantaisie funambu-
lesque et profonde : bien qu'inscrit dans la rédaction du *Gil
Blas,* il en est écarté par le mauvais vouloir du Comité. Il travaille toujours à *Axel.* Le malheur est qu'il se disperse trop.
D'une pensée forte, avec des intuitions surprenantes, sa raison
profonde est unie à une sensibilité maladive, qu'un rien dé-
tourne, qu'aucune volonté ne conduit. Très affable, d'une société charmante, plein d'idées et de fantaisie, il est homme à
parler sans arrêt, de 8 h. du soir à 2 h. du matin, passant d'une
idée, d'un mot, à un autre, et ne souffrant pas qu'on l'inter-

10a

rompe. — Il a tout sacrifié à l'Art. Il a sacrifié au moins autant
à son orgueil aristocratique. Ce descendant (prétendu) des
grands-maîtres de la chevalerie de Rhodes et de Malte, pousse
l'extravagance jusqu'à refuser (ce qu'on ne lui offre pas) la
main d'une fille d'empereur ou de roi : ce serait pour lui une
mésalliance. Aussi, n'est-il pas marié ; il n'en a pas moins un
fils de 5 à 6 ans.

Mallarmé est bien différent. Il vit concentré en lui-même,
pensant beaucoup, voulant très fort, et sentant finement. Il est
toujours professeur d'anglais à Charlemagne ; et cette place
seule le fait vivre. Il est dans une modeste aisance. Il reçoit
beaucoup les jeunes écrivains, et il est fort aimable. Non point
parleur, comme Villiers, mais causeur ; il lance dans la conversation des fusées étincelantes, des bribes de sensations exquises. Depuis longtemps, il travaille à son œuvre, qui doit
être une explication de l'univers. Chaque vers nouveau, lentement élaboré, est classé sous une fiche, et catalogué dans un
vaste carton, à côté des autres. L'Œuvre doit avoir la forme
d'un immense rouleau, avec des nuances infinies de lumière,
partant de la pleine clarté du milieu, et se perdant peu à peu
dans l'obscurité des bords repliés. Dans le plein jour seront
les certitudes, les intuitions évidentes de la Vie. Dans la gamme du clair-obscur crescendo s'échelonneront les divinations et
les pensées confuses, dont est fait le tissu de la vie. Quant à
l'art nouveau de Mallarmé, il repose sur une conception curieuse du mot. La poésie a à son service le mot. Le Mot a une
partie sonore, une partie intellectuelle (l'idée), et un aspect
physique (une couleur, un objet). Par l'idée, il rend l'essence
et les rapports des choses. Par la forme, il le fait vivre. Par
le son, il les fait vibrer au fond de nous. — Il est bien évident
que, dans le Mot, la partie sonore n'est, malgré tout, qu'un
accessoire ; la gamme de la conversation ne comporte pas huit
notes, en admettant que ce soient des sons, et non des bruits.
La combinaison des lettres du Mot est trop subtile pour éveiller
en nous d'autres sentiments qu'extrêmement raffinés, mais, en
somme, insignifiants. Quant à la combinaison des rythmes de

la phrase, elle est peut-être aussi variée que celle des rythmes
musicaux, mais elle emploie des éléments moins émotionnels
(combinaisons de lettres) que les sons musicaux. — C'est pourtant avec cette partie sonore du mot que Mallarmé veut rendre
le mystère impalpable de l'âme. Nous lisons dans Shakespeare
que Juliette ressent la délicieuse angoisse oppressée et joyeuse
de l'attente amoureuse. Nous le lisons, et nous devinons l'angoisse, mais nous ne la sentons pas d'une façon immédiate.
Mallarmé veut que du vers elle surgisse, telle qu'elle était dans
l'âme du personnage et qu'elle devienne nôtre. Le même vers
doit, en même temps, faire comprendre l'existence de Dieu, et
rayonner la foi en Dieu. L'analyse du sentiment le décompose ;
en nous en donnant les éléments séparés, elle dissipe le sentiment. Il faut qu'il jaillisse immédiatement et sans intermédiaire, du mot, du son, du vers. —La poésie sera donc tout.
Elle verra le monde, elle le comprendra et elle l'expliquera ;
elle le transfusera dans l'âme ; elle exprimera l'âme ; enfin, elle
sera l'âme, et la recréera, avec tous ses mystères, par les mystères du son.

J'avoue que je suis rebelle à cet Art de Mallarmé. Je le
crois incapable de rendre l'immensité de l'âme et la mer de ses
désirs par des moyens aussi menus que les tintements du mot.
Le mot est au carrefour de l'Action, de l'Intuition, et du Désir.
Il en est le substitut pâli. Il a sans doute le privilège de grou-
per ces éléments, d'en faire des suites des raisonnements. C'est
beaucoup. Mais vouloir lui donner encore les attributs des autres facultés, c'est atrophier les trois quarts de la vie, et grossir
démesurément le reste, en faire un monstre de salon. Il y a là
un manque d'harmonie pleine et vivante. Tout l'homme n'est
pas dans le mot. La conception de Wagner a bien autrement
d'ampleur et est bien moins factice.

Mallarmé estime fort Villiers de l'Isle-Adam, qui, de son
côté, l'honore comme très supérieur à lui. A part ce grand
artiste, Mallarmé ne semble avoir autour de lui que des adeptes
assez médiocres, n'imitant que ses procédés, et n'en comprenant pas la vraie grandeur. — Claudel lui-même, qui se dit

passionné pour Mallarmé et pour Villiers, n'admire en eux que la forme.

Mallarmé méprise les Russes. — « Il est trop artiste pour cela, » dit Claudel. — Voilà ce qui le condamne. Il méprise la Vie. Son Art est stérile.

Je lui préfère l'indépendant Verlaine, — âme admirable et corps immonde. Celui-là n'a pas créé un Art ; mais il a plus aimé qu'eux tous.

Une dame bourgeoise, hier, au Conservatoire :

— « Avez-vous trois places ? »

— « Non, Madame, je n'ai que deux fauteuils d'orchestre ensemble. »

— « Ah ! mais, je ne peux pourtant pas me séparer de mes filles ! J'ai deux filles ; il faut que je sois avec elles. »

— « Madame, que voulez-vous ? il n'y a que deux places. »

— « Au moins, avez-vous une place d'où je puisse voir mes filles ? A la rigueur, je veux bien m'en séparer. Mais il faut au moins que je les voie, que je puisse les surveiller. Je ne peux pas les laisser seules. Je ne peux pas... »

— « Mais quel âge ont-elles donc, vos filles ? »

— « Il y en a une qui a dix-neuf ans... Voyons, vous n'avez pas une place d'où l'on puisse voir les fauteuils d'orchestre ? »

— (Goguenard.) « Voulez-vous une 3e loge de côté ?... »

Vu chez Boussod et Valadon 7 ou 8 nouvelles toiles de Claude Monet. Je préférais les marines de la rue de Sèze. Cependant d'admirables impressions. Un clair-obscur, au bord d'une rivière. Une atmosphère rose autour de bouquets d'arbres. Un soleil éblouissant dans un champ doré, que traversent des enfants aux cheveux enluminés (les premières figures, je crois, que dessine Monet ; elles sont un peu maladroites ; mais tout est dans l'éblouissement de soleil, qui empêche de distinguer les visages dans l'ombre de leurs grands chapeaux).

1889.

La lecture de *Tribulat Bonhomet* m'a remis en tête, en le précisant, un projet d'œuvre que j'ai depuis six mois. Villiers a voulu bafouer le sens commun et la science positive de son siècle, en les incarnant en un personnage ; et dans une intention artistique très fine, que, malheureusement, il n'a pu réaliser, il a tâché de s'abstenir de le juger, malgré son mépris pour lui ; il a voulu qu'il s'exprimât lui-même, en sorte que les lecteurs qui lui ressemblent puissent se méprendre sur la pensée de l'auteur, et approuver ce que le héros a de grotesque. — Et moi, je voudrais écrire une suite de romans, dont chacun s'attacherait à l'auto-peinture d'un type moral et social, d'un milieu, d'une conception de la vie. Il y aurait le livre : *Artistes,* — le livre : *Bourgeois,* — le livre : *Hommes d'action,* — etc. Dans chaque livre, les personnages vivraient, comme dans la vie, sans aucune intervention de l'auteur, sans parti pris de thèse, — *sub signo* de l'Ego individuel, et de ses idées sur la vie. Chacun croirait avoir la seule vérité, et vivrait, souffrirait — ou jouirait pour elle, — chacun se croyant supérieur aux autres, — et tous, entraînés par le destin invisible. — L'ensemble s'appellerait : *La Divine Comédie.* Et il pourrait y avoir un Prologue : *Dieu.* — Le jour où j'aurais accompli cette tâche, il me semble que j'aurais dit mon mot dans la Pièce de la Vie, et que je pourrais en être rayé.

10 mars.

Madame Materna, au Concert Lamoureux.

Ma jeunesse aura grandi dans le rayonnement de Wagner et de Tolstoy ; et je n'aurai jamais pu voir les deux soleils de ma vie. De Wagner, six ans me séparent, — six immensités, — la Mort. — J'ai vécu dans le nimbe de Wagner. J'ai vu Liszt, j'ai vu Hans de Bülow ; plusieurs de mes amis (Gabriel Monod) l'ont connu personnellement. — Et je ne le verrai jamais ! — Un vivant qui l'a pu approcher m'apparaît comme un messager qui vient de lui. Ainsi, madame Materna, qui

inaugura son théâtre de Bayreuth, et qui fut son actrice pré-
férée : (elle créa Brünnhilde et Kundry). — Elle a 41 ans ;
elle est très grande, très forte, aussi grosse que la Krauss ; une
figure pleine, un peu commune, non sans grâce, très brune ;
les cheveux noirs, abondants ; l'air excessivement simple, bon
enfant ; de beaux yeux. — Elle a chanté l'air d'Elisabeth au
2e acte du *Tannhaüser,* le grand air de Rezia dans *Oberon*
(2e acte), et la mort d'Ysolde. La beauté de sa voix n'est pas
dans le timbre, mais dans la force, dans son étendue, dans sa
franchise d'attaque, dans sa netteté de diction, et, par-dessus
tout, dans l'intensité de son expression dramatique. D'ailleurs,
elle chante exactement comme c'est écrit ; elle ne tient jamais
une note deux secondes de plus ou de moins qu'il n'a été
noté ; elle est passionnée dans le rythme fixé. On dit que cette
obéissance absolue à la volonté de l'auteur était la qualité qui
la faisait préférer par Wagner à tous ses autres artistes. Cette
Ysolde sublime aurait le courage de jouer un rôle insignifiant,
d'une manière insignifiante. — On lui fait une ovation après
la mort d'Ysolde. On la rappelle cinq à six fois.

Dans le même concert, jouait un certain Paderewski. Vingt-
cinq à trente ans, grand, maigre, les joues creuses, une tignasse
blonde, fade, frisottée, de garçon coiffeur ; nulle pose. Il a
joué admirablement la 12e Rapsodie de Liszt. Mais le concerto en mi bémol, de Beethoven, — à me faire bondir ! Un
jeu qui a le hoquet, dans les passages d'expression ; aucune
conviction ; pas de sentiment profond ; il alanguit, d'une façon
ridicule, cette musique forte, violente, héroïque. Qu'il ne joue
plus de classique ! Il nous le fait trop, à la Polonaise.

17 mars.

Chez Lamoureux, la scène finale de la *Goetterdaemme-
rung* (1ère audition à Paris). — La plus forte impression musicale de ma vie, depuis la Cène de *Parsifal.* Suarès me disait :
« Il faudrait être un Wagner pour exprimer les transports où
vous jette cette musique. » — Et moi, je lui disais le monde où

je me sentais transporté, la multitude de sensations forcenées, que cet orage faisait jaillir de mon âme labourée. — J'étais venu alangui, abattu, épuisé. Dans cette cuve de passions, mon corps sursautait d'abord, avait le frisson. Mais peu à peu, je me sentais devenir fort, grand, divin. La volonté de Wagner figeait l'expression de mon visage, raidissait mes mâchoires, durement fermées, contractait tous mes muscles, concentrait violemment toutes mes forces éparses. La passion de Wagner gonflait et brûlait mes membres. La pensée de Wagner aspirait ma pensée, comme le soleil pompe les vapeurs de la terre. Et j'étais devenu grand, grand... j'aurais marché sur le monde ! La foule qui m'entourait m'apparaissait de très loin, de très haut, comme du sommet d'une tour on domine la cohue des hommes. Et dans cette plénitude vertigineuse, je songeais qu'un jour viendrait où un homme tiendrait le monde dans sa main toute-puissante ; il s'imposerait aux hommes de toute la terre par la suggestion universelle, rayonnant de son esprit et de sa volonté.

Un orchestre tonnant, un peuple de poitrines de cuivre, des liquides sonores qui coulent en torrents, les cordes palpitantes qui crient d'amour et d'agonie. Et la marche triomphale des dieux mourants qui plane sur l'Océan qui monte.

Madame Materna était transfigurée. Des yeux profonds, pénétrants, douloureux. Une noblesse passionnée. Une expression pathétique, d'une tendresse ou d'une souffrance épurée. Et comme elle disait : « Ruhe ! Ruhe ! Du, Gott !... » (Elle a chanté en allemand, sans que le public s'en soit aperçu.) — Elle a chanté aussi un air du 3e acte de *Rienzi,* absolument mauvais, mais où elle a montré des qualités de grâce qu'on ne lui soupçonnait pas, — et la belle prière mystique d'Elisabeth, dans *Tannhäuser.*

Le concert se terminait par la *Festmarsch* de Wagner, en l'honneur de l'Indépendance des Etats-Unis. La vulgarité de certains motifs m'avait, jusqu'ici, déconcerté. J'ai compris aujourd'hui que, comme dans la *Kaisermarsch,* Wagner avait fait œuvre de psychologue. Ce motif, vigoureux, bruyant, arro-

gant et vulgaire : « *ré mi fa sol* » exprime les rois du pétrole
et du cochon, — comme, dans la *Kaisermarsch,* les phrases,
amples, pompeuses, banales, candides, solides, sentimentales,
expriment la bourgeoisie germanique. Et ce motif américain,
qui traverse toute l'œuvre de son rythme mécanique et écra-
sant, — des pauses le coupent soudain, à plusieurs reprises ;
il semble fini, — point : il recommence ; il ne continue pas, il
ne se développe pas, il n'évolue pas, — il recommence : « *ré
mi fa sol — fa, sol* » — il recommence toujours. — Eternel !
Eternel. — Mallarmé disait de cette marche, à Claudel, qu'elle
lui semblait celle d'une Dynastie d'Egypte. La marche des
Milliards. La marche du Ring dont l'empire n'est pas près de
finir, — de plusieurs dizaines de siècles, peut-être. — Il finira
pourtant : « *Ré mi fa sol — si, — ré — sol — si...* »

J'ai dit jadis, de Mozart : « Je mourrais pour lui. » — Pour
Wagner, je tuerais.
Quelqu'un dira : « Cela lui coûterait moins... »
— « Pas du tout, Monsieur ! Cela me coûterait beaucoup
plus. »

21 mars.

A l'Odéon, *les Erynnies* de Leconte de Lisle.
Eschyle, Shakespeare, Wagner ; la plus glorieuse trinité du
théâtre. Bien des rapports, et des plus plus étroits, entre l'émotion que me fait éprouver *l'Orestie,* et celle du *Ring* de Wagner.
On est au sein du rythme, en plein monde héroïque, non de cet
héroï-comique qui gonfle les joues des héros de Corneille, mais
au milieu des Demi-Dieux, au delà de l'Espace et du Temps,
sur le domaine de l'Eternité, de la Réalité surnaturelle. Ici,
Art et Foi ne sont qu'un.
Leconte de Lisle a beaucoup modifié l'œuvre, malgré ses
prétentions de traducteur fidèle. Il l'a rendue plus implacable,
en la mutilant, après le châtiment d'Oreste, sans que l'aurore
d'une Rédemption, même lointaine, s'annonce. Mais ses vers
sont splendides, d'une fonte cyclopéenne. Quelle musique ! —

Celle de Massenet, exécrable, n'est là que pour montrer ce qu'un grand poète peut perdre au compagnonnage d'un sot musicien. Mais si le grand poète avait été en même temps un grand musicien, comme Wagner ! Ces vers de Leconte de Lisle semblent le plus magnifique récitatif qu'on ait jamais écrit d'un drame lyrique.

Paul Mounet, supérieur à tout ce qu'il a encore été, dans Orestès. Terrifiant de fureur et d'égarement. Le tourbillon de Furies qui l'entraîne, comme un cauchemar qui vous serre à la gorge. — Tessandier, sublime en Kassandra. Son long silence, pendant la scène de Clytemnestre et d'Agamemnon, la tête baissée, comme une bête sous le joug ; les yeux perdus dans le loin. Que ce rôle est grand et touchant ! Et que je sais de gré à Berlioz de l'avoir si bien aimé ! — Weber en Elektra. Albert Lambert père en Agamemnon. Garnier, dans le Veilleur. Marie Laurent, très mauvaise en Clytemnestre. Elle l'a jouée en Mère de l'Ambigu.

Avant la pièce, une conférence insupportable de Jules Lemaître. Il parle mal, d'un souffle haché, d'un ton monotone et ennuyé, ennuyeux. Il n'a fait que débiter des lieux communs (« tout est dans Eschyle : réalisme, pessimisme, mélodrame, etc. ») Il a eu le mauvais goût de lire, en les soulignant, les passages scabreux d'Eschyle, les cas de conscience, et les mots obcènes. Il n'en finissait pas, — si bien qu'en haut du théâtre, on s'est mis à le chuter ; il s'est aperçu qu'il assommait ; il a été vexé, troublé, et la conférence a fini à la débandade. — C'était la première fois que je le voyais. Il est plus grand que je ne pensais ; il a les épaules hautes et voûtées ; la tête est fine.

Après *les Erynnies* — (ô public parisien !) — *le Dépit Amoureux...*

25 mars.

Il est remarquable comme je me détache souvent de moi. Ceux qui me sont chers, je sais qu'ils aiment Romain et que

Romain les aime. Mais que l'existence de ce Romain et la leur
m'est lointaine ! Qu'elle est pâle ! Je me laisse sucer par la vie
d'en haut ; et, de là, je les regarde passer, eux et moi, avec
une bienveillance un peu indifférente. Il me semble que je
suis dans le sein de Dieu ; et j'espère qu'un jour je nous y sen-
tirai réunis. — Mais en attendant, je me demande ce qu'il ré-
sultera pour moi de cet état anormal, dans la vie d'apparence,
la vie de tous les jours... Cela durera-t-il ? Cela peut-il durer ?...

Ecrire un *Saint-Jean* amoureux du Maître divin.

2-10 avril.

Je fais mon stage de professeur au lycée Louis-le-Grand. —
Pas la moindre émotion en voyant, pour la première fois, ces
30, 40, ou 70 paires d'yeux braqués sur moi. Je n'ai jamais été
plus indifférent. — C'est seulement lassant et insipide : car il
faut toujours avoir l'œil sur ces petits animaux.

J'avais à faire le cours d'histoire :

en 4e : Jules César.

en 3e : Conquête de l'Angleterre par les Normands.

en Philosophie : La 1re Restauration.

La formation territoriale de la France.

en Rhétorique : La Régence.

J'ai été très frappé de la décroissance des facultés d'intelligence (ou d'attention), de la 4e à la Philosophie. En 4e, il y a
beaucoup de petites figures sympathiques, vives, vivantes, aimant à écouter, aimant à parler : cela vous fait de petites réponses surprenantes ; cela a lu, cela aime à lire, et cela vit. —
En 3e, déjà beaucoup plus de distraction ; toujours de la vivacité, mais de la paresse ; bien moins d'application. — En Rhétorique, je consate d'étranges lacunes de lecture, une ignorance
singulière de certaines choses, beaucoup de dissipation, un dé-
sœuvrement stupide et bruyant. — En Philosophie, calme plat.
Ils sont morts. Seuls trois ou quatre pensent pour le reste de

la classe, mais pesamment, comme des ruminants. — Et voilà les effets admirables de l'enseignement de lycée ! — La classe qu'il m'a été le plus difficile à tenir est la Rhétorique : 70 élèves, dont 35 vétérans ; (quelques-uns aussi, ou plus âgés que moi). J'ai dû faire gronder ma foudre, à la dernière classe, leur faire honte de ce qu'ils me prouvaient qu'on ne pouvait les tenir qu'avec des punitions, quand moi, j'étais résolu à ne pas leur en donner. Mon petit discours les a ramenés au silence. De bons garçons, au fond, mais beaucoup trop nombreux ensemble, et qu'on ferait mieux de ne pas tenir enfermés.

J'ai fait de la propagande russe. A la fin de mes leçons, je leur ai lu du Tolstoy. En 3e, des *Scènes de Sébastopol ;* nous avons causé de Tolstoy : quelques-uns savaient vaguement que c'était un auteur russe ; et un seul avait entendu parler d'*Enfance et Adolescence*. (Je leur ai lu aussi la Bataille d'Hastings, dans Augustin Thierry). — En Rhétorique, j'ai lu des fragments du *Roman d'un cheval*, — de *Guerre et Paix* — et des *Scènes de Sébastopol*. — En philosophie, des fragments d'*Oblomoff* de Gontcharov, (et la mort de Talleyrand, dans Sainte-Beuve). — Ce sont les *Scènes de Sébastopol* qui ont le plus captivé mon public.

(En 4e j'ai lu un petit conte de Musaens : *Rübezahl*.)

6 avril.

A une répétition des chœurs, Pierné, salle Erard, César Franck vient entendre une de ses œuvres. Il entre « incognito », d'un air solennel, souriant et mystérieux : c'est-à-dire qu'il n'a pas fait trois pas que tout le monde sait qu'il est là, Pierné va lui serrer la main, et il assiste à la répétition avec un parti pris de compliments et d'admiration. Ma sœur est frappée, comme moi, des analogies du bas de sa figure avec celle de Wagner : le menton proéminent, volontaire, le sourire large et bienveillant, mais hautain. — Pierné est un gros garçon d'Alsace, blond pâle, et rose, qui respire la santé et n'a pas l'air de se biler. L'art ne le fait pas souffrir !

7 avril.

Guimet nous fait (nous sommes cinq normaliens) les honneurs de son Musée. Ce petit homme, d'une cinquantaine d'années, dont les yeux et les sourcils ont, dans la fréquentation
des Bouddhas, fini par leur ressembler, manque au plus haut
point du sentiment religieux — ou tout au moins métaphysique ; qui serait indispensable au fondateur du Musée des Religions. Sur des sujets qui ne prêtent pas à rire, il fait des plaisanteries de commis-voyageur.

Un vase de bronze, de 2400 ans avant notre ère. Des figures hindoues sur ivoire, d'une pureté grecque.

Un Bouddha pénitent, barbu : un Christ flamand.

Des moines bouddhistes : des types d'Holbein.

Un dessin égyptien de la 20e dynastie : un type de Grevin.

La dernière apparition de Bouddha : un cheval de l'Apo-
calypse.

L'art de l'ameublement Louis XV, sorti de l'art chinois
du XIIe, XIIIe siècle.

Le plus admirable dans l'art bouddhique : cette expression
géniale de suavité, d'amour paisible, concentré, de renoncement calme, de torpeur divine.

Ce qui me reste de cette visite rapide et diffuse, c'est l'impression de l'unité de l'esprit humain. D'un bout du monde
à l'autre, les hommes sont frères.

(Le conte du mendiant ascétique, qui ne trouva le bonheur
que quand il fut pauvre, laid, et idiot.)

7 avril.

Chez Colonne, *la Damnation de Faust.* Madame Kraus
dans Marguerite.

10 avril.

César-Franck, à l'église Saint-Jacques, du Haut-Pas, où l'on
essayait de nouvelles orgues électriques. — Il ressemble bien à

Wagner, — mais (j'ai trouvé !) à Wagner mort. C'est le crâne
grimaçant de Wagner.

14 avril.

Au Conservatoire, la *symphonie en ut mineur* de Saint-
Saëns, pour orgue et orchestre. — Je suis éreinté de fatigue
par le travail d'agrégation, et j'ai un insatiable besoin de re-
tremper dans la musique mon pauvre cerveau desséché. — De
Récy écrivait que Franck était un forgeron qui martelait ses
motifs, au lieu que la symphonie de Saint-Saëns est une plante
qui pousse. — Oui. C'est même une mauvaise plante. Ou plutôt, une plante de serre, une musique empotée. Saint-Saëns
sent étroit, il pense étriqué ; son âme, comme son corps, est
de santé chétive. Il a pourtant du charme, une grâce mélancolique, une distinction virile. Avec cela, il arrive à donner l'illusion de la grandeur ; il fait large avec une phrase courte de
bras ; sa mélodie malingre du commencement devient un choral
assez puissant, à la fin. Il n'y a pas tricherie, mais, trop uniquement, habileté.

21 avril.

Ouverture du Musée de la Révolution Française place du
Carrousel, salle des Etats.
Le désordre dans l'ordre. A l'entrée, le vestibule des philo-
sophes, puis la pièce de la Constituante, celle de la Législative,
de la Convention, du Comité de Salut Public, des généraux de
la Révolution, — etc., le tout dominé au fond, à l'ancienne
place du trône, par un Autel de la Patrie. — Mais trop de
mesquin. Un fouillis de papiers sales. La défroque de la Révolution, salie par cent ans d'oubli, sans parler des sales personnages qu'elle a commencé par vêtir. La Révolution perd
à être représentée. Son art, ses fêtes, et son style, sont creux.
Sa vraie valeur est tout intime, sa grandeur est morale. La Révolution est comme l'Amour : malheur à qui ne la sent pas !
Peu à peu, je me sens pris par le musée, — et si bien que

j'y retournerai. J'allais y chercher ce qu'il ne peut pas donner, un frisson d'idéalisme. J'y ai trouvé ce que je n'y cherchai
pas, — de très intéressants détails psychologiques et pittores-
ques. — Encore une fois, je ne crois pas que la Révolution
gagne à ces exhibitions : ces fragments de ruines, que ne dore
plus le soleil de la vie, semblent souvent caricaturesques. La
Révolution fait rire et ses hommes font peur.

Je donnerais tout le reste du Musée pour les petits dessins
de Vivant Denon (ce baron de l'Empire, qui accompagna Bo-
naparte en Egypte). Il a croqué au passage, d'un crayon peu
aimable, mais vigoureux et intelligent, les hures de Conventionnels qu'il voyait vivre un instant, dans la rue, à l'Assemblée, au Tribunal révolutionnaire. Tels de ces petits croquis :
Carrier, Gobel, etc., m'en disent plus qu'un chapitre de Taine.
— Les David sont, aussi, énergiques et francs. Curieux, le
rapprochement de deux portraits de Danton, par Greuze (!)
et par David. Bel exemple de la relativité du vrai : Danton
sort muscadin poudré des mains de l'homme à la Cruche cassée.
Et de celles de David !... Un gorille. — A côté de lui, sa brave
et digne mère, sa sœur, son fils, qui sont d'honnêtes têtes de
bourgeois paisibles. — La Charlotte Corday de Queverdo des-
sinée le matin ou la veille de l'exécution, assise à sa table, la
joue appuyée sur la main, et s'interrompant au début d'une
lettre (on lit la première ligne : « Pardonne-moi, mon cher
papa... »), pour regarder le peintre bien en face, de ses grands
yeux calmes, point timides, peut-être un peu angoissés au fond.
— Saint-Just, belle et jeune figure dont le calme est divin !
Les cheveux bouclés qu'une raie sépare au milieu, — une haute cravate bouffante, — il a l'air d'un jeune seigneur de Van
Dyck. Son aristocratisme frappe, de loin, dans la masse de ces
têes convulsées, bosselées, défoncées. — Le masque de Marat,
moulé sur son cadavre, la bouche tordue dans l'agonie. — Le
masque de Robespierre, après la guillotine, peu intelligent,
mais d'une paix parfaite, une douceur sereine dans la bouche,
et les paupières allongées avec tranquillité.

Divers objets ayant appartenu aux Conventionnels. La grosse fourchette, ou la cuiller bosselée de Danton avec son chiffre et un bonnet phrygien gravés sur le manche. Le rouet de Charlotte Corday. Les fins bas qui chaussèrent les pauvres petits pieds de Lucile Desmoulins. Le plat à barbe de Robespierre, l'énorme couteau à une lame et les besicles de Carnot. Mieux que l'encre rageuse de Taine, mieux que la flamme fumeuse de Michelet, ils me prouvent que ces hommes ont vécu ; et, par éclairs, ma vie épouse la leur.

27 avril.

A l'Odéon, *Révoltée* de Jules Lemaître. Plein de talent. — Une impression confuse. — D'une part, un style trop écrit, trop de tirades, des inexpériences (naturelles) dans le dialogue, certaines invraisemblances de discours, des longueurs. — De l'autre, une délicate sensibilité, du goût, de la passion (ce qui est plus rare) ! — Et pourtant il manque quelque chose, qui, pour moi, est l'essentiel : il manque l'amour. Lemaître a pour ses personnages une bienveillance de surface, de curiosité. Aucun d'eux ne m'inspire cette affection que j'ai besoin de donner, quand je lis ou que j'entends une œuvre et qui n'implique pas un besoin enfantin de trouver des personnages « sympathiques », — mais des êtres dont l'âme me soit parfaitement connue, — intime, — comme mienne. Germinie Lacerteux a les mains rouges et le corps souillé ; mais quelle pitié tendre l'auteur a eue pour elle ! Aussi, je l'aime. Pauvre Germinie ! — Mais ici, qui donc ? — Non ! pas assez d'amour ! — Quelques caractères assez originaux la petite Bovary moderne et parisienne. Mais le propre de tels caractères, c'est qu'on ne peut les aimer que si on les connaît à fond, — si on chausse leur peau. Jamais vous n'aimerez madame Bovary, si vous la voyez du dehors. (Il n'en est pas de même pour Germinie.) Vous ne l'aimerez que si vous êtes devenu madame Bovary. Or, le théâtral n'a jamais eu en France le pouvoir de suggestion nécessaire pour faire passer dans la poitrine du spectateur le

cœur du héros. Le roman seul en est capable. *Révoltée* est faite
pour le roman. C'en est le plan. — On devine que les caractères sont intéressants ; mais ils ne sont qu'indiqués. C'est
comme si on ouvrait le livre à la 200e page et qu'on le fermât
à la 220e.

Acteurs : Dumény, — madame Tessandier, mademoiselle
Sisos.

4 mai soir.

De ma fenêtre. Le phare de la tour Eiffel s'allume au-
dessus des nuages.

6 mai.

Inauguration de l'Exposition du Centenaire de 89.
La Galerie des Machines est une ville par son étendue.
Dans le dôme central, à 2 heures, arrive le président Carnot.
De sa tribune haut placée comme les galeries d'une cathédrale,
il lit un discours, dont les mots ne me parviennent pas. Mais,
grandiose et poignante, affaiblie par l'éloignement, me vient
la Marseillaise, orchestrée par Berlioz et chantée par les chœurs
du Conservatoire : le premier couplet avec un élan héroïque,
le second *(Liberté chérie),* dans une expression grave, lente,
recueillie, comme un hymne de Gluck.

J'ai rencontré le président, au moment où, suivi de son
escorte, il gravissait les derniers degrés de l'immense escalier
conduisant au jubé colossal, qui enjambe le confluent des deux
grandes Galeries. Souriant des yeux, à droite, à gauche, son
front osseux luisant, il a l'air honnête, affable, fatigué. — Il
est extraordinairement acclamé.

Joli soleil, air rafraîchi par les pluies de la nuit, vert délicat des feuilles nouvelles et du gazon vierge, fers bleu et or
du Palais des Beaux-Arts, fines toilettes, et jeunes chairs féminines.

On se croirait dans une ville très loin (dans le temps) :

dômes, minarets, tours, jardins, fontaines, sifflements de chemins de fer (du Champ de Mars aux Invalides), fanfares de
cuirassiers, grosse cloche mélancolique, baragouins étrangers ;
Annamites et Tonkinois, au corps grêle, au visage osseux, xv^e
siècle, yeux vifs, démarche féminine, un chapeau de paille sur
leur chignon noir, nègres sculpturaux du Haut Niger, aux
traits énergiques, magnifiquement drapés dans des robes vertes
ou rouges ; cipayes hindous, tirailleurs sénégalais, Arabes et
Tunisiens, etc.

Meissonier à la barbe de Moïse.

— De tous les hommes du XVIIIe siècle, celui qui eût été le
plus heureux de voir cette Exposition, c'est Diderot. Cette glorification des arts industriels, ce pêle-mêle de science, de vie et
de matière, l'eût réjoui prodigieusement.

— On a joué à la cérémonie officielle d'inauguration la
Marche Troyenne de Berlioz. — Cela m'a été une joie, que le
grand Berlioz fût associé à notre apothéose nationale.

— Le soir, j'ai joué, avec ma sœur, en l'honneur de 89, le
dernier morceau de la *Symphonie avec chœurs*.

Je me sens bien plus Républicain que Français. Je sacrifierais ma patrie à la République, comme je sacrifierais ma vie
à Dieu. — Je crois en la République idéale de l'avenir, qui
embrassera toute la terre.

11 mai.

Au concert de l'Ecole Normale, je représente l'Ecole, section musicale. Je joue le 1er morceau de la *sonate en ré mineur*
de Weber.

Got, A. Lambert fils, Berr, Laugier, Bartet, Brandès (Mar-
the), etc.

A propos d'un portrait de femme, à l'Exposition des Pas-
tellistes :

Le sourire pâle de ces lèvres rouges dans une figure ex-sangue : une tristesse intime, lasse, aimante, épuisée. Les yeux clairs, immobiles, muets, vibrent d'une nervosité étrange, et sont illuminés d'un éclair mystique. Cette lumière fascinante, qui jaillit de deux prunelles, et dont l'éclat est froid et ne semble pas appartenir à ces yeux. C'est le regard de Dieu qui luit entre ces paupières ouvertes. — Et je le sens aussi brûler, au fond de mes yeux.

A l'Exposition, deux grands festivals officiels de musique française, donnés, l'un par Lamoureux, l'autre par Colonne (23 mai et 6 juin). — Le premier est bâillant. En quatre heu-res de musique, on eût dit qu'on ne jouait que du Gounod ; et cependant, son nom ne figurait pas sur l'affiche. L'influence que cet homme a exercée sur la musique est prodigieuse ; on ne s'en doutera plus, dans un demi-siècle, quand auront disparu cette multitude de minuscules épigones, et que leur maître lui-même sera aussi discrédité que l'est aujourd'hui Auber. — Seul, peut être mis à part un morceau de Vincent d'Indy : *Le Camp de Wallenstein :* — du Berlioz de salon, wagnérisé avec distinction. — Le 2ᵉ concert (celui de Colonne) a deux beaux morceaux de résistance : la 8ᵉ *Béatitude* de César Franck, et le *Dies Iræ* et *Tuba Mirum* de Berlioz. (Matériellement énor-me, un engloutissement de sons. Mais la mélodie médiocre, et les fanfares creuses.)

Mai 1889 (cahier numéroté XXI)

27 mai.

A Saint-Jacques du Haut-Pas, César Franck inaugure les orgues électriques. — Quel admirable artiste ! Puissant, doux, fort et pénétrant d'un sentiment si vrai, si délicat. Le jeu de Franck est plus nuancé que sa musique. On n'y trouve pas ses duretés, ses brusqueries. — Il ne joue que du Franck et une œuvre de J.-S. Bach. De Bach, le *Prélude* et la *Fugue en mi*

mineur : sobre, simple, tout-puissant. De lui-même, cinq morceaux (j'en entends quatre) : l'Entrée, — une *Fantaisie en la
majeur,* — et deux improvisations, l'une sur une mélodie de
l'Enfance du Christ, — l'autre sur une mélodie de Beethoven.
Cela semble supérieurement orchestré. C'est d'ailleurs un mélange de tendances un peu disparates : style descriptif de Berlioz, et style fugué.

Assista à la cérémonie le cardinal archevêque Richard, qui
vient bénir les orgues. Tout fraîchement nommé cardinal, après
bien des difficultés avec la République. Un corps maigre, voûté,
tordu. Une figure osseuse, ascétique, un peu chafouine, avec
des lunettes. Quand il bénit, on dirait un chat qui avance la
patte, pour jouer avec une souris.

29 mai.

Le badaud que je suis, curieux de tout et de rien, va passer
deux heures au bal du président du Conseil. Je me distrais à
voir les entrées, les saluts de Tizard, qui fait son François Ier ;
mais (chassez le naturel !...) dont la main est tentée, à tout
instant, d'aller retrouver le fond de sa poche de culotte.

1er juin.

A l'Exposition Centennale des Beaux-Arts. Je suis transporté par les œuvres de Delacroix et de Puvis de Chavannes.

De Puvis, cinq toiles, et les cartons de la fresque du Panthéon. Dans le nombre un chef-d'œuvre divin : « *Femmes sur
la grève* » (1879). Trois femmes, — deux à demi couchées
avec des poses lasses, l'autre debout, ramenant sur ses épaules
sa chevelure aux ondes grises, emportée par le vent : devant
elles, la mer bleue et blanche, avec un fond de ciel d'un rose
pénétrant et discret. Le calme harmonieux des lignes et des
couleurs vibrantes dans leur sonorité lointaine, pénètre l'âme
d'une céleste paix et d'une joie profonde, silencieuse. — « C'est
du Parsifal dans la coupole », disions-nous avec Suarès.

Delacroix n'est représenté que par des esquisses ; mais je croirais maintenant qu'il y est plus grand que dans les œuvres achevées, où il refroidit son génie par le souci de la composition. — Le *Sardanapale* est un torrent enflammé, du Rubens qui se serait baigné dans l'océan de pierreries des Vénitiens. — Les esquisses de la bataille de Poitiers et du meurtre de l'évêque de Liége s'allument de lueurs magiques, — des rouges et des verts superbes.

Des grands paysagistes de 1830, j'aime surtout Corot. *Le lac de Garde,* au matin, me pénètre d'une fraîcheur délicieuse. Mais ce charme est ténu ; et à la longue, peut-être, cette délicatesse peut sembler superficielle.

Millet, lui aussi, est superficiel, mais par lourdeur, — et non plus par légèreté. J'admire d'ailleurs cette lourdeur puissante de Zola classique. *L'homme à la houe* est un poème en prose : le « Jacques ». Il compose et peint avec sa tête ; il exprime toujours une idée en une figure ou un coin de champ.

Rousseau, d'une précision diamantée, minutieuse, hollandaise, me semble un peu sec, dans l'ensemble.

Je ne comprends pas très bien les passions soulevées par Manet. Il me paraît un peintre remarquable, qui saisit souvent la vérité, d'une façon surprenante, mais qui ne la cherche guère, — qui accentue uniquement un trait réel, souvent à fleur de peau, insignifiant, indifférent, — et qui sabote le reste. Il est vrai que ce qu'il happe, il le tient bien ; il emporte le morceau.

Juin 89.

Le patriotisme est la religion des âmes médiocres.

Signé : ROLLAND.
(pour qu'on ne s'y trompe pas).

C'est un devoir imposé par la fatalité douloureuse d'un monde encore barbare. On est contraint de le faire ; il serait stupide de le faire volontiers.

5 juin.

Je suis tourmenté par la pensée de cette coalition de l'Allemagne impériale et de l'Italie (pauvre dupe !) contre la France. — Je n'aime pas spécialement la France, parce que je n'aime aucune nation. Il n'y a qu'une patrie : l'Amour ; et les autres sont le fruit de l'orgueil et de la haine. — Mais la France seule, en Europe, incarne la République ; et la pensée de la République morte me serre la gorge. — Ah ! que les hommes ne soient pas capables de s'unir, de travailler ensemble pour le bonheur commun ! Et qu'il faille encore des siècles, des siècles d'hécatombes, pour que peut-être alors, ils n'en soient pas plus capables qu'aujourd'hui ! — Mon Dieu ! Mon Dieu ! souffle-leur l'Amour ! Ou donne-nous la force de convaincre les multitudes stupides, et d'écraser les monstres !

On ne me connaît guère, à l'Ecole Normale. Je ne lui donne — et au travail considérable qu'elle exige — qu'une moitié de mon âme, la partie morte. L'autre attend, se désole, soupire après le moment où elle pourra vivre enfin. — Rue d'Ulm, on ne voit de moi que la correction de conduite, la régularité du travail, la probité laborieuse, l'honnêteté froide de la vie intellectuelle, — sans se douter de la contrainte dure que j'impose à tout ce qui bondit en moi, hurle même quelquefois contre les autres et contre moi. — Aussi, quand le saint orgueil s'emporte dans mon cœur, je pleure des larmes brûlantes, à la perspective (trop possible) d'une mort prématurée, avant qu'ait pu parler mon âme vivante, — la seule qui soit moi. — Toujours attendre pour vivre !... Quand donc vivrai-je ?... Ne sera-ce qu'en Dieu, après la mort ? — Alors, pourquoi suis-je venu sur terre ?... N'y avait-il rien à tirer de ma vie, cher Dieu ?

Après une conversation avec ma mère :

J'étais fait pour être musicien. L'opposition de mon père, l'incertitude de ma mère, et le manque de volonté de mon enfance tardive, ont bouleversé l'avenir qui m'était promis. Le rôle

qui m'a été laissé dans cette vie me convient beaucoup moins
que celui qui m'a été refusé : j'y serai donc plus médiocre. Irréparable maintenant. J'y ai souvent pensé, longuement. Il est
beaucoup trop tard pour me remettre à la musique : ce n'est pas
seulement une éducation technique de plusieurs années qu'il
me faudrait faire, à un âge trop avancé pour que l'inspiration
native n'en subît pas l'effet desséchant ; — c'est surtout la transformation complète de mon esprit, sous l'influence des études
diverses que la nécessité m'a imposées, — et surtout de la critique et de la philosophie. Ce n'est plus une âme de musicien
pur qui m'anime ; elle est mêlée de toutes sortes d'éléments
étrangers, complexes et dissolvants. Aujourd'hui, je pense des
idées musicales sous une forme littéraire. — Ma vie est donc,
jusqu'à un certain point, manquée ; on n'en aura pas tiré tout
ce qu'elle aurait pu donner de mieux.

Je ne reproche rien à ceux qui ont dirigé ma vie, quand
j'étais incapable de me diriger moi-même. Ils ont fait pour le
mieux. Ils se sont trompés, par affection pour moi. Tant pis
pour eux ! Ils n'auront pas en moi le grand musicien que j'aurais pu être (j'ose le dire : je le sens, surtout quand je mesure
la médiocrité de la musique française d'aujourd'hui). — Tant
pis pour moi, aussi ! — Mais d'abord, avec la foi que j'ai conquise, c'est si peu de chose qu'une vie mortelle ! Il ne faut pas
attacher à son succès ou à son insuccès une importance exagé-
rée. La mort recouvre tout. — Et puis, je suis assez vivant pour
ne pas me borner à une seule forme de vie ; et si celle-là m'est
refusée, je m'en fraierai une autre. Que je vive seulement, et
je réponds bien que, de quelque façon, je laisserai ma trace
dans la vie. — Le seul regret (il est grand), c'est qu'avec un
esprit plus riche qu'il eût été, si je m'étais consacré à la musique, le résultat sera moins beau, moins spontané, moins naturel. Je suis un arbre plein de sève, — mais sur lequel on a
greffé une espèce différente. Mes fruits seront bons, peut-être
rares. Ce ne seront pas mes vrais fruits.

Qu'y faire ?... Les uns et les autres, nous sommes menés
par l'Infini. Nous agissons, le plus souvent, pour des raisons

obscures, d'après des causes inconnues. — Que veulent-elles de moi ? — Ma vie n'est pas mon œuvre. Mon amour seul m'appartient.

10 juin.

Au Trocadéro, une audition unique du *Messie* de Haendel.

Il y a seize ans qu'il n'avait été exécuté à Paris. (La dernière audition est de décembre 1873.) — Et on n'a même pas eu le courage de le donner tout entier. Quinze morceaux ont été supprimés. (Entre autres, le : « Ist Gott für uns... »)
— Ah ! le pauvre Paris !
Fauré tenait l'orgue. Vianesi dirigeait l'orchestre. L'exécution était froide, et m'a peu touché. — Le gros prince de Galles assistait. — Gounod aussi. Il applaudissait sans chaleur, et est parti après la deuxième partie. — Rose Caron chantait.

11 juin.

Mort du pauvre Valette (un de nos camarades de la section des sciences). Je le connaissais à peine. Il était gentil, plus distingué que les autres. Ma mère parlait à sa mère. — Je me réfugie dans ma chambre, et j'ai une crise de larmes. C'est moins lui que je pleure, le pauvre petit de vingt ans, qui disparaît après quinze jours de souffrances cruelles, — c'est moins lui que ses parents, une sœur, une mère surtout... Et je pense à la mienne... — Mon Dieu ! faites que, si tôt que je meure, ce soit un peu après ma mère ! Ma mort en sera plus pénible, plus seule ; mais je ne laisserai pas après moi cette douleur horrible, que rien ne pourrait apaiser, — même pas la mort !...
— Ma mère a été tant pour moi ! Mais j'ai été bien plus encore pour elle, — absolument tout. Sur la première page d'un vieux paroissien, je vois, de sa main : « Naissance de mon petit Romain. » — De ce jour, elle m'a aimé plus que tout au monde ; dans ses tristesses, ses souffrances, ses dégoûts, l'espoir de

ma vie et de mon bonheur l'a seul soutenue. Ma mort serait la
fin de tout pour elle. — Elle est la seule à qui j'ai ouvert mon
cœur, si fermé aux autres. Elle est la seule pauvre âme romanesque, musicale, contemplative, religieuse, qui trouve en la
mienne un écho de la sienne. Seule des miens, elle me sent
tout entier. Seul des siens, je sens son cœur. Ce serait le vide,
si je m'en allais avant. — Que je m'en aille après !

Mais si pourtant la catastrophe arrivait, — chère maman,
réfugie-toi en Dieu ! — J'y crois, comme toi. Mais tu y crois,
parce que tu le désires. J'y crois, parce qu'Il Est. — Si donc je
pars avant toi, aime Dieu, — car j'y serai. Aime tous ceux qui
m'aiment ; mon amour sera toujours présent avec vous ; il cou-
lera sur vous de la source divine, d'où nous sommes tous sortis,
où nous rentrerons tous. — Il n'y a pas de Mort. Seule, la Vie
existe. Si tu m'aimes, aime la Vie. La Vie, c'est moi, quand je
serai revenu à Dieu ! — Va en Suisse, va dans mes chères montagnes ! C'est là que j'ai laissé le plus de moi-même ; c'est là
que tu retrouveras le plus de mon âme adolescente, mêlée à
l'âme infinie de la divine Nature : torrents sonores, forêts mur-
murantes, montagnes inclinées, souffle du Dieu vivant, que
j'aime, que je suis, qu'à ton insu tu es, et au sein de qui nous
serons réunis.

16 juin.

Monté sur la tour Eiffel. La vue n'est pas belle. Seule impression nouvelle : la multitude grouillante de petites bêtes
noires en chapeaux de paille, qui courent en bas. — Le plus
curieux : la masse intérieure de la tour ; la forêt de ferrures
qui s'entrecroisent, en un désordre très ordonné.

Un article de Maupassant très violent contre la guerre, —
préface à une œuvre russe de ce titre. — Victor Hugo, Maupassant, Tolstoy, ont parlé contre la guerre. Il ne suffit pas de
parler ; il faudrait organiser les forces, faire au besoin une
Ligue armée, pour imposer la paix. Au nom de la République
universelle de l'avenir, au nom de la Raison, au nom de

l'Amour il faut étouffer la Haine et ceux qui vivent d'elle. On guillotine les assassins. Que méritent donc les assassins de peuples ? — Hugo a dit : « Déshonorons la Guerre ! » — Soit. Mais faisons plus : tuons-la !

22-23 juin.

Petit voyage archéologique de deux jours, avec les historiens de l'Ecole Normale, — à Noyon, Coucy, Laon. — Nous sommes douze : la section d'histoire (moins Suarès), G. Perrot, Vidal de Lablache, Gabriel Monod, et De Lasteyrie, qui se fait notre guide.

NOYON.

Nef grave et pure. Les galeries du premier étage aussi larges que la base, — faites pour recevoir une foule, — et pleinement éclairées : style roman. — Plus loin, l'ogive commence, et les colonnes s'amincissent, les fenêtres s'élancent. Mais je préfère le roman. Il est simple, franc, et fort.

Charmant jardin du cloître entre l'église et les galeries : on est isolé du monde par les grandes murailles qui dérobent la vue de la ville ; on n'a d'autre horizon que les tours, que Lasteyrie critique, et dont la forme massive ne me choque point ; de petits sapins houlent doucement au-dessus d'un vieux puits ; de vieilles statues mutilées rêvent ; et le doux air tiède enveloppe mon ennui, qui me plaît.

Monté à la tour.

A la sacristie, la plus vieille cloche de France, peut-être carolingienne. Elle me rappelle (en plus gros) les cloches des vaches, en Suisse.

Le pays est gentil et frais ; l'air le plus pur de l'Ile de France, dit Vidal. Des promenades superbes, odorantes. — Une figure adorable de fillette. Figure pleine, un peu ronde, aux couleurs dorées, des cheveux légers, en nimbe blond, un teint exquis d'Anglaise, rose et fin, des yeux très doux et un sourire charmant. J'ai beaucoup remarqué ce type et ce sourire, en ces deux jours d'Ile de France : je le connaissais mal, avant. Chez la plupart, il est un peu vulgaire : une petite figure ronde, au front bombé, au nez droit, pointu, assez gros, aux lèvres assez fines (tout est modéré, dans ce gentil pays), avec un sourire d'une amabilité gracieuse, très mobile, mais un peu excessif. (On retrouve cette impression, comiquement rendue, dans les statues de Laon.) — Mais chez ma jolie fille, c'était amoureusement exquis.

COUCY.

L'extraordinaire donjon, qui, de loin, sur la colline, écrase le village tout proche de nous. Il n'est pas plus haut que la première plateforme de la tour Eiffel, et il paraît plus haut que la tour entière. L'impression de masse la plus colossale que j'aie eue. — L'effet d'entrée est grandiose : les planches des étages ont été détruits et le regard n'est plus arrêté que par la couverte du toit, à une hauteur de 65 mètres. A la place des étages, de grandes galeries, comme dans une cathédrale. Des murs de 7 mètres d'épaisseur. Au fond, un puits de la hauteur de la tour. Des cheminées grandes comme des portes cochères. Tout était taillé à la mesure d'un monde de Gargantuas épiques. — Et pourtant, cette masse énorme a la grâce.

Vu par les brèches grisâtres du vieux château, le paysage est charmant. Une fine atmosphère ; une brume aux couleurs fraîches, voilées, pénétrantes : rose de Chine, orange et blanc nacré. La contrée qui s'étend autour, très loin, est très douce, tranquille, ni bien grande, ni bien large d'esprit, mais riante et plaisante au cœur. C'est le cadre de la jolie figure de Noyon. — Varié, mais extrêmement simple ; de petits horizons, points fermés, voilés seulement, d'un parfum discret.

Nous passons la nuit à Coucy. Le soir, assis sur son lit, Gabriel Monod, affectueusement cordial et mille fois plus intéressant toujours dans ses entretiens familiers que dans ses soporifiques leçons, nous raconte ses souvenirs de la guerre de

1870, où il était infirmier volontaire, et parle noblement des blessés allemands. (La scène, pleine de grandeur, d'un capitaine allemand, couché sur le champ de bataille, au milieu de ses hommes, blessés comme lui, et leur faisant un discours d'adieu fraternel.)

Je me lève à 5 heures. Je vais courir la campagne, les champs de blé : il fait frais, comme un beau jour d'avril. Je revis. — Monté au donjon. J'écoute distraitement Lasteyrie ; mais je savoure, avec une joie tranquille, la douceur infinie de la nature bien aimée.

LAON.

Très élevé, par rapport à ce qui l'entoure. Une butte isolée, presque à pic, d'une montée assez raide (pour l'Ile de France). La vue s'étend à de vastes distances ; mais je préfère les petits horizons de Coucy et de Noyon. Tout autour de Laon, la plaine plate, sans vallée, sans rivière. Je préfère les lignes souples, fraîches et vertes, du pays de St-Gobain.

La cathédrale : deux grandes tours, osseuses et efflanquées, avec tout autour et en haut, des animaux sculptés, comme une arche de Noé : des bœufs, principalement. (Par reconnaissance, dit-on, pour les braves bêtes, qui ont monté les matériaux de l'église.) — A l'intérieur, un chœur presque aussi long, aussi développé que la nef : (disposition fréquente en Angleterre, très rare en France.) Au milieu du transept, à la rencontre des quatre branches de la croix, une voûte très surhaussée, presque en coupole : l'effet n'est pas heureux (se voit, dit Lasteyrie, en Normandie).

Saint-Martin : très belles statues du portail, malheureusement mutilées. Deux anges, têtes tranchées, portant un cierge. Le mouvement, d'une souplesse ravissante, fait songer à Botticelli.

Nous visitons aussi une petite chapelle des Templiers, et l'Evêché.

Personne dans les églises. Tout le monde dehors en procession. Partout, on rencontre les robes blanches des fillettes, les robes rouges des enfants de chœur. Les pavés des rues sont jonchés de feuilles de roses, et les murs drapés de linge blanc, piqué de fleurs. Les cloches à toute volée.

30 juin.

Vente de la collection Secrétan.

300 à 400 tableaux de maîtres, qui vont être dispersés aux quatre coins du monde.

Le fameux *Angelus* de Millet, — acheté en 1855 à Millet 1,800 francs — aujourd'hui coté 553,000 francs — et qui ne les vaut pas plus que 100 francs ou un million — est beau, mais pas plus que beaucoup d'autres toiles auxquelles on ne prête pas attention.

Surtout, deux merveilleux Van der Meer de Delft — un peintre que je ne connaissais pas, — et dont me ravit le coloris vif et clair, plus clair que celui des autres Hollandais, l'atmosphère lumineuse.

Cinq ou six Rembrandt (sa sœur, *l'Homme à l'armure, la Tentation,* etc...) — Un splendide Rubens, puissant épanouissement de la fleur de chair *(David et Abigaïl).* — Plusieurs Delacroix, dont un *Tigre* qui est encore du Rubens, au carré de la puissance. — Des Frans Hals, ordinaires. — Des Memling, que je n'aime pas beaucoup. — Des Pater et Lancret, de premier ordre. — Les Meissonier, qui m'embêtent. — *L'Œdipe* d'Ingres, une croûte aux confitures. — Des Troyon, dont quelques-uns me ravissent (ce qui ne m'arrive pas souvent, avec ce peintre). — Des Corot, des Rousseau, etc... Et une quantité de vieux Flamands, de Hollandais, d'Espagnols, où je ferais mon choix, bien plutôt que dans les Français, qui demain vont faire — (surtout les Meissonier) — les plus gros prix.

Les Fontaines lumineuses de l'Exposition.

Tout un art en germe. Un clavier des couleurs et des for-

mes perpétuellement changeantes. Un tableau en mouvement.
Une atmosphère de féerie. L'eau s'élance en fusée, ou se re-
courbe en cornes, ou se bâtit en pyramide, ou s'évapore et
fume, ou s'amasse en une grande cataracte, qui chute dans le
ciel. Son épaisseur et sa fluidité changent. Tantôt lourde et
d'acier, tantôt mousse et fumée. Quant aux couleurs, sept nuances combinées, fines, vives, délicates et factices, comme l'aile
d'un papillon. Besnard peut donner une idée de leur magie
électrique, — reflet de la science dans l'art. — J'imagine un
temps, où l'on aura chez soi un clavier qu'il suffira de toucher,
pour mettre en mouvement, soit un orchestre de tous les sons,
soit un orgue de toutes les couleurs. Les magnifiques symphonies de sensations déchaînées...

O ! Science, Science divine, engloutis l'Art, et que triomphe
enfin le monde joyeux et sain des Réalités infinies ! La Nature
est le Mage Suprême ; auprès de ses concerts, que valent ceux
des artistes ?...

12 juillet.

Concert américain (A. Foote, — Macdowell, — van der
Stucken, — Chadwick). — J'ai voulu voir si les Etats-Unis, ce
monstre enfant, avaient donné leur mesure en musique, comme
ils ont fait en peinture (Whistler) et en littérature (Poë). —
J'ai été entièrement déçu. Ce n'est même pas brutal et forain.
C'est froid, c'est terne, c'est « respectable », — c'est nul. (La
Melpomène de Chadwick me paraît encore le plus passable.)

Juillet.

Entre l'écrit et l'oral de l'Agrégation d'histoire, je suis pris
d'une rougeole, — heureusement bénigne. Ma sœur, plus fortement atteinte, me l'a communiquée. Je tombe malade, le soir
même de ma dernière épreuve écrite. Et tel était l'écœurement
que me causait l'examen, qu'au fond de moi je ne savais pas si

je ne souhaitais point ne pas guérir à temps pour passer l'oral.
— Je guéris cependant ; et le jury m'accorde un sursis de quelques jours.

J'ai envoyé ma carte, avec quelques mots passionnés, à Puvis de Chavannes au lendemain de sa promotion de commandeur dans la légion d'honneur. — Il me répond « avec effusion » :

« Combien je suis touché et reconnaissant, monsieur, de l'accueil que vous faites à la distinction dont je viens d'être honoré. Je sens avec joie, à l'ardent témoignage que vous me donnez, une sympathie qui m'est bien précieuse, et dont je vous remercie avec effusion. »

Mort de notre camarade d'Ecole, Baucher.

Suarès est refusé à l'admissibilité de l'agrégation d'histoire, malgré la capacité historique et la valeur personnelle que ses juges lui ont reconnues : (je le soupçonne un peu d'avoir fait ses compositions en style « décadent » : depuis trois mois, il en est atteint). — Il refuse de rester dans l'Université, il refuse tout ce qu'on lui offre : bibliothèque, musée... Il ne sait ce qu'il veut, il ne veut rien, que vivre et s'observer. Je crains beaucoup qu'il ne soit à la veille d'une profonde maladie physique et morale. Il la couve depuis des mois. Il traverse une dangereuse crise. Il se soumet à un régime extravagant, qui aurait déjà détruit tout homme moins robuste : veilles, jeûnes, semaines de cellule hermétiquement close et chaude ; surexcitations artistiques et nerveuses. Il est, de plus, victime d'une croyance, peut-être issue de la mienne, mais mal faite pour lui. Il croit — comme moi — que sa vie est un rôle. Il croit — comme moi — qu'au fond de lui est l'Etre infini qui seul existe. Mais, pour lui, le rôle n'a point de réalité, c'est un rêve inutile. Et l'Etre infini est le Moi supérieur.

Je crois que Dieu est en nous, et que tous nous en exprimons une puissance plus ou moins grande. Je crois donc que

Dieu est, à la fois, inhérent à moi et profondément distinct : car, au delà de moi, il embrasse tous les autres.

Suarès croit que Dieu n'est que dans une élite très restreinte, qui peut le réaliser tout entier, se confondre avec lui, et il croit qu'il est de ces privilégiés.

Je ne nie pas la possibilité de pareils états d'âme. Je crois qu'ils trouvent leur réalisation dans la mort, qui est le confluent de l'âme individuelle avec le Fleuve infini. Et sans doute l'extase des fakirs en procure-t-elle un avant-goût.

C'est vers elle que Suarès paraît tendre. Mais il y est impropre. Car il n'a pas la douce et morne fièvre, la tranquille négation des cœurs faits pour cette extase de néant. Jamais sa personnalité n'a été plus violente, plus jalouse, plus indomptable, plus dominatrice. — Non, ce n'est pas de l'annihilement extatique qu'il est menacé. Ce serait plutôt de la folie, — si une autre passion, plus charnelle, ne l'empoigne tout entier.

En attendant, il ne fait rien, il ne veut rien faire. Il est si incertain que Monod lui a parlé de se faire moine, et qu'après avoir discuté cette question avec moi et reconnu que ce n'était pas possible, Suarès m'a dit que ce serait encore ce qui lui répugnerait le moins.

Il est souffrant. Il a supporté son échec avec une parfaite indifférence apparente ; mais il en ressent profondément l'amertume.

Jamais il ne m'a plus aimé. Jamais je ne l'ai plus aimé. — Et cependant, il reste huit jours, à la campagne, près de Paris, sans me voir ni m'écrire. Après une semaine, je lui envoie un petit mot furieux. Il le reçoit le soir, saute dans le train pour Paris, m'arrive à 9 heures du soir par un fiacre qu'il a payé double prix pour aller plus vite, m'embrasse, et me reproche, les larmes aux yeux, de douter de lui. — Mercredi soir, il part pour Marseille. Cette fois, il m'avertit ; il vient deux fois dans la journée. Mais à son frère, qui devait partir avec lui, — à son oncle, chez qui il était reçu à Herblay, il ne dit rien. Ils ne savent où il est. Et deux jours après son départ, je reçois d'eux une dépêche inquiète : « Félix a fui campagne. Télégraphie. »

— Nous nous sommes quittés, mon ami et moi. Nous ne savons quand nous nous reverrons. Il va vivre à Marseille ; et moi, je ne sais où. C'est fini des journées, des années, côte à côte, avec leur variété sans cesse renouvelée, sous leur apparente uniformité. Trente mois, nous avons vécu, à deux pas l'un de l'autre, partageant la même cellule, ne passant pas une heure sans échanger nos pensées, pas un jour sans discuter ardemment. — Et l'admirable — (peut-être l'unique, même entre amis intimes) — nous n'avons pas eu un jour de brouille, pas une parole aigre. Jamais nous n'avons cessé de nous aimer ; et notre intimité familière n'a point dégénéré en ce sans-gêne déplaisant et vulgaire, avec lequel se traitent mutuellement, à l'ordinaire, ceux qui se connaissent bien, ceux qui se connaissent trop. A peine quelques petits froissements, mais intérieurs, et ne se traduisant pas au dehors. — Je pense que l'épreuve de notre constance est faite.

Et pourtant, qui étaient plus différents l'un de l'autre, que nous deux, à notre entrée à l'Ecole ! Depuis, je n'ai cessé de l'apprécier davantage. Son cœur vaut beaucoup plus que je n'avais craint d'abord. Plus d'une fois, il m'a prouvé qu'il valait mieux que le mien. — En revanche, il y a trois ans, je croyais à l'éclat de son avenir ; je le voyais environné déjà d'une jeune gloire et brûlant d'ambition : sa victoire semblait sûre. Aujourd'hui j'imagine très bien qu'il puisse rester en route, s'égarer, ne jamais s'accomplir pleinement, malgré son grand talent. — Puisse la passion de la vie l'arracher aux fantômes et à la « littérature » !

4 août.

Translation des cendres de François Carnot, Marceau, La Tour d'Auvergne, et Baudin, au Panthéon.

Ma première sortie après ma maladie.

Carnot, le président : tête de Conventionnel, osseuse, noire de poil et de peau, barbe assez courte, mais large ; le crâne et le nez du grand-père — de ce tas de poussière, qui attend à côté, sous les draperies du catafalque un peu burlesque (le tricolore ne va pas au deuil). Il a l'air sérieux d'un homme qui ne rit jamais. Sa tête est bien à part, très Révolution, au milieu des autres, si fin XIXᵉ siècle parisiano-américain — Rouvier, avec son binocle, l'air impertinent ; — Constans, le ton rogue d'un professeur mal élevé ; — Tirard, François Iᵉʳ pour prix Monthyon ; — Kranty, gros mufle rougeaud, nez aplati, san-guin, bonasse, et violent. — Carnot est extrêmement acclamé par la foule.

Revue des troupes devant le Panthéon : les hussards de Marceau, et les grenadiers de La Tour d'Auvergne. Sonneries hennissantes des trompettes de cavalerie. — Carnot salue les drapeaux, comme le prêtre lève le Saint Sacrement.

Au bout des marches, sur le fond des colonnes grises, les hermines et les robes rouges. Quelques vieilles barbes à la Mathieu Molé. Un grand vieux, à figure forte, carrée et rasée, qui porte robustement son hermine, semble un vigoureux Hol-bein.

A l'intérieur, après la cérémonie, Carnot pose la première pierre d'un monument à Hoche et à Kléber. La garde est faite à l'intérieur par de vieux invalides, aux trognes plus rustiques que guerrières, mais tout fiers de la lance qu'ils tiennent au bras. Leur commandant roule ses ordres d'une voix de vieux tonnerre des Variétés *(Belle Hélène)*, en boitillant sur sa canne.

Les toits de la place du Panthéon sont noirs de spectateurs. Des familles sont installées entre les cheminées.

Agrégation d'Histoire :

Sont reçus :

1. Pagès, Parmentier, ex-æquo.
2. Guy.
3. Gauckler.

4. Bernard.

5. Malet.

6. Breyton.

7. Masson.

8. R. Rolland.

9. Demoutès.

10. Gobin.

11. Dubois.

12. Balteau.

13. Bécourt.

Soit, trois Normaliens seulement, reçus : Pagès, Gauckler, et moi.

Sont refusés à l'oral : Barthe, Gay, Wartel, et Lorin. — (Refusé, dans la section des lettres : De Ridder.) — Ont été refusés, à l'écrit : Suarès, De Bévotte, Bouchard, Surer. — Soit 9 sur 24.

Rien à dire de plus de mon examen. C'est fini. Mon supplice est fini. — Si j'ai un conseil à donner maintenant à des garçons de valeur, c'est de ne jamais se présenter à un pareil concours. D'abord, il y faut une force physique, que je n'avais pas (aussi ai-je risqué une grave maladie). Et surtout, il y faut une imbécillité d'esprit, ou une résignation de volonté (c'était mon cas), vraiment par trop pénible, ou par trop méprisable. — Oh ! que je méprise tous ces examens ! Et que je suis heureux de pouvoir dire ce mépris, à présent que je les ai passés victorieusement, et que j'ai le droit de trouver trop verts les raisins que j'ai happés, — et même de les recracher !

Perrot m'offre l'Ecole de Rome, dont il avait bercé — berné — depuis trois ans le pauvre Barthe, aujourd'hui refusé, consterné de ce refus, et ne sachant plus que devenir.

Je voudrais bien accepter. Mais ma chère maman ! — Ah ! pour tout au monde, je voudrais rester auprès d'elle, payer sa chère affection de la mienne toujours présente, soutenir ses découragements... Mais si je refuse, il ne me reste que le professorat ; et j'en suis incapable ; non seulement parce que cela me dégoûte, mais parce que ma gorge et ma poitrine ne me permettent pas ce métier plus de trois mois. — Et puis, il me faut encore un ou deux ans de liberté pour faire mon avenir, pour bâtir sur d'autres fondations ma vie, qui est créée pour l'art, — pour l'art, — pour rien d'autre. L'Ecole de Rome me serait donc nécessaire.

C'est un choix à faire entre l'affection aveugle et la raison.

*Imprimé sur les presses
de l'Imprimerie Saint-Joseph,
Montréal.*